D0811527
HANDBOEKBINDERIJ
ACG
DORP Nr. 2

DE FLUISTERING VAN DE MAAN

Amanda Quick

De Fluistering van de maan

the house of books

Oorspronkelijke titel
Wicked Widow
Uitgave
Bantam Books, New York

Vertaling
Janny Rosenau-Hes
Omslagontwerp
Julie Bergen
Omslagillustratie
Elaine Gignilliat

ISBN 90 443 0239 6
D/2001/8899/91
NUGI 340

Voor Margaret Gordon,
een toegewijde bibliothecaresse aan de Universiteit van Californië, in Santa Cruz,
met dank

Eerste proloog

Nachtmerrie…

Het vuur schoot loeiend langs de achtertrap omlaag. De gloed van de vlammen hulde de gang in een duivels licht. Ze had nog maar zo weinig tijd. De sleutel ontglipte aan haar trillende vingers. Ze raapte hem op en probeerde hem nogmaals in het slot van de slaapkamerdeur te steken.

De dode man, die in een plas bloed naast haar lag, begon te lachen. Van schrik liet ze de sleutel weer vallen.

Tweede proloog

Wraak...

Artemis Hunt stopte het derde gegraveerde horlogekettingplaatje in een envelop en legde die naast de twee andere op zijn bureau. Lange tijd staarde hij naar de drie brieven die voor hem lagen. Ze waren geadresseerd aan drie verschillende mannen.

De wraak die hij had gepland had jaren in beslag genomen, maar nu was het karwei geklaard. De eerste stap was de drie brieven posten. Hij wilde hun daarmee angst aanjagen en hen zó bang maken dat ze op donkere avonden geen stap meer durfden verzetten zonder schichtig over hun schouder te kijken. De tweede stap was een ingewikkelde financiële transactie die hen alle drie totaal zou ruïneren.

Het gemakkelijkst zou natuurlijk zijn geweest hen te vermoorden. Dat hadden ze dubbel en dwars verdiend, en het zou voor hem een klein kunstje zijn geweest dat te doen zonder het risico te lopen om gepakt te worden. Hij was tenslotte een Vanza-meester, nietwaar?

Maar hij wilde die moordenaars laten boeten voor wat ze hadden gedaan. Hij wilde hen eerst laten kennismaken met wanhopige onzekerheid en daarna met wurgende doodsangst. Dat zou hun verwaande arrogantie een gevoelige knauw geven. Hij zou hun gevoel van zekerheid en veiligheid, waarvan ze op grond van hun afkomst profiteerden, de grond in boren. Uiteindelijk zou hij hun alle middelen afhandig maken waarmee ze anderen, die onder minder fortuinlijke omstandigheden waren geboren dan zij, misbruikten.

Voor het voorbij was hadden ze tijd genoeg om te beseffen dat ze voor het oog van de wereld volkomen afgeschreven waren. Ze zouden naar Londen moeten vluchten, en niet alleen om zich schuil te houden voor hun schuldeisers, maar ook om aan de diepe minachting en woede van de gemeenschap te ontkomen. Ze zouden worden verbannen uit hun clubs en worden uitgesloten van de privileges en pleziertjes van hun klasse, en ze konden alle hoop op een voordelig huwelijk – waardoor ze weer in het bezit van een fortuin zouden kunnen komen – laten varen.

En uiteindelijk zouden ze misschien in spoken gaan geloven.

Vijf jaar geleden was Catherine gestorven. Er was zo veel tijd overheen gegaan, dat de drie schoften die verantwoordelijk waren voor haar dood, zich volkomen veilig waren gaan voelen. Waarschijnlijk waren ze gewoon vergeten wat er die nacht was gebeurd.

De brieven met de plaatjes erin zouden de zekerheid dat het verleden even dood en begraven was als de jonge vrouw die zij hadden vermoord, in één klap verpletteren.

Hij zou hun een paar maanden de tijd geven om gewend te raken aan de noodzaak om voortdurend over hun schouder te kijken, en daarna zou hij zijn volgende zet doen. Hij zou wachten tot hun oplettendheid was verslapt... en dan zou hij genadeloos toeslaan.

Hij kwam overeind en liep naar een kristallen karaf die op een klein tafeltje stond. Hij schonk een glas cognac in en toastte zwijgend op de nagedachtenis van Catherine. Het duurt nu niet lang meer, beloofde hij de onzichtbare geest die hem achtervolgde. Ik ben tekortgeschoten toen je nog leefde, maar ik zweer je dat dat niet zal gebeuren nu je dood bent. Je hebt lang genoeg op vergelding moeten wachten. Maar nu is het zover. Het is het enige wat ik nog voor je kan doen. Als dat achter de rug is hoop ik dat we allebei vrij zijn.

Hij dronk zijn glas leeg en zette het neer. Even bleef hij doodstil staan en wachtte. Maar het kille, lege gevoel vanbinnen was er nog steeds, net zoals in de afgelopen vijf jaar. Hij betwijfelde of hij zich ooit weer echt gelukkig zou voelen. Eigenlijk geloofde hij dat een dergelijke, luchtige gemoedstoestand niet mogelijk was voor een man met zijn temperament. Hoe dan ook, zijn training had hem geleerd dat vreugde net zo'n vluchtige illusie is als alle andere sterke emoties. Toch had hij gehoopt dat zijn uiteindelijke wraakactie hem enige voldoening zou geven; of op zijn minst een soort vrede en rust.

Maar hij voelde helemaal niets, hij hunkerde er alleen maar naar om de zaak af te handelen.

Hij begon te vrezen dat hij voor het noodlot was geboren.

Toch zou hij afmaken waarmee hij was begonnen. Hij zou de drie brieven versturen. Er was geen alternatief. Men noemde hem de Droomkoopman. Nou, de Droomkoopman zou de drie liederlijke losbollen die Catherine hadden vermoord laten merken dat hij ook nachtmerries verkocht.

1

Er werd rondgebazuind dat ze haar echtgenoot had vermoord omdat ze niet met hem kon opschieten. Men vertelde dat ze het huis in brand had gestoken om haar misdaad te verdoezelen.

Het gerucht ging dat ze krankzinnig was.

In elke club in St. James Street lag een boek waarin je je naam kon noteren om mee te doen aan een weddenschap. Er werd duizend pond geboden aan de man die erin zou slagen een nacht met de Verdorven Weduwe door te brengen, en daarna lang genoeg zou leven om het na te vertellen.

Er werd heel wat afgeroddeld over die bepaalde dame. Artemis Hunt had de praatjes ook gehoord, want hij wilde overal van op de hoogte gehouden worden. Hij bezat Ogen en Oren, zoals hij zijn straatjongetjes noemde, die over heel Londen uitzwierven. Dat netwerk van spionnen en informanten voorzag hem dagelijks van een eindeloze stroom van geruchten, praatjes, vermoedens en feiten.

Een klein gedeelte van de notities die op zijn bureau lagen bevatte de waarheid, maar het merendeel van de informatie was klinkklare nonsens. Alles sorteren en doorlezen was een tijdrovend werkje. Hij verspilde echter niet al te veel tijd aan het nalopen van de berichten. Wat niets met zijn privé-zaken te maken had negeerde hij.

Tot dusver had hij geen enkele reden om ook maar de minste aandacht te besteden aan de praatjes die over Madeline Deveridge de ronde deden. Het kon hem niets schelen of die dame haar echtgenoot al of niet om zeep had geholpen. Hij had wel wat anders aan zijn hoofd.

Tot vanavond was zijn belangstelling voor de Verdorven Weduwe nihil geweest. Maar nu ontdekte hij tot zijn verbazing dat zij belangstelling in hém begon te krijgen. De meeste mensen zouden zeggen dat dat een bijzonder slecht voorteken was. Inwendig grinnikend stelde hij vast dat hij het eigenlijk wel grappig vond. In feite was het een van de leukste dingen die hem in lange tijd waren overkomen. En dat bewees overduidelijk hoe ingeperkt en eentonig zijn leven de laatste tijd was.

Hij stond in een donkere straat en hield zijn ogen gericht op een klein, elegant rijtuigje dat een eindje verderop stond. Het licht van de lantaarns van het koetsje prikte geheimzinnig door de nevelflarden die het voertuig omwolkten. De gordijntjes waren gesloten, er was geen glimp van de inzittenden te bespeuren. De paarden stonden roerloos. De koetsier was een vage schim op de bok.

Artemis dacht aan de spreuk die hij jaren geleden had geleerd van de monniken van de Tuin Tempels die hem onderricht gaven in de oude, Vanzaanse filosofie en vechtkunst. *Het leven biedt de mens een eindeloos aanbod aan kansen. Maar het vergt wijsheid om te weten welke je kunt benutten, en welke je voorbij moet laten gaan.*

Hij hoorde de deur van zijn club achter hem opengaan en weer dichtvallen. Luidruchtig dronkenmansgelal klonk door de duisternis. Automatisch trok hij zich terug in de schaduw en keek naar de twee mannen die wankelend de trap af kwamen. Ze klauterden harkerig in een huurrijtuig en schreeuwden naar de koetsier waar ze heen wilden. Het adres dat ze noemden was van een speellokaal in een ongure buurt. Verveling was de vijand van hun klasse. Ze deden de meest krankzinnige dingen om eraan te ontkomen.

Artemis wachtte tot het krakkemikkige voertuig uit het zicht was verdwenen. Toen keek hij opnieuw naar het donkere, vaag zichtbare rijtuigje aan het eind van de straat. Het probleem met de Vanza-leer was dat die een overvloed aan esoterische wijsheden en instructieve filosofieën bood, maar dat er geen enkele opening was voor het zeer menselijke gevoel van nieuwsgierigheid.

Hij zou tenminste niet weten waarmee en hoe hij *zijn* nieuwsgierigheid moest uitbannen.

Artemis nam een besluit. Hij stapte naar voren en liep door de vochtige nevel naar het rijtuig van de Verdorven Weduwe. Een kriebel van achterdocht was de enige waarschuwing die kon betekenen dat hij zijn besluit weleens bitter zou kunnen betreuren. Hij besloot het te negeren.

De koetsier bewoog zich en verstijfde toen hij naderbij kwam.

'Kan ik u van dienst zijn, sir?'

De woorden waren beleefd genoeg, maar Artemis hoorde een messcherp ondertoontje. Daardoor begreep hij dat de man, gehuld in een dikke overjas en met een hoed op die ver over zijn oren was getrokken, niet alleen koetsier was, maar ook als lijfwacht optrad.

'Mijn naam is Hunt. Artemis Hunt. Ik geloof dat ik een afspraak met de dame heb.'

'Aha, u bent er dus?' De man was nog steeds gespannen en het leek wel of die toe- in plaats van afnam. 'U kunt instappen. Ze verwacht u.'

Artemis trok zijn wenkbrauwen op toen hij het bevel hoorde, maar hij zei niets. In plaats daarvan greep hij de deurkruk en opende het portier.

Warm, amberkleurig licht verwelkomde hem. Op de zwarte fluwelen bank zat een vrouw. Ze was gekleed in een uitstekend gesneden, kostbare zwarte mantel, die haar helemaal omsloot, zodat er niets anders dan een klein stukje van haar zwarte japon te zien was. Haar gezicht was een bleke vlek achter een dikke, zwartkanten voile. Hij kon zien dat ze een slank figuur had. Ze bewoog zich met een soepele, zelfverzekerde gratie waaruit hij opmaakte dat ze geen onhandig, onervaren schoolmeisje was. Misschien had hij wat meer aandacht moeten besteden aan de roddels over de vrouw die in het afgelopen jaar op zijn schrijftafel waren gedeponeerd, dacht hij. Nou ja, gedane zaken nemen geen keer.

'Wat fijn dat u zo snel op mijn briefje heeft gereageerd, meneer Hunt. Tijd is in deze kwestie van het grootste belang.'

Haar stem was laag met een hese ondertoon, die een sensuele kriebel bij hem opwekte. Maar helaas, hoewel haar woorden dringend en ernstig klonken, kon hij er geen spoor van passie in ontdekken. De Verdorven Weduwe had hem blijkbaar niet in haar rijtuig gelokt om hem te verleiden tot een nacht van wilde, ongebreidelde hartstocht. Artemis ging zitten en trok het portier dicht. Hij vroeg zich af of hij opgelucht of teleurgesteld moest zijn.

'Uw boodschap bereikte mij op het moment dat ik aan de winnende hand was in een kaartspel,' zei hij. 'Ik hoop dat hetgeen u mij te zeggen heeft minstens de paar honderd pond waard is die ik me tot mijn spijt moest laten ontglippen om u te ontmoeten.'

Ze verstijfde. Haar in zwartleren handschoenen gehulde vingers klemden de reticule die ze op haar schoot had steviger vast. 'Mag ik me even voorstellen, sir. Ik ben Madeline Reed Deveridge.'

'Ik weet wie u bent, mevrouw Deveridge. En u weet duidelijk wie ik ben, dus laten we verdere beleefdheden maar overslaan en meteen ter zake komen.'

'Ja, natuurlijk.' Haar ogen achter de zwarte sluier glinsterden op een manier die op irritatie duidden. 'Ongeveer een uur geleden is mijn dienstmeisje, Nellie, bij de westelijke ingang van de Droompaviljoens ontvoerd. Aangezien u de eigenaar van het amusementspark bent verwacht ik dat u de volle verantwoordelijkheid voor misdadige handelingen die bij of op uw grondgebied plaatsvinden zult dragen. Ik sta erop dat u mij helpt om Nellie te vinden.'

Artemis had het gevoel dat hij een ijskoude plens water over zich heen kreeg. *Ze wist van zijn zakenbelang in de Droompaviljoens*! Hoe was dat mogelijk? Toen hij haar briefje had ontvangen had hij een stuk of wat mogelijkheden in verband met dit rare, nachtelijke afspraakje overwogen, maar geen van alle kwamen ze ook maar in de buurt van wat hij nu te horen kreeg. Hoe is ze in vredesnaam te weten gekomen dat het amusementspark mijn eigendom is? vroeg hij zich af.

Hij wist dat hij enorme risico's liep als bekend zou worden dat hij zakenman was. Maar hij was ervan overtuigd geweest dat hij de Strategie van Geheimhouding en Afleiding zo perfect beheerste dat geen sterveling zijn geheimen ooit te weten zou komen, behalve natuurlijk een andere Vanza-meester. En er was geen enkele reden waarom een andere Vanza-meester in zijn privé-leven zou duiken.

'Meneer Hunt?' Madelines stem klonk ineens scherp. 'Heeft u gehoord wat ik zei?'

'Elk woord, mevrouw Deveridge.' Om zijn woede te verbergen liet hij zijn stem klinken als die van een man die beleefd wilde blijven, maar zich in feite stierlijk verveelde. 'Maar ik moet bekennen dat ik er niets van begrijp. Ik denk dat u de verkeerde persoon heeft aangeklampt. Als uw dienstmeisje inderdaad is ontvoerd, moet u uw koetsier opdracht geven u naar het politiebureau te rijden. Daar zullen ze er ongetwijfeld een agent op uit sturen om haar te zoeken. Hier, in St. James, geven wij de voorkeur aan andere, minder vermoeiende bezigheden.'

'Speel geen Vanza-spelletje met mij, sir. Het kan me geen snars schelen dat u een "meester" bent. Als eigenaar van de Droompaviljoens heeft u ervoor te zorgen dat degenen die uw pretpark bezoeken dat veilig kunnen doen. Ik eis dat u onmiddellijk actie onderneemt om Nellie te zoeken.'

Ze wist dat hij een Vanzaan was! Dat was nog veel erger dan de wetenschap dat ze wist dat hij de eigenaar van de Paviljoens was.

De kilte in zijn binnenste begon zich over zijn hele lichaam te verspreiden. In gedachten zag hij zijn hele, zorgvuldig opgezette wraakplan in duigen vallen. Deze opmerkelijke vrouw had ergens een ongelooflijke hoeveelheid informatie over hem vandaan gehaald.

Hij glimlachte om zijn woede en ontzetting te verbergen. 'Nieuwsgierigheid noopt mij te vragen hoe u op de eigenaardige gedachte bent gekomen dat ik op de een of andere manier betrokken zou zijn bij de Droompaviljoens of het Vanzaanse Genootschap.'

'Dat doet er helemaal niet toe, sir.'

'U heeft het mis, mevrouw Deveridge,' zei hij met zachte stem. 'Het doet er wel degelijk iets toe.'

Iets in zijn stem scheen haar te waarschuwen. Voor het eerst sinds hij in het rijtuig had plaatsgenomen aarzelde ze. Nou, dat werd tijd, dacht hij grimmig.

Maar toen ze weer begon te praten klonk ze volkomen onaangedaan. 'Ik weet dat u niet alleen een lid van het Vanzaanse Genootschap bent, maar dat u bovendien de meestertitel mag voeren, sir. Toen ik dat te weten kwam, begreep ik dat ik dieper moest graven. Degenen die in de Vanza-filosofie zijn opgeleid zijn zelden wat ze lijken te zijn. Ze zijn dol op zelfbedrog en inbeelding en vertonen vaak zonderling gedrag.'

Dit was duizend keer erger dan hij had gevreesd. 'O. Mag ik u vragen wie u informatie over mij heeft verstrekt?'

'Niemand, sir. Tenminste, niet op de manier die u bedoelt. Ik heb op eigen kracht de waarheid ontdekt.'

Ja, dat zal wel, dacht hij spottend. 'Wilt u dat eens uitleggen, mevrouw?'

'Ik heb nu echt geen tijd voor dergelijke dingen, sir. Nellie is in levensgevaar. Ik sta erop dat u mij helpt haar te vinden.'

'Waarom zou ik me druk maken over uw weggelopen dienstmeisje, mevrouw Deveridge? Ik weet zeker dat u daar heel goed een ander voor kunt vinden.'

'Nellie is niet weggelopen. Ik zei toch dat ze door misdadigers ontvoerd is! Haar vriendin Alice heeft het allemaal zien gebeuren.'

'Alice?'

'De twee meisjes zijn vanavond naar het park gegaan om de nieuwste attracties in de Paviljoens te bekijken. Ze verlieten het terrein via de westelijke uitgang en ineens doemden er twee mannen op die Nellie beetpakten en meesleurden. Ze duwden haar in een rijtuig en reden weg voor iemand zich realiseerde wat er gebeurde.'

'Ik denk dat uw Nellie er gewoon vandoor is met een jongeman,' zei Artemis kortaf. 'En haar vriendin heeft het ontvoeringsverhaal opgedist voor het geval Nellie spijt mocht krijgen en bij u terug zou willen komen.'

'Onzin. Nellie is gewoon van de straat geplukt en meegenomen.'

Ineens herinnerde hij zich dat de Verdorven Weduwe bekendstond als een krankzinnige moordenares. 'Waarom zou iemand uw dienstmeisje ontvoeren?' vroeg hij. Hij vond dat onder de gegeven omstandigheden een heel verstandige vraag.

'Ik ben bang dat ze is meegenomen door het gespuis dat onschuldige, jonge meisjes aan bordelen levert.' Madeline greep een zwarte parasol. 'Genoeg gekletst nu. We hebben geen moment meer te verliezen.'

Artemis vroeg zich af of ze de punt van de parasol wilde gebruiken om hem tot actie te porren. Tot zijn opluchting pakte ze het handvat beet en bonkte met de punt tegen het plafond van het rijtuig. De koetsier had waarschijnlijk ongeduldig op dat signaal zitten wachten. Het voertuig zette zich ogenblikkelijk in beweging.

'Waar bent u nu eigenlijk mee bezig?' vroeg Artemis. 'Heeft u eraan gedacht dat ik wel eens zou kunnen protesteren, omdat ik geen zin heb door u ontvoerd te worden?'

'Uw protesten kunnen mij op dit moment gestolen worden, sir.' Madeline leunde achterover op haar plaats. Haar ogen glinsterden door de sluier heen. 'De enige die mij momenteel na aan het hart ligt is Nellie. We moeten haar zo snel mogelijk opsporen. Later zal ik mijn verontschuldigingen aanbieden, als dat nodig blijkt te zijn.'

'Daar verheug ik me nu al op. Waar gaan we heen?'

'Naar de plek van de misdaad. De westelijke poort van uw pretpark, sir.'

Artemis kneep zijn ogen half dicht. Ze klónk in ieder geval niet krankzinnig. Ze klonk wel buitengewoon vastbesloten. 'Wat verwacht u nu eigenlijk precies van mij, mevrouw?'

'U bent de eigenaar van de Droompaviljoens. En u bent een Vanzaan. Die twee feiten hebben mij ervan overtuigd dat u beslist contacten heeft op plekken waar ik niet kan komen.'

Hij keek haar lange tijd bedachtzaam aan. 'Wilt u daarmee zeggen dat u denkt dat ik connecties heb in het criminele circuit, mevrouw?'

'Ik wil niet beweren dat ik de omvang, laat staan de aard van het netwerk van contacten dat u bezit, ken.'

De irritatie die in haar stem doorklonk was bijzonder interessant, temeer daar ze zich zojuist had laten ontvallen dat ze onbehaaglijk veel van zijn privé-zaken af wist. Eén ding was zeker: hij kon niet zonder meer uitstappen en haar de rug toekeren. Haar kennis omtrent zijn zakenbelangen in de Paviljoens was op zichzelf al meer dan genoeg om zijn zorgvuldig voorbereide wraakplannen in gevaar te brengen.

Hij vond zijn eigen nieuwsgierigheid en wantrouwen allang niet meer leuk. Hij moest er absoluut achter zien te komen hoe ze die nauwkeurig opgeborgen feiten te weten was gekomen.

Hij leunde achterover in de zwarte kussens en bestudeerde haar gesluierde gelaatstrekken.

'Goed dan, mevrouw Deveridge,' zei hij. 'Ik zal doen wat ik kan om uw vermiste dienstmeisje op te sporen. Maar verwijt het mij niet als blijkt dat kleine Nellie niet gevonden wíl worden.'

Ze boog zich naar voren, tilde een hoekje van het gordijntje op en tuurde de mistige straat in. 'Ik verzeker u met klem dat ze absoluut gered wil worden.'

Zijn ogen vestigden zich op haar slanke, gehandschoende hand die de rand van het gordijn vasthield. Zonder het te willen was hij gefascineerd door de elegante lijn van de pols en de handpalm. Hij snoof de vage, verleidelijke geur op van aromatische kruiden die ze waarschijnlijk in haar badwater had gebruikt. Hij slikte en keerde met moeite terug naar de zaak die zijn aandacht opeiste.

'Ik ben bang dat ik u moet waarschuwen, mevrouw! Hoe de zaak ook afloopt, ik zal eisen dat u mij bepaalde antwoorden geeft.'

Met een ruk keerde ze haar hoofd naar hem toe. 'Antwoorden? Waarop?'

'Vergist u zich niet in mij, mevrouw Deveridge. Ik ben bijzonder onder de indruk van de hoeveelheid en de aard van de informatie die u over mij bezit. U moet over voortreffelijke bronnen beschikken. Maar ik vrees dat u een beetje te veel over mij en mijn zaken af weet.'

Het was een wanhopige gok geweest, maar ze had gewonnen. Ze zat oog in oog met de mysterieuze Droomkoopman, de geheime eigenaar van het meest exotische amusementspark in Londen. Madeline besefte terdege dat ze een groot risico had genomen door te bekennen dat ze zijn identiteit kende. Het was meer dan terecht dat hij zich daar zorgen over maakte, dacht ze. Hij bewoog zich in de hoogste kringen van de verfijnde, elegante society. Hij stond op de gastenlijst van elke gastvrouw uit de meest hoogstaande families en hij was lid van de beste clubs in de stad. Maar zelfs zijn fortuin zou hem niet beschermen tegen het sociale schandaal dat zou uitbreken als men zou ontdekken dat zij een man in hun zeer exclusieve kringen hadden toegelaten die zich bezighield met *handeldrijven*.

Ze moest tegen wil en dank toegeven dat hij een glansrol speelde. Hij kon zo in de voetstappen van de grote Edmund Kean treden. Het was hem gelukt om zijn identiteit als de Droomkoopman geheim te houden. Het kwam bij geen sterveling op bij hem te informeren hoe hij aan zijn fortuin kwam. Hij was tenslotte een heer, en heren bespraken dergelijke dingen niet, totdat duidelijk werd dat een van hen al zijn geld kwijt was. Als dat gebeurde werd de ongelukkige het onderwerp van algemene minachting en gemene roddelpraatjes. Het was meer dan eens gebeurd dat een man die in dergelijke omstandigheden verkeerde, zijn pistool tegen zijn hoofd had gezet. Hij wilde liever dood dan de schande van een financieel debâcle onder ogen te zien.

Je kon er gewoon niet omheen. Ze had Hunt eigenlijk zonder meer gechanteerd vanavond, maar ze had geen keus. En ze zou ongetwijfeld moeten betalen voor haar brutaliteit. Artemis Hunt was een Vanza-meester, een van de meest begaafde mannen die ooit de esoterische filosofieën hadden bestudeerd. Dergelijke mannen waren van nature bijzonder gereserveerd.

Hunt had zijn uiterste best gedaan zijn Vanza-verleden te verbergen, en dat was eigenlijk een beetje vreemd. Zijn lidmaatschap van het Vanzaanse Genootschap zou hem in geen enkel opzicht in opspraak brengen in de sociale kringen. Het was een bekend feit dat alleen zeer intelligente, hoogstaande geleerden de Vanza-filosofie bestudeerden. Toch leek deze Vanza-meester vastbesloten zich met een waas van geheimzinnigheid te omhullen. Dat klopte niet helemaal.

Zij had ervaren dat het merendeel van de leden van het Genootschap ongevaarlijke zonderlingen waren. De rest bestond uit enthousiaste excentriekelingen. Maar een klein gedeelte van hen was echt helemaal gestoord. En sommigen waren levensgevaarlijk. Ze begon te vrezen dat Artemis Hunt weleens tot die laatste categorie zou kunnen behoren. Als dit nachtelijke karweitje was geklaard stonden haar een boel problemen te wachten.

Alsof ze niet al genoeg aan haar hoofd had! Aan de andere kant was het misschien beter om bezig te blijven, want ze kon al sinds tijden geen nacht meer doorslapen.

Er ging een rilling door haar heen. Ze realiseerde zich dat ze zich zeer bewust was van de aanwezigheid van de robuuste Hunt in haar kleine koetsje. Hij was nog net niet zo groot als Latimer, haar koetsier, maar zijn schouders waren indrukwekkend breed en hij bezat een gevaarlijke, soepele gratie die haar verwarde op een manier die ze niet kon thuisbrengen. En de alerte schranderheid in zijn blik verhoogde dat ongemakkelijke gevoel. Ze merkte dat hij haar, ondanks alles wat ze van hem wist, fascineerde.

Ze trok haar mantel dichter om zich heen. *Doe niet zo idioot!* dacht ze. Het allerlaatste wat ze wilde was nog een lid van het Vanzaanse Genootschap leren kennen.

Maar het was te laat om van gedachten te veranderen. Ze had A gezegd, nu moest ze ook B zeggen. En daar hing Nellies leven waarschijnlijk van af.

Het rijtuig kwam tot stilstand en maakte een eind aan haar sombere gedachten. Artemis deed de lantaarn uit en trok het gordijntje open. Madeline kwam ongewild onder de indruk van zijn zelfverzekerde manier van optreden en keek vol belangstelling toe.

'Zo, mevrouw, we zijn bij de westelijke poort. Zoals u ziet is het hier behoorlijk druk, zelfs op dit late uur nog. Ik kan eerlijk gezegd niet geloven dat een jong meisje tegen haar wil een rijtuig in gesleurd kan worden voor de ogen van zo veel mensen. Tenzij ze dat zelf wil.'

Madeline boog zich voorover en keek naar buiten. Het park werd door honderden gekleurde lampjes verlicht. De toegangsprijs was zo gering dat mensen uit alle lagen van de bevolking het zich konden permitteren de attracties van de Droompaviljoens een keer te aanschouwen. Chique dames en elegante heren, boeren uit de provincie, winkeliers, leerjongens, dienstmeisjes, lakeien, fatten, officieren, boeven en misdadigers, ze liepen in en uit door de helder verlichte toegangspoort.

Ze moest toegeven dat hij eigenlijk gelijk had. Het krioelde van mensen en voertuigen in de buurt van de poort. Het zou niet meevallen een vrouw tegen haar zin een rijtuig in te sleuren zonder dat iemand daar iets van merkte.

'De ontvoering gebeurde niet vlak voor de poort,' zei Madeline. 'Alice zei dat ze bij een nabijgelegen zijstraat stonden te wachten op de koets die ik had beloofd te sturen. En toen doken die boeven ineens op.' Ze keek naar de smalle, donkere ingang van een steegje. 'Ik denk dat ze dat straatje daarginds, waar die jongemannen rondhangen, bedoelde.'

'Hmmm.'

Het was duidelijk dat hij aan het hele verhaal twijfelde. Madeline keek hem bezorgd aan. Als hij de zaak niet ernstig opvatte zouden ze vanavond geen stap verder komen. Ze wist dat de tijd drong. 'Meneer, we moeten ons haasten. Als we niet snel tot actie overgaan zal Nellie spoorloos verdwijnen in de rosse buurt. En daar zullen we haar onmogelijk terug kunnen vinden.'

Artemis liet het gordijn terugzakken. Zijn hand ging naar de deurknop. 'Blijf hier. Ik ben binnen een paar minuten terug.'

Snel boog ze zich voorover. 'Waar gaat u heen?'

'Rustig nu maar, mevrouw Deveridge. Ik ben echt niet van plan ervandoor te gaan. Ik ga wat inlichtingen inwinnen en dan kom ik terug.'

Met een soepele sprong was hij het rijtuig uit, en voor ze nog iets kon vragen sloeg het portier dicht. Geïrriteerd en ontmoedigd door de manier waarop hij de zaak ineens in handen nam keek ze hem na. Hij liep naar de ingang van het donkere steegje.

Ze zag dat hij een paar veranderingen aan zijn jas en hoed aanbracht en was verstomd door het resultaat. In luttele seconden had hij een complete gedaanteverwisseling ondergaan.

Hij leek helemaal niet meer op de gedistingeerde heer die zojuist zijn club had verlaten, maar hij bewoog zich nog wel met de soepele zelfverzekerdheid die ze onmiddellijk had opgemerkt. Die leek zo op de manier waarop Renwick zich had bewogen, dat er een huivering door haar heen ging. In haar hele verdere leven zou ze die schuivende, lichte tred in verband brengen met de volleerde beoefenaars van de Vanza-vechtkunst. Ze vroeg zich opnieuw af of ze een grove fout had gemaakt.

Hou op, beval ze zichzelf streng. *Je wist waaraan je begon toen je dat briefje in zijn club liet bezorgen. Je wilde dat hij je te hulp schoot, en hoe dat ook uitpakt... je zult er tot het einde mee door moeten gaan.*

Maar ze moest proberen positief te blijven denken. Hunt leek helemaal niet op haar overleden echtgenoot. Om de een of andere reden vond ze dat heel geruststellend. Renwick was, met zijn blauwe ogen, blonde haar en romantisch mooie gelaatstrekken knapper dan de goudharige engelen op de schilderijen van de beroemde meesters.

Maar Hunt daarentegen had kunnen poseren voor portretten van de duivel. Het was niet zo dat alleen zijn bijna zwarte haar, groene ogen en krachtige, ascetische uiterlijk die indruk van duistere, onpeilbare dieptes vestigde. Het kwam ook door de kille, wetende blik in zijn ogen. Die maakte dat ze ijskoude rillingen over haar rug voelde gaan. Dit was een man die op de rand van de hel was geweest. Renwick leek iedereen met het gemak van een tovenaar voor zich in te nemen, maar Hunt zag er even gevaarlijk uit als hij ongetwijfeld was.

Terwijl ze hem nakeek verdween hij in de diepe duisternis die buiten de lichtkring van de Droompaviljoens heerste.

Latimer klom van de bok. Hij liep naar het raampje, zijn brede gezicht stond bezorgd.

'Dit bevalt mij niet, ma'am,' zei hij. 'Ik had meteen naar het politiebureau moeten gaan om een agent te halen.'

'Kan zijn, maar het is nu te laat om dat nog te doen. Het is mijn schuld dat we deze weg hebben gekozen. Ik koop alleen...' Ze zweeg toen ze Hunt achter Latimer zag opdoemen. 'O, daar bent u weer, sir. We begonnen ons zorgen te maken.'

'Dit is Kleine John.' Artemis wees op een mager, vuil jochie dat niet ouder dan een jaar of elf was. 'Hij gaat met ons mee.'

Madeline fronste haar wenkbrauwen en zei tegen Kleine John: 'Het is al laat. Moet jij niet in bed liggen, jongeman?'

Kleine John hief met een ruk zijn hoofd op en staarde haar met onverholen, gekrenkte trots aan. Toen spuwde hij heel behendig op het trottoir. 'Ik zit niet in dat soort werk, ma'am. Ik ben een eerlijke handelaar, echt waar.'

Madeline staarde hem onthutst aan. 'Hoezo? Wat verkoop je dan?'

'Informatie,' zei Kleine John waardig. 'Ik ben een van de Ogen en Oren van Zachary.'

'Wie is Zachary?'

'Zachary werkt voor mij,' antwoordde Artemis kortaf. Hij wilde voorkomen dat dit een gedetailleerde ondervraging ging worden. 'Kleine John, mag ik je voorstellen aan mevrouw Deveridge.'

Kleine John grinnikte, trok zijn pet van zijn hoofd en maakt een verrassend gracieuze buiging voor Madeline. 'Tot uw dienst, ma'am.'

Madeline knikte. 'Het is mij een genoegen kennis met je te maken, Kleine John. Ik hoop dat je ons kunt helpen.'

'Ik zal mijn best doen, ma'am.'

'Genoeg gekletst, we hebben geen tijd meer te verliezen.' Artemis wierp een blik op Latimer toen hij naar de knop van het portier greep. 'Vlug, man, Kleine John zal je de weg wijzen. We gaan naar een herberg in Blister Lane. De Yellow-Eyed Dog. Ken je die?'

'De herberg niet, sir, wel de straat.' Het gezicht van Latimer betrok. 'Hebben die rotzakken mijn Nellie daarheen gebracht?'

'Volgens Kleine John wel. Hij komt naast je zitten op de bok.' Artemis trok het portier open en stapte snel in.'Wegwezen nu!'

Latimer klauterde naar zijn plaats. Kleine John kwam achter

hem aan. Het rijtuig zette zich in beweging voor Artemis het deurtje achter zich had dichtgetrokken.

'Uw koetsier is er zeer op gebrand Nellie terug te vinden,' zei hij terwijl hij ging zitten.

'Latimer en Nellie zijn geliefden,' legde Madeline uit. 'Ze gaan binnenkort trouwen.' Ze bestudeerde zijn gezicht. 'Hoe bent u te weten gekomen dat ze Nellie naar die herberg hebben gebracht?'

'Kleine John heeft het allemaal gezien.'

Ze staarde hem verbijsterd aan. 'Waarom heeft hij dat niet meteen gemeld?'

'Hij vertelde u toch dat hij zakenman is. Hij kan het zich niet veroorloven zijn koopwaar gratis af te staan. Hij wachtte op Zachary, die altijd zijn ronde doet om alle informatie te verzamelen. En die wordt de volgende morgen bij mij afgeleverd. Maar vanavond was ik er eerder dan Zachary, daarom heeft de jongen zijn koopwaar aan mij verkocht. Hij weet dat ik Zachary zijn normale commissie zal uitbetalen.'

'Grote hemel, sir, wilt u mij wijsmaken dat u een heel netwerk van informanten zoals Kleine John aan het werk heeft?'

Hij haalde zijn schouders op. 'Ik betaal hun veel meer dan de helers aan wie de meeste van hen hun gestolen waar, zoals horloges of kandelaars, verkopen. Maar nu Zachary en zijn Ogen en Oren bij mij in dienst zijn, lopen ze niet meer het risico in de gevangenis te belanden zoals wel het geval was toen ze hun kostje moesten verdienen met stelen.'

'Ik begrijp het niet. Waarom besteedt u geld aan de geruchten en roddelpraatjes die een stelletje jonge boefjes oppikken op straat?'

'U zult ervan versteld staan wat je uit dergelijke informatie te weten kunt komen.'

Ze snoof minachtend. 'Ik twijfel er niet aan dat die informatie soms bijzonder verbazingwekkend is. Maar waarom wil een heer van uw stand dergelijke dingen te weten komen?'

Hij zei niets en keek haar alleen maar aan. In zijn ogen glansde een vreugdeloos lachje toen hij zich terugtrok in zijn eigen gedachtewereld.

Wat had ze eigenlijk verwacht, vroeg ze zich af. Ze had immers kunnen weten dat hij een extreme zonderling was.

Ze schraapte haar keel. 'Ik bedoel er niets kwaads mee, sir. Ik vind alleen dat het allemaal een beetje... nou, ja, ongewoon klinkt.'

'Mysterieus, ingewikkeld en geheimzinnig, bedoelt u?' De stem van Artemis klonk overbeleefd. 'Met andere woorden...Vanzaans?'

Het is hoog tijd om van onderwerp te veranderen, dacht Madeline. 'En waar is het boefje Zachary vanavond?'

'Hij is al wat ouder,' antwoordde Artemis kortaf. 'En vanavond is hij bij zijn meisje. Ze werkt in een hoedenwinkel en dit is haar vrije avond. Het zal hem spijten dat hij dit avontuur niet kan meemaken.'

'Ja, nou, we weten in elk geval wat er is gebeurd. Ik heb u toch gezegd dat Nellie er nooit met een man vandoor zal gaan.'

'Ja, dat is zo. Bent u er altijd als de kippen bij om andere mensen erop te wijzen dat u gelijk heeft?'

'Ik zie het nut er niet van in om ergens omheen te draaien, sir. En zeker niet als er iets belangrijks, zoals de veiligheid van een jonge vrouw, op het spel staat.' Ze fronste haar voorhoofd toen haar iets te binnen schoot. 'Hoe is Kleine John eigenlijk te weten gekomen waar ze Nellie naartoe gingen brengen?'

'Hij is het rijtuig te voet gevolgd. Hij zei dat dat niet moeilijk was omdat het voertuig langzaam reed in verband met de dikke mist.' Artemis grijnsde grimmig. 'Kleine John is een pientere knaap. Hij wist dat ik hem vorstelijk zou belonen voor informatie omtrent een jonge vrouw die bij een van de poorten van het Droompaviljoen was ontvoerd.'

'Ja, dat begrijp ik. U wilt dat er zo min mogelijk criminele praktijken plaatsvinden in de buurt van uw pretpark.U heeft immers als eigenaar van het park een zekere verantwoordelijkheid.'

'Absoluut.' Artemis scheen zich nog dieper in de schaduw van het koetsje terug te trekken. 'Ik moet ervoor waken dat dergelijke dingen niet gebeuren. Dat is slecht voor de handel.'

2

Achter de dikke ruiten van de Yellow-Eyed Dog flikkerde een onheilspellend lichtschijnsel. Het vuur in de haard toverde grillige schaduwen op de vensters. Ze dansten en slingerden als dronken spoken.

De klanten waren ongetwijfeld dronken, dacht Artemis, maar het waren geen ijle spoken. De meesten waren waarschijnlijk gewapend. De Yellow-Eyed Dog was een verzamelplaats voor de meest ruwe elementen uit de samenleving.

Madeline keek vol belangstelling toe vanachter het raampje in de koets. 'Gelukkig heb ik eraan gedacht mijn pistool mee te nemen.'

Artemis wist het op te brengen niet hardop te kreunen. Hij was nu een klein uur in haar gezelschap, maar hij wist al genoeg van de dame om niet te schrikken van die mededeling.

'Ik hoop dat u dat ding in uw tasje laat zitten,' zei hij streng. 'Ik geef er de voorkeur aan geen vuurwapens te gebruiken als dat vermeden kan worden. Anders wordt het zo'n slordige, smerige bende, ziet u.'

'Dat weet ik ook wel,' zei ze hooghartig.

Hij herinnerde zich de geruchten over de voortijdige dood van haar echtgenoot. 'Ja, dat zal best.'

'Hoe dan ook,' ging Madeline verder, 'een jongedame ontvoeren is naar mijn mening een zeer slordige en vooral smerige misdaad, sir. Ik ben dan ook bang dat daar geen keurige oplossing voor te vinden is.'

Hij klemde zijn kaken op elkaar. 'Als uw Nellie daarbinnen is, zal ik haar eruit halen zonder een pistool te gebruiken.'

Madeline betwijfelde dat. 'Ik geloof niet dat dat u lukt, meneer Hunt. De kerels in die herberg lijken me een ruw stelletje.'

'Dat is een reden te meer om harde geluiden, die hun aandacht zouden kunnen trekken, te vermijden.' Hij keek haar doordringend aan. 'Mijn plan zal werken tenzij u weigert mijn instructies op te volgen, madam.'

'Ik heb me erbij neergelegd te handelen naar uw orders, en daar zal ik mij aan houden.' Ze zweeg opzettelijk heel even en voegde er toen aan toe: 'Tenzij er iets fout gaat natuurlijk.'

Met die vage belofte zou hij het moeten doen, begreep hij. De Verdorven Weduwe was blijkbaar gewend zelf de lakens uit te delen in plaats van orders op te volgen. 'Mooi, dan gaan we nu aan de slag. U begrijpt wat u te doen staat?'

'U hoeft over ons niet in te zitten. Kleine John en ik wachten met de koets op u aan het begin van het steegje.'

'Daar reken ik dan ook op. Als ik met Nellie door de achterdeur naar buiten kom en geen rijtuig zie waarmee we kunnen wegkomen, zult u meer van mij te horen krijgen dan: bah, jasses!' Artemis smeet zijn hoed op de achterbank en sprong uit het rijtuig.

Latimer gaf de teugels aan Kleine John en klom van de bok. Op straat leek hij nog groter dan wanneer hij ineengedoken op de bok zat. De brede schouders van de koetsier onttrokken het meeste licht van de ene brandende lantaarn op het rijtuig aan het gezicht.

Artemis herinnerde zich wat hij had gedacht toen hij Latimer voor het eerst zag: *meer lijfwacht dan koetsier*.

'Ik heb een pistool bij me, sir,' zei Latimer geruststellend tegen hem.

'Gaan jij en je meesteres altijd tot de tanden gewapend op stap?'

Latimer keek verbaasd op bij die vraag. 'Jazeker, sir.'

Artemis schudde zijn hoofd. 'En zij vindt mij zonderling. Nou ja, ben je zover?'

'Ja, sir.' Latimer tuurde naar de ramen van de Yellow-Eyed Dog. 'Jezus Mina, als ze mijn Nellie ook maar een haar hebben gekrenkt, dan vermoord ik ze allemaal!'

'Ik geloof niet dat ze genoeg tijd hebben gehad om het meisje kwaad te doen.' Artemis sloop de straat over. 'Ik zal eerlijk tegen je zijn. Als die kerels haar hebben ontvoerd met het doel haar aan een bordeel te verkopen, dan zullen ze zo voorzichtig mogelijk met haar omgaan omdat haar... eh... waarde voor die speciale markt anders zou dalen. Als je begrijpt wat ik bedoel.'

Latimer kon van woede en onmacht bijna geen woord uitbrengen. 'Ik weet heel goed wat u bedoelt, sir. Ik heb gehoord dat ze die meisjes op dezelfde manier veilen als de paarden op de paardenmarkt in Tattersall. Die arme kinderen gaan gewoon naar de hoogste bieder.'

'Wees daar maar niet bang voor, we redden haar op tijd,' zei Artemis zachtjes.

Latimer keerde zijn hoofd af. Zijn gezicht was een bleke vlek in het gelige licht dat door de vensters van de herberg scheen. 'Als we mijn Nellie hier vanavond veilig wegkrijgen, zal ik voor de rest van mijn leven bij u in de schuld staan, sir.'

Die arme man is verliefd, dacht Artemis. Hij kon geen verdere troostwoorden meer bedenken, daarom kneep hij even in de schouder van de koetsier. 'Je weet het, hè? Geef me vijftien minuten en geen seconde meer, daarna moet je voor afleiding zorgen.' Hij verdween in de duisternis.

'Jawel, sir.' Latimer liep naar de deur van de gelagkamer, duwde hem open en ging naar binnen.

Artemis liep het steegje in dat naar de achterkant van de herberg voerde. Na drie stappen liep hij in een wolk van stank. Het smalle straatje werd blijkbaar als openbaar toilet gebruikt. Na dit zaakje zouden zijn laarzen een grondige schoonmaakbeurt nodig hebben.

Hij bereikte het eind van het steegje, sloeg rechtsaf en stond in wat eens een tuin geweest moest zijn. In een hoek doemde het toilet van de herberg op. De keukendeur stond open om wat frisse lucht binnen te laten. Daarboven, achter een raam, brandde een lichtje.

Artemis trok de kraag van zijn mantel hoog op om zijn gezicht te verbergen en liep naar de keukendeur. Als iemand hem zou zien zou hij net doen of hij een dronkenlap was die kwam zoeken naar nog meer drank, vrouwen en gezelligheid.

Hij vond de achtertrap en liep met twee treden tegelijk naar boven. Op de overloop hoorde hij de gedempte stemmen van twee mannen. Achter een van de deuren die in de donkere gang uitkwamen was een verwoede woordenwisseling aan de gang.

'Dit is een prachtig, ongerept groen blaadje, wat ik je brom. We kunnen twee keer zoveel voor haar krijgen van dat ouwe wijf uit dat huis in Rose Lane, je weet wel...'

'Ik heb de koop al geregeld, verdomme nog aan toe, en daar hou ik me aan. Ik moet aan mijn reputatie denken, snap dat dan toch!'

'Wij zitten in zaken, idioot! Dit is geen eerlijk spelletje dat aan eerlijke regels is gebonden. Wij zijn er alleen maar op uit om geld te verdienen, en dit geef ik je op een briefje: ze brengt een boel meer op als we haar verkwanselen aan die bordeelhoudster in Rose...'

Het argument werd onderbroken door een hevig kabaal van beneden. Er werd gevloekt en geschreeuwd en het gebrul echode omhoog langs de trap. Artemis herkende de hardste stem van allemaal. Die was van Latimer.

'Brand! Er is brand in de keuken! Naar buiten allemaal als je leven je lief is, de hele boel staat in de fik!'

Er klonk een donderend geluid van rennende voetstappen, die in de richting van de deur verdwenen. Hij hoorde geschuifel en een harde bons, alsof er een tafel omviel.

Hij draaide aan de eerste deurknop die hij tegenkwam. De deur ging geruisloos open en Artemis bleef staan en luisterde. Zijn instinct vertelde hem dat de kamer leeg was. Hij glipte naar binnen en sloot de deur niet helemaal.

'Luid de alarmbel!' Latimers stem klonk weer boven alles uit. 'De rook in de keuken is zo dik dat je geen hand voor ogen kunt zien!'

De tweede deur in de gang vloog open. Artemis tuurde door het kiertje en zag een brede, gespierde man verschijnen. Hij werd gevolgd door een magere kerel met een rattengezicht. In het licht dat uit de kamer achter hen scheen kon hij hun smerige kleding en onzekere gezichten onderscheiden.

'Wat is er verdomme aan de hand?' vroeg de lange man aan niemand in het bijzonder.

'Je hoort wat er wordt geroepen.' De magere man probeerde langs hem heen te komen. 'Er is brand. Ik ruik het! We moeten maken dat we wegkomen.'

'En het meisje? Ze is te veel waard om haar achter te laten.'

'Maar niet zoveel als mijn leven me waard is.' De magere man wrong zich langs de ander heen en maakte dat hij wegkwam. Hij vloog op de trap af. 'Je kunt haar op je schouders hijsen als je die moeite wilt nemen.'

De grote man aarzelde. Hij draaide zijn hoofd om en wierp een blik in de verlichte kamer. Hebzucht en angst streden om de voorrang. 'Verdomde, verrotte hel!'

De hebzucht won. De man beende met grote stappen de kamer weer in. Even later kwam hij naar buiten met een bewusteloze vrouw over zijn schouder.

Artemis liep de gang op. 'Mag ik u helpen de jongedame te redden?'

De grote man vloekte hardgrondig. 'Wil je als de donder opsodemieteren!'

'Sorry!' Artemis deed een stap opzij.
De schurk haastte zich langs hem heen en koerste regelrecht op de trap af. Artemis stak een voet uit en gaf de smeerlap tegelijkertijd een korte, venijnigharde tik op het kwetsbare plekje tussen nek en schouder.
De man brulde toen zijn linkerarm en het grootste deel van zijn linkerkant gevoelloos werden. Hij struikelde en viel languit over de uitgestoken laars van Artemis. Hij liet Nellie los toen hij zijn rechterarm uitstak om zijn val te breken.
Artemis ving het meisje op voor de man de grond raakte. Hij legde haar over zijn eigen schouder en liep naar de achtertrap. Beneden hoorde hij geluiden van mensen die door de keukendeur probeerden te vluchten.
Halverwege de smalle trap doemde een figuur op.
'Heeft u haar?' wilde Latimer weten. Toen viel zijn oog op het vrachtje dat Artemis torste. 'Nellie! Ze is dood!'
'Ze slaapt alleen maar. Ze hebben haar waarschijnlijk laudanum of zoiets gegeven. Kom op, man, we moeten ervandoor!'
Latimer draaide zich onmiddellijk om en leidde Artemis de trap af. Toen ze beneden aankwamen zagen ze dat ze de laatsten waren die het huis uit vluchtten. In de keuken kon je geen hand voor ogen zien door de dikke rook die daar hing.
'Misschien heb je een beetje te veel in het fornuis gegooid,' merkte Artemis op.
'U heeft niet gezegd hoeveel ik moest gebruiken,' gromde Latimer.
'Doet er niet toe, het heeft gewerkt.'
Ze haastten zich de tuin door en liepen de steeg in. Er stonden hier en daar een paar mensen te praten, maar van een paniekstemming was geen sprake meer. Er waren geen vlammen te zien, daarom was de hoop om getuige te zijn van een felle, uitslaande brand al snel vervlogen. Artemis zag een man – waarschijnlijk de herbergier – met vastberaden stappen naar de ingang benen.
'En nu wegwezen zo snel we kunnen,' beval Artemis.
'Ja, sir.'
De koets stond precies op de plek die Artemis had aangegeven. Die vrouw had in elk geval zijn orders opgevolgd. Kleine John zat op de bok met de leidsels in zijn hand. Het portier van de koets vloog open toen Artemis dichterbij kwam.
'U heeft haar!' riep Madeline uit. 'Goddank.'
Ze stak haar handen uit om Artemis te helpen het meisje naar

binnen te tillen. Latimer klom op de bok en nam de leidsels over.

Artemis schoof Nellie naar binnen en wilde ook instappen.

'Blijf staan waar je staat, vervloekte, smerige dief, anders jaag ik een kogel in je bast.'

Artemis herkende de stem. De dunne man.

'Rijden, Latimer!' Artemis dook met een snoeksprong door de deuropening naar binnen en trok het portier achter zich dicht.

Hij stak zijn hand uit, trok Madeline van de bank en drukte haar tegen de vloer van de koets, zodat haar silhouet niet te zien was door het raampje. Maar om de een of andere onbegrijpelijke reden protesteerde ze daar tegen. Artemis voelde dat ze zich loswrong toen de koets begon te rijden. Ze stak haar arm omhoog. Hij zag het kleine pistool in haar hand, een paar centimeter bij zijn oor vandaan.

'Nee!' schreeuwde hij. Maar hij wist dat het te laat was. Hij liet haar los en sloeg zijn handen voor zijn oren.

Er was een felle lichtflits. De knal van het pistool klonk alsof er een kanonskogel werd afgevuurd.

Artemis voelde dat het rijtuig in beweging was, maar het geluid van de wielen en de hoefslag van de paarden klonk slechts als een gedemd gezoem in zijn oren. Hij deed zijn ogen open en zag dat Madeline bezorgd op hem neerkeek. Haar lippen bewogen maar hij kon geen woord verstaan van wat ze zei.

Ze greep hem bij zijn schouders en schudde hem krachtig door elkaar. Haar mond ging weer open en dicht. Ze vroeg waarschijnlijk of alles goed was met hem.

'Nee,' zei hij. Zijn oren begonnen te suizen. Hij wist niet of zijn stem hard of zacht klonk. Hij hoopte dat hij had geschreeuwd. Hij wilde in elk geval niets liever dan tegen haar schreeuwen. 'Nee, ik ben niet in orde. Verdomd nog aan toe, mevrouw, ik hoop bij God dat u me niet voor de rest van mijn leven doof hebt gemaakt!'

3

De geuren die ze door de open deur van de provisiekamer opsnoof deden haar denken aan azijn, kamille en oude bloemen. Madeline bleef staan en keek om het hoekje van het kamertje.

Op de planken langs de muren stonden flessen, vijzels, stampers en potjes in allerlei maten, en aan het plafond hing een overvloed aan kruiden en bloemen. Het kamertje deed Madeline altijd aan een laboratorium denken. Haar tante was gehuld in een groot schort en stond gebogen over een borrelende fles. Op het eerste gezicht kon ze doorgaan voor een alchemist.

'Tante Bernice?'

'Een ogenblikje, schat.' Bernice keek niet op. 'Ik ben met een aftreksel bezig en moet er even bij blijven, anders mislukt de hele boel.'

Madeline leunde ongeduldig tegen de deurpost. 'Het spijt me dat ik moet storen, maar ik wil uw mening vragen in een zeer belangrijke zaak.'

'Goed hoor. Nog een paar minuutjes geduld alsjeblieft. De kracht van dit drankje is geheel afhankelijk van het feit hoe lang de bloemen in de azijn weken.'

Madeline vouwde haar armen over haar borst en trok een gezicht. Het had absoluut geen zin haar tante op te jagen als ze midden in een proces voor een van haar brouwsels verwikkeld was. Madeline besefte terdege dat zij, dank zij Bernice, in het bezit waren van het grootste assortiment kalmeringsdruppels, versterkende drankjes, wondhelende zalfjes en nog veel meer van dergelijke medicamenten, dat in heel Londen te vinden was.

Bernice was een gedreven scheikundige en ze was dan ook de hele dag in de weer met haar elixers en smeerseltjes. Ze beweerde dat ze zwakke zenuwen had en ze bleef experimenteren met therapeutische methodes en middelen om haar conditie te verbeteren. Andere mensen die aan soortgelijke kwalen leden konden een beroep op haar doen. Ze stelde dan een speciaal medicament samen dat ze aanpaste aan de aard en de ziekte van de patiënt.

Bernice besteedde uren aan het napluizen van oude recepten voor brouwsels en afkooksels die bestemd waren voor verschillende zenuwaandoeningen. Elke apotheek in de stad kende haar, vooral de paar winkels die zeldzame, Vanzaanse kruiden verkochten.

Madeline was geen geduldige vrouw, maar om twee redenen kon ze wel geduld opbrengen voor de hobby van haar tante. De eerste reden was dat de brouwsels van Bernice regelmatig bijzonder effectief bleken te zijn. De kruidenthee die ze Nellie die ochtend had gegeven had bijvoorbeeld een merkwaardig kalmerend effect op de zwaarbeproefde zenuwen van het meisje gehad.

De tweede reden was dat niemand beter begreep dan Madeline hoe onmisbaar dergelijke kalmeringsmiddelen op een bepaald moment waren. Wat er op die donkere nacht, bijna een jaar geleden, was gebeurd, was zo afgrijselijk dat waarschijnlijk de sterkste zenuwen daar niet tegen opgewassen waren. En de akelige gebeurtenissen van de afgelopen paar dagen maakten het alleen maar erger.

Bernice was begin veertig. Ze was een bevallige, levendige, zeer aantrekkelijke vrouw met een snelle, intelligente geest. Jaren geleden had ze furore gemaakt in de sociale kringen waartoe ze behoorde, maar ze had de glans en glitter van het societyleven opgegeven om de zorg op zich te nemen voor Madeline, de baby van haar broer en schoonzuster, toen de moeder van het kleintje, Elizabeth Reed, overleed.

'Klaar.' Bernice tilde de fles van de brander en goot de inhoud door een zeef die in een pan hing. 'Nu moet de boel een uur afkoelen.'

Ze veegde haar handen aan haar schort af terwijl ze zich omkeerde naar Madeline. Haar zilverblauwe ogen glansden van voldoening. 'Waarover wilde je met mij praten, lieverd?'

'Ik vrees dat meneer Hunt zich aan zijn afspraak zal houden en vanmiddag bij ons op de stoep staat,' zei Madeline langzaam.

Bernice trok haar wenkbrauwen op. 'Hij komt niet bij *ons* op bezoek, schat. Hij wil alleen met jou praten.'

'Ja, kijk, weet u wat het is, gisteravond heeft hij ons dus veilig thuisgebracht, maar hij zei wel dat hij mij vandaag een paar vragen wilde stellen.'

'Vragen?'

Madeline liet langzaam haar adem ontsnappen. 'Hij wil weten waar ik al die wijsheden omtrent zijn zakenbelangen vandaan heb.'

'Ja, natuurlijk, schat. Dat kun je die man toch moeilijk kwalijk nemen. Hij heeft tenslotte zijn uiterste best gedaan om verschillende aspecten van zijn privé-leven voor de buitenwereld verborgen te houden. En dan verschijnt er op een avond ineens een totaal onbekende vrouw op het toneel die hem uit zijn club laat halen en eist dat hij haar helpt bij de redding van haar dienstmeisje. Tussen neus en lippen door laat ze dan ook nog weten dat ze ervan op de hoogte is dat hij niet alleen de geheime eigenaar van de Droompaviljoens is, maar ook een meester in de Vanza-leer. Iedere man die dat overkomt zal best een tikje ongerust worden, denk je ook niet?'

'Nou ja, hij was niet bepaald verheugd over de hele zaak, dat is zeker. Ik verwacht dan ook niet dat het een gezellig gesprek wordt. Maar ik kan hem moeilijk wegsturen na alles wat hij gisteravond voor ons heeft gedaan.'

'Dat zou inderdaad niet netjes zijn,' zei Bernice. 'Als ik het goed begrepen heb heeft die man zich gisteravond als een ware ridder gedragen. Latimer heeft de heldendaden van de heer Hunt de hele morgen lopen rondbazuinen.'

'Ja, Latimer ziet Hunt natuurlijk als een dappere held. Maar ik ben degene die hem vandaag te woord moet staan en moet uitleggen hoe ik al die intieme details over zijn handelsonderneming te weten ben gekomen.'

'Ik begrijp dat dat een beetje moeilijk wordt.' Bernice keek haar een paar seconden doordringend aan. 'Je maakt je zorgen omdat je gisteravond volkomen bereid was de vaardigheden van de heer Hunt zonder meer te gebruiken voor je eigen doeleinden, maar vanmorgen niet weet wat je met hem aan moet.'

'Hij is een Vanzaan.'

'Daardoor is hij niet automatisch van de duivel bezeten. Niet alle leden van het Vanzaanse Genootschap zijn zoals Renwick Deveridge.' Bernice deed een stap naar voren en legde haar hand op Madelines arm. 'Je hoeft alleen maar aan je eigen, lieve vader te denken om daar de waarheid van in te zien.'

'Dat is zo, maar...'

'Er staat niets in jouw dossiers wat aangeeft dat Hunt iets met de duivel te maken heeft, toch?'

'Nou ja... nee... maar toch...'

'En als ik het wel heb was hij gisteravond heel redelijk en welwillend.'

'Hij had weinig keus.'

Bernice trok haar wenkbrauwen op. 'Wees daar niet al te zeker van. Ik voor mij denk dat Hunt het jou heel wat moeilijker had kunnen maken dan hij heeft gedaan... als hij dat had gewild.'

Madeline voelde een vlammetje van hoop de kop opsteken. 'Tante Bernice, daar zegt u zowat. Hunt was gisteravond verbazend welwillend.'

'Ik weet zeker dat je het hem vanmorgen allemaal kunt uitleggen en dat hij gerustgesteld weggaat.'

Madeline dacht aan de vastberaden blik die ze in zijn ogen had gezien toen hij afscheid nam bij de deur. Het vlammetje van hoop doofde weer. 'Ik ben daar niet zo zeker van.'

'Jij hebt alleen last van overspannen zenuwen.' Bernice pakte een klein, blauw flesje dat op een tafeltje stond. 'Hier, neem voor je lunch een lepeltje van dit drankje. Je zult merken dat je onmiddellijk weer jezelf bent.'

'Dank u, tante Bernice.' Madeline nam het flesje afwezig aan.

'Ik zou maar niet te veel piekeren over die meneer Hunt,' zei Bernice opgewekt.'Ik denk dat hij erover in zit dat jij misschien gaat rondvertellen dat hij de Droomverkoper is. En dat zou een ramp voor hem zijn, dat begrijp ik nog wel. Hij beweegt zich momenteel in de hoogste en meest exclusieve kringen.'

'Ja.' Madeline fronste haar wenkbrauwen. 'Ik vraag me af waarom. Hij lijkt mij niet het type dat ook maar iets om die exclusieve kringen geeft.'

'Waarschijnlijk is hij op zoek naar een vrouw,' zei Bernice luchtig. 'Maar als bekend wordt dat hij zakenman is zullen zijn kansen met sprongen omlaaggaan.'

'Een vrouw?' Madeline schrok van haar eigen reactie op de mededeling van Bernice. Waarom schrok ze zo van de gedachte dat Hunt wilde verbergen dat hij zakenman was omdat hij op zoek was naar een echtgenote? Het was immers een logische gedachtegang. 'Ja, natuurlijk. Daar had ik helemaal niet aan gedacht.'

Bernice keek haar medelijdend aan. 'Dat komt omdat je het zo druk hebt met het oplossen van allerlei samenzweringen die tegen jou zijn gericht en omdat je in de meest normale, dagelijkse dingen gevaarlijke voorboden ziet. Het is geen wonder dat je 's nachts niet kunt slapen.'

'U zult wel gelijk hebben.' Madeline keerde zich om. 'Maar één ding is zeker, ik moet Hunt ervan zien te overtuigen dat zijn geheimen bij mij veilig zijn.'

'Dat zal je niet al te veel moeite kosten, lieverd. Jij bent ontzettend vindingrijk in die dingen.'

Madeline liep naar de bibliotheek. Ze bleef even staan bij een palm die bij het raam stond en goot de inhoud van het blauwe flesje in de pot. Toen ging ze achter haar bureau zitten en begon na te denken over Artemis Hunt.

Bernice had gelijk. Hunt was gisteravond heel meegaand geweest. Hij had ook getoond dat hij onder bepaalde omstandigheden snel en vaardig kon handelen. Misschien zou hij haar in de toekomst nogmaals willen helpen.

Artemis leunde achterover in zijn stoel, sloeg zijn ene been over zijn andere en tikte verstrooid met een briefopener tegen zijn laars. Hij keek de robuuste man die tegenover hem zat, aan.

Henry Leggett was al de zaakwaarnemer van Artemis Hunt toen die nog een jongen was en nog niets met het zakenleven te maken had. Artemis had de man min of meer van zijn vader geërfd.

Carlton Hunt had trouwens weinig gebruik gemaakt van Leggetts diensten. Artemis was dol op zijn vader geweest, maar hij moest toegeven dat Carlton weinig interesse had gehad om te investeren in de toekomst. Na de dood van zijn vrouw was het kleine beetje belangstelling dat hij voor het familiefortuin van de Hunts had, helemaal verdwenen.

Henry en Artemis hadden hulpeloos moeten toezien dat Henry's verstandige raad volkomen werd genegeerd door de man die alleen nog leefde om te gokken en roekeloze avonturen te beleven in de sloppen van Londen. Uiteindelijk was het Henry die naar Oxford was gekomen om Artemis te vertellen dat zijn vader gedood was in een duel om een ruzie tijdens het kaartspel. Henry moest bovendien de trieste boodschap overbrengen dat de geldkist van de Hunts tot op de bodem leeg was.

Er bleef Artemis niets anders over dan zelf af te dalen in de onderwereld om te proberen met gokken in zijn levensonderhoud te voorzien. Hij bezat echter iets wat zijn vader had ontbroken: een zekere flair voor het kaartspel. Maar het leven van een gokker is bijzonder onzeker, op zijn mildst gezegd.

Op een avond had Artemis een oudere heer ontmoet die met uitgekiende vaardigheid de hele avond aan het winnen was. De anderen hadden grote flessen wijn naast zich staan, maar de oudere man had niets gedronken. De anderen hadden hun kaarten onverschillig opgepakt en uitgegooid, maar de winnaar had steeds aandachtig gekeken naar wat hij in zijn hand had.

Artemis had zich halverwege het spel rustig teruggetrokken, want hij had begrepen dat ze aan het eind van de avond allemaal hun geld kwijt zouden zijn. Toen dat moment was aangebroken had de man zijn winst opgestreken en de club verlaten. Artemis was hem achterna gegaan.

'Wat moet ik u betalen om mij te leren kaarten zoals u het doet, sir?' had hij gevraagd toen de man op het punt stond in het wachtende rijtuig te stappen.

De vreemdeling nam Artemis met aandachtige ogen op voor hij antwoord gaf. 'Een zeer hoge prijs,' zei hij. 'Er zijn niet veel jongemannen die dat ervoor over hebben. Maar als jij het ernstig meent mag je me morgen komen opzoeken. Dan kunnen we in alle rust over jouw toekomst praten.'

'Ik heb niet veel geld.' Artemis glimlachte spijtig. 'Eerlijk gezegd heb ik op dit moment nog minder dan ik aan het begin van de avond had, en dat heb ik aan u te danken, sir.'

'Jij was de enige die het lef had ermee op te houden toen je begreep dat het fout ging,' zei de vreemdeling. 'Daarom zou jij wel eens een uitstekende leerling kunnen zijn. Ik verheug me op je komst morgenochtend.'

Om zeven uur de volgende ochtend stond Artemis op de stoep van de vreemdeling. Op het moment dat hij daar binnenstapte begreep hij dat hij in het huis van een geleerde stond, en niet in dat van een beroepsgokker. Al snel ontdekte hij dat George Charters een bekwaam wiskundige was, deels door aangeboren talent, deels door studie.

'Een paar maanden geleden ontdekte ik toevallig iets over bepaalde getallen die voorkomen in het kaartspel en daarmee heb ik gisteravond geëxperimenteerd,' legde hij uit. 'Maar ik heb absoluut geen belangstelling om veel geld te verdienen aan de kaarttafel. Dat is mij te onvoorspelbaar. Maar hoe denk jij daarover, jongeman? Ben jij van plan je hele leven in de sloppen door te brengen?'

'Als ik dat kan vermijden niet,' antwoordde Artemis snel. 'Ik geef ook de voorkeur aan een beroep waarin de winst meer voorspelbaar is.'

George Charters was een Vanzaan. Hij had er plezier in Artemis te onderwijzen in enkele basisbegrippen van die filosofie. Toen hij erachter kwam dat hij een gewillige en eerzuchtige leerling voor zich had, had hij aangeboden Artemis' reis naar het eiland

Vanzagara te betalen. Artemis had Henry Leggett om advies gevraagd en die vond ook dat hij die kans moest grijpen.

Artemis had vier intensieve jaren in de Tuin Tempels doorgebracht. Elk jaar was hij in de zomer een poosje naar Engeland teruggekeerd om George en Henry op te zoeken en om bij zijn geliefde, Catherine Jensen, te zijn.

Tijdens zijn laatste vakantie had Artemis bij zijn bezoek aan George vernomen dat deze een ernstige hartkwaal had en dat Catherine was gestorven na een mysterieuze val van een rots.

Henry had tijdens de twee begrafenissen naast hem gestaan. Toen ze voorbij waren had Artemis gezegd dat hij niet terug zou gaan naar Vanzagara. Hij was van plan in Engeland te blijven, een fortuin te verdienen en wraak te nemen. Henry was niet zo blij met de wraakplannen, maar hij was ingenomen met het geld verdienen. Hij had aangeboden de jongeman daarbij te helpen.

Henry bleek een juweel te zijn, niet alleen omdat hij met de grootste discretie de investeringen van Artemis beheerde, maar ook omdat hij allerlei details betreffende de financiële zaken van anderen te weten kwam. Henry bezorgde Artemis het soort informatie waar Zachery's Ogen en Oren op straat niets over hoorden, namelijk inlichtingen op financieel gebied, die alleen een algemeen gerespecteerd zakenman ter ore kwamen.

Maar vandaag ging het daar niet om.

'Is dat alles wat je over mevrouw Deveridge te weten bent gekomen, Henry? Praatjes, roddels, en tweedehands schandaaltjes? Het merendeel daarvan weet ik al. Dat gaat van mond tot mond in de clubs.'

Henry keek op van zijn notitieboekje. Over de gouden randjes van zijn ronde bril bestudeerde hij het gezicht van Artemis. 'Je hebt me ook niet veel tijd gegeven om iets te weten te komen, Artemis.' Hij keek demonstratief naar de grote klok. 'Ik heb je boodschap om ongeveer acht uur vanmorgen ontvangen. Nu is het halfdrie. Zeseneenhalf uur zijn echt niet voldoende om de informatie die jij wenst, te bemachtigen. Over een paar dagen weet ik meer.'

'Genadige hemel. Mijn lot ligt in de handen van de Verdorven Weduwe en alles wat jij me kunt vertellen is dat ze er een gewoonte van maakt haar echtgenoten te vermoorden.'

'Eén echtgenoot, niet een paar,' verbeterde Leggett op zijn irritant secure manier. 'En zelfs dat verhaal berust alleen maar op roddels, niet op feiten. Ik wil je er nogmaals aan herinneren dat mevrouw Deveridge nooit is verdacht van de moord op van haar man.

Ze is niet eens ondervraagd, laat staan dat ze gearresteerd is.'

'Omdat ze het niet konden bewijzen. Er werd alleen volop over gespeculeerd.'

'Klopt.' Henry keek weer in zijn boekje. 'Volgens de feiten zoals ik die heb vernomen, was Renwick Deveridge die avond alleen thuis en is er een inbreker binnengedrongen. De schoft schoot Deveridge dood, stak het huis in brand om de moord te verdoezelen, en maakte dat hij wegkwam met een zak vol kostbaarheden.'

'Maar niemand in onze kringen gelooft dat het zo is gegaan.'

'Het was geen geheim dat Deveridge gescheiden leefde van zijn echtgenote. Mevrouw Deveridge had een paar weken na het huwelijk het huis verlaten. Ze weigerde terug te komen om als man en vrouw met hem samen te leven.' Henry stopte even en schraapte zijn keel. 'Er wordt beweerd dat ze nogal... eh... eigengereid is.'

'Ja, daar kan ik over meepraten.' Artemis tikte met de briefopener tegen zijn laars. 'Wat weet je over die onfortuinlijke echtgenoot?'

Henry's borstelige wenkbrauwen raakten elkaar toen hij fronsend zijn aantekeningen bestudeerde. 'Heel weinig, vrees ik. Je weet dat hij Renwick Deveridge heette. Ik heb niet kunnen ontdekken dat hij familieleden had. Het blijkt dat hij tijdens de oorlog een tijdje in het buitenland is geweest.'

'Nou én?' Artemis keek hem met opgetrokken schouders aan. 'Jij toch ook?'

Henry schraapte opnieuw zijn keel. 'Inderdaad, nou, ik denk dat ik nu veilig kan onthullen dat hij niet, zoals ik, betrokken was bij spionagewerkzaamheden voor ons land. Hoe dan ook, Deveridge keerde twee jaar geleden naar Londen terug. Hij maakte kennis met Winton Reed en niet lang daarna verloofde hij zich met Reeds dochter. Korte tijd later trouwden Madeline Reed en Renwick Deveridge.'

'Het was dus geen lange verloving.'

'Nee, en ze zijn zelfs alleen voor de burgerlijke stand getrouwd.' Henry sloeg zijn boekje met een klap dicht. 'Zoals ik al zei: die dame blijkt nogal voortvarend en impulsief te zijn. Twee maanden na de huwelijksnacht was Deveridge dus dood, en toen begon het gerucht de ronde te doen dat zij hem had vermoord.'

'Deveridge moet als echtgenoot wel een grote teleurstelling zijn geweest.'

'Nu je het zegt,' zei Henry bedachtzaam, 'er werd destijds, vóór de echtgenoot zo netjes het veld had geruimd, beweerd dat de vader van mevrouw Deveridge zijn advocaat opdracht had gegeven uit te zoeken of er een mogelijkheid bestond om het huwelijk te annuleren, of dat er een formele scheiding kon worden uitgesproken.'

'Annuleren?' Artemis smeet de briefopener op zijn bureau. Hij ging met een ruk rechtop zitten. 'Weet je dat zeker?'

'Zo goed als zeker, met de weinige feiten die mij bekend zijn. Het kost ontzettend veel moeite, tijd en geld om een scheiding tot stand te brengen, daarom is een annulering een eenvoudiger oplossing.'

'Maar niet de meest flatteuze voor Renwich Deveridge. Er bestaan tenslotte maar heel weinig gronden voor een annulering. In dit geval kan volgens mij de enige grond daarvoor zijn geweest dat het huwelijk niet geconsumeerd is, omdat Deveridge impotent was.'

'Dat klopt.' Henry schraapte voor de zoveelste keer zijn keel.

Artemis wist dat Henry nogal preuts was wanneer er lichamelijke intimiteiten ter sprake kwamen. 'Maar zelfs als ze kon rekenen op de hulp van een paar zeer bekwame advocaten zou het nog jaren kunnen duren voor mevrouw Deveridge kon bewijzen dat het om impotentie ging.'

'Ongetwijfeld. Het merendeel van de society is dan ook van mening dat ze gewoon geen geduld had voor al die procedures.' Hij zweeg even. 'Maar het kan ook zijn dat ze ontdekte dat haar vader zich dergelijke onkosten niet kon permitteren.'

'En daarom besloot ze op haar eigen manier een eind aan haar huwelijk te maken, bedoel je dat?'

'Zo wordt er in het roddelcircuit over gekletst.'

Artemis had gisteravond genoeg van haar gezien om te weten dat de Verdorven Weduwe een doortastend persoontje was. Zou ze, als ze echt wanhopig snel haar huwelijk wilde beëindigen, haar toevlucht nemen tot moord?

'Zei je dat Renwick Deveridge al dood was voor het huis tot de grond toe afbrandde?'

'Ja, dat heeft de dokter die sectie op het lichaam heeft verricht, verklaard.'

Artemis stond op en ging voor het raam staan. 'Ik heb gisteravond gezien dat mevrouw Deveridge bijzonder behendig is met een pistool.'

'Hmmm. Dat is nauwelijks een deugd te noemen voor een dame.'

Artemis moest inwendig lachen terwijl hij zijn ommuurde tuin in keek. Henry hield er, wat vrouwen betrof, ouderwetse opvattingen op na. 'Inderdaad. Is er nog iets wat je mij kunt vertellen?'

'De vader van mevrouw Deveridge was een van de allereerste leden van het Vanzagaanse Genootschap. Hij was een meester.'

'Ja, dat weet ik.'

'Hij was al tamelijk op leeftijd toen hij trouwde en een kind verwekte. Er wordt verteld dat hij na de dood van zijn vrouw nergens anders meer aandacht voor had dan voor zijn dochter Madeline. Hij ging daarin zo ver dat hij haar dingen bijbracht die de meeste mensen niet passend vinden voor een jongedame.'

'Zoals schieten met een pistool, neem ik aan.'

'Blijkbaar. De afgelopen jaren was Reed min of meer een kluizenaar geworden. Hij besteedde het merendeel van zijn tijd aan het bestuderen van dode talen.'

'Ik weet dat hij een erkend expert van de oude Vanzaanse taal was,' zei Artemis. 'Maar ga verder.'

'Reed is in de vroege ochtend na de brand gestorven. De schandaalpers verkondigde dat de wetenschap dat zijn dochter gek was geworden en haar echtgenoot had vermoord, hem zo'n schok bezorgde dat zijn hart het begaf.'

'Zo, zo.'

Henry kuchte discreet. 'Uit hoofde van mijn beroep moet ik je erop attent maken dat mevrouw Deveridge, door die twee ongelukkige tragedies in de familie, nu de enige erfgename is van de bezittingen van haar vader én die van haar echtgenoot.'

'Grote God, man!' Artemis keerde zich met een ruk om en staarde hem aan. 'Je wilt toch niet suggereren dat ze die twee mannen heeft vermoord om in het bezit van hun fortuin te komen?'

'Nee, natuurlijk niet.' Henry's mond vertrok van afschuw. 'Het is moeilijk te geloven dat een dochter ooit zo onmenselijk zou kunnen zijn. Ik breng je alleen maar op de hoogte van de... eh... resultaten van die tragische gebeurtenissen.'

'Bedankt, Henry. Ik weet dat ik voor een degelijke, glasheldere uitleg altijd op jou kan rekenen.' Artemis liep naar zijn bureau en ging op de rand zitten. 'Nu we toch allerlei zaken aan het ophelderen zijn zou ik je graag nog één ding willen voorleggen.'

'En dat is?'

'Renwick Deveridge heeft de Vanza-leer bestudeerd. Het moet dus niet gemakkelijk zijn geweest die man te doden.'

Henry knipperde met zijn ogen achter de dikke glazen van zijn bril terwijl hij probeerde uit te vinden wat er achter die opmerking zat. 'Ik weet waar je heen wilt. Het is nauwelijks te geloven dat een vrouw daarin is geslaagd, nietwaar?'

'Of een doodgewone inbreker...'

Henry fronste zijn wenkbrauwen. 'Je hebt helemaal gelijk.'

'Als ik zou moeten kiezen tussen de twee mogelijke moordenaars van Deveridge – zijn vrouw of een onbekende inbreker – zou ik mijn geld op de dame zetten.'

Henry keek moeilijk. 'Weet je, de gedachte dat een vrouw in koelen bloede zo'n gewelddadige actie kan uitvoeren bezorgt een man kippenvel, vind je ook niet?'

'Ach, met dat kippenvel weet ik het zo net nog niet, maar bij mij komen dan wel een paar interessante vragen naar boven.'

Henry kreunde hardop. 'Daar was ik al bang voor.'

Artemis keek hem onderzoekend aan. 'Wat bedoel je?'

'Vanaf het moment dat ik vanmorgen jouw boodschap ontving wist ik dat er iets niet in de haak was. Jij bent veel te nieuwsgierig naar die Madeline Deveridge.'

'Ze heeft me opgezadeld met een probleem. En nu probeer ik informatie in te winnen in verband met dat probleem. Jij kent me als geen ander, Henry. Ik wil alle feiten weten voor ik tot actie overga.'

'Probeer me niet met zulke flauwekul om de tuin te leiden. Dit is meer dan een zakelijke transactie, Artemis. Ik weet gewoon dat je onder de indruk bent van mevrouw Deveridge. In feite heb je sinds lange tijd niet zo veel persoonlijke belangstelling voor een vrouw gehad.'

'Nou, moet je dan niet blij voor mij zijn, Henry? Je hebt me de laatste tijd voortdurend aan mijn kop gezeurd over het feit dat ik me te veel in mijn wraakplannen begraaf. Is het niet zo dat mijn bemoeienis met mevrouw Deveridge mijn belangstelling en activiteiten voor een tijdje in andere banen zullen leiden?'

Henry keek hem streng aan. 'Jammer genoeg ben ik er niet van overtuigd dat de banen waarop jij je wilt begeven jou in positieve zin zullen beïnvloeden.'

'Hoe dan ook, ik heb nu een tijdje niets te doen omdat ik moet wachten tot ik verder kan gaan met mijn plannen.' Artemis zweeg even. 'Ik denk dat ik die vrije tijd maar eens zal benutten om een nauwgezet onderzoek naar mevrouw Deveridge in te stellen.'

4

Terwijl hij de trap opliep bekeek hij het landhuis. Het was niet groot, maar het had flinke ramen zodat er veel licht binnen kon komen en men een prachtig uitzicht op het park had. Het huis stond in een rustige buurt, maar het was niet modern, volgens de huidige normen.

Mevrouw Deveridge beheerde weliswaar de erfenissen van wijlen haar vader en wijlen haar echtgenoot, maar ze had haar geld niet uitgegeven aan een riant buitenhuis in een chique buurt. Uit wat Henry te weten was gekomen maakte hij op dat ze, samen met een tante, een teruggetrokken leven leidde.

Het mysterie dat die dame omhulde werd met de minuut ingewikkelder, dacht Artemis. Evenals zijn visioenen over hoe ze er bij daglicht zou uitzien. De herinnering aan twee glanzende ogen, verborgen achter een kanten sluier, had hem die nacht een paar uur wakker gehouden.

De deur ging open. Latimer stond op de drempel. Hij was in het daglicht nog langer dan hij gisteravond in de mist had geleken.

'Meneer Hunt.' De ogen van de man verhelderden.

'Goedemorgen, Latimer. Hoe gaat het met je, Nellie?'

'Gezond en wel, dankzij u, sir. Ze herinnert zich niet veel van hetgeen er is gebeurd, en dat is maar beter ook, vind ik.' Latimer aarzelde even. 'Ik wil u nogmaals zeggen hoe dankbaar ik ben voor hetgeen u heeft gedaan, sir.'

'We vormden een goed team, nietwaar?' Artemis stapte naar binnen. 'Wil je mevrouw Deveridge gaan zeggen dat ik haar even wil spreken. Ik geloof dat ze me verwacht.'

'Dat klopt, sir. Ze is in de bibliotheek. Ik zal u aandienen.' Hij keerde zich om en liep weg.

Artemis keek om naar de luiken voor de ramen. Ze waren voorzien van dikke stangen en stevige sloten en een massa kleine belletjes die zouden gaan rinkelen als iemand probeerde ze open te wrikken. Als ze 's avonds gesloten waren zouden ze een bijna onneembare barrière vormen voor eventuele indringers. Waar was de vrouw des huizes zo bang voor? Voor doodgewone inbrekers, of voor meer bedreigende insluipers?

Hij volgde Latimer door een lange gang naar de achterkant van het huis. De grote man bleef staan voor een vertrek waarvan de wanden uit boekenkasten bestonden die van de grond tot het plafond waren volgestouwd met in leer gebonden boeken, kranten, notitieboekjes, en stapels paperassen. De mooie ramen die uitzicht boden op de goed onderhouden, maar vrij kale tuin, hadden ook versterkte luiken met sloten en belletjes.

'Meneer Hunt wil u even spreken, ma'am.'

Madeline stond op vanachter een zwaar eikenhouten bureau. 'Dank je, Latimer. Komt u binnen, meneer Hunt.'

Ze was gekleed in een zwarte japon met een moderne hoge taillelijn, en ze droeg die ochtend geen sluier die haar gezicht verborg. Artemis keek haar aan en hij wist dat Henry het bij het rechte eind had gehad met zijn vermoeden dat hij meer dan oppervlakkige belangstelling voor deze vrouw had. Het ging verder dan nieuwsgierigheid en kwam gevaarlijk dicht in de buurt van betovering. Het leek alsof haar aanwezigheid de lucht om hen heen liet trillen en hij vroeg zich af of zij dat ook voelde.

Hij ontdekte een verrassende mengeling van intelligentie, vastberadenheid en bezorgdheid in haar helderblauwe ogen. Haar donkere haar was in het midden gescheiden en achter in haar nek bijeengebonden met een lint. Ze had een zachte, volle mond en een stevige kin, en er hing een air van zelfverzekerdheid om haar heen die een uitdaging vormde voor al zijn mannelijke zintuigen.

Latimer bleef in de deuropening staan. 'Heeft u verder nog iets nodig, ma'am?'

'Nee, dank je,' zei Madeline. 'Je mag gaan.'

'Goed, ma'am.' Latimer deed een stap achteruit en sloot de deur.

Madeline keek Artemis aan. 'Gaat u zitten, meneer Hunt.'

'Dank u.' Hij nam plaats in de leunstoel van gelakt en verguld beukenhout die zij aanwees. Hij wierp een blik op het kostbare tapijt, de zware gordijnen en het elegante, gebeeldhouwde bureau, en was ervan overtuigd dat de opmerking van Leggett, omtrent de financiële omstandigheden van mevrouw Deveridge, dicht bij de waarheid moest liggen. Het huis was klein, maar de inrichting was van buitengewoon kostbare kwaliteit.

Ze ging weer zitten. 'Ik hoop dat uw oren weer in orde zijn, sir?'
'Ze zijn nog een hele tijd blijven suizen, maar ik kan u mededelen dat al mijn zintuigen weer uitstekend werken.'
'De hemel zij dank.' Ze keek immens opgelucht. 'Ik moet er niet aan denken dat ik schuldig zou zijn aan enig letsel aan uw persoon.'
'Nou ja, zo erg was het nu ook weer niet. Noch ik, noch...' Hij trok heel even zijn wenkbrauwen op. '... de ellendeling die u blijkbaar wilde doodschieten, heeft enig blijvend letsel opgelopen.'
Haar mond werd strak. 'En toch kan ik heel goed schieten, sir. Maar het rijtuig bewoog en het was donker en u had mijn arm beet, weet u nog wel? Ik vrees dat al die belemmeringen er de oorzaak van waren dat ik niet goed kon mikken.'
'Mijn excuses, mevrouw. Zo nu en dan moet men zijn toevlucht nemen tot een gewelddadige actie, maar over het algemeen geef ik er de voorkeur aan dergelijke dingen te vermijden.'
Ze kneep haar ogen halfdicht. 'Dat verbaast me eerlijk gezegd, gezien uw opleiding.'
'Als u ook maar iets af weet van het Vanzaanse gedachtegoed, dan zou u moeten weten dat subtiliteit in die filosofie altijd de boventoon voert boven het voor de hand liggende. Geweld is nauwelijks subtiel te noemen. Mocht het zo zijn dat de enige uitweg in een bepaalde situatie geweld afdwingt, dan moet die handeling met precisie worden uitgevoerd en wel zo dat het spoor niet rechtstreeks kan leiden naar degene die tot die actie is overgegaan. '
Ze trok een gezicht. 'Tjonge, jonge, dit lijkt wel opgedreund uit een lesboek. U bent inderdaad een echte Vanza-geleerde, meneer Hunt. Uw inzicht in dergelijke onderwerpen is vakbekwaam, geraffineerd en intrigerend.'
'Ik ben me ervan bewust dat het feit dat ik een Vanzaan ben niet bepaald in mijn voordeel spreekt, madam. Maar sta mij toe u er nogmaals aan te herinneren dat het doodschieten van een man, midden in een drukke straat, had kunnen leiden tot tal van problemen die wij allebei op deze ochtend hoogst onaangenaam gevonden zouden hebben.'
'Waar heeft u het over?' Haar ogen werden groot van verbazing. 'U hielp me bij de redding van een jonge vrouw. Wie kan daar nu iets op tegen hebben?'
'Ik wil helemaal geen aandacht trekken, mevrouw Deveridge.'
Ze kreeg een kleur. 'O ja, dat is het. U bent natuurlijk bang dat iemand zal ontdekken dat de Droompaviljoens van u zijn. Maakt u zich maar niet bezorgd, ik zeg geen woord.'

'Fijn dat u mij geruststelt. Het is namelijk zo dat ik op dit moment met iets belangrijks bezig ben.'

'Ik ben absoluut niet van plan uw eh... financiële plannen in de war te gooien.' Hij kreeg ineens kippenvel. Wat wist die vrouw allemaal? Zou ze ook op de hoogte zijn van zijn zorgvuldig geplande wraakactie?'

'U wilt mijn plannen niet in de war gooien?' herhaalde hij met vlakke stem.

Ze maakte nonchalant een wegwerpend gebaar. 'Hemeltjelief, nee, sir. Uw plannen om een gefortuneerde echtgenote uit de hoogste kringen aan de haak te slaan interesseren me geen snars. Trouw met wie u wilt, meneer Hunt. Ik wens u het allerbeste.'

Hij slaakte onhoorbaar een zucht. 'Dat is een hele opluchting voor me, mevrouw Deveridge.'

'Ik besef terdege dat uw zoektocht naar een geschikte bruid ernstig in gevaar zou komen, als bekend zou worden dat u zakenman bent.' Ze zweeg en fronste haar wenkbrauwen. 'Maar weet u echt zeker dat het verstandig is om een dergelijk huwelijk te sluiten onder wat uitgelegd zou kunnen worden als "valse voorwendsels"?'

'Eerlijk gezegd heb ik de zaak nog nooit van die kant bekeken,' antwoordde hij kortaf.

'Wat moet u doen als de zaak uitkomt?' Er klonk onverholen afkeuring in de vraag. 'Verwacht u dat uw vrouw eenvoudig zal negeren dat u zakenman bent?'

'Hmmm.'

Ze boog zich naar voren en staarde hem aan. 'Sta mij toe dat ik u wat goede raad geef, sir. Als u een huwelijk wilt sluiten dat is gebaseerd op wederzijds respect en liefde, dan moet u vanaf het begin eerlijk zijn tegen uw aanstaande.'

'Aangezien ik absoluut niet van plan ben om in de nabije toekomst een dergelijk huwelijk te sluiten, denk ik niet dat ik me bezorgd hoef te maken over de fijne puntjes omtrent het onderwerp waarover u mij zojuist betuttelde.'

Ze maakte een verraste beweging. Toen ging ze met een ruk rechtop zitten. 'Grote God, ik zit u inderdaad te betuttelen, nietwaar?'

'Zo kwam het wel op mij over.'

'Vergeef me, meneer Hunt.' Ze plantte haar ellebogen op het bureaublad en liet haar hoofd in haar handen zinken. 'Eerlijk, ik weet niet wat mij bezielt. Ik heb helemaal niet het recht me met uw zaken te bemoeien. Ik weet niet wat er de laatste tijd met mij aan de hand is, ik schijn niet helder meer te kunnen denken. Het enige wat ik tot mijn verdediging kan aanvoeren is dat ik de laatste tijd nauwelijks een oog dicht doe en ik...' Ze brak af, hief haar hoofd op en kreunde. 'Ik spreek wartaal.'

'Maakt u zich geen zorgen over die wartaal.' Hij zweeg even. 'Maar ik wil wel duidelijk stellen dat ik het meer dan onaangenaam zou vinden als mijn persoonlijke zaken op dit tijdstip openbaar werden gemaakt. Ik hoop dat u daar begrip voor kunt opbrengen als ik u vertel dat ik verwikkeld ben in een paar zeer delicate aangelegenheden.'

'Ja, natuurlijk. Het is goed. U hoeft mij niet te bedreigen.'

'Ik ben me er niet van bewust dat ik wat voor bedreiging dan ook heb uitgesproken.'

'Sir, u bent een Vanzaan.' Ze wierp hem een snelle blik toe. 'Het is niet nodig dat u uw bedreigingen voor mij spelt. Ik verzeker u dat uw boodschap luid en duidelijk is overgekomen.'

Haar afkeer van alles wat Vanzaans was begon hem te irriteren. 'Een vrouw die mij gisteravond door middel van chantage heeft gedwongen haar te helpen, moet wel behoorlijk veel lef hebben om mij de ochtend daarop op niet mis te verstane wijze te beledigen.'

'Chantage?' Haar ogen werden groot van woede. 'Dat heb ik helemaal niet gedaan.'

'U heeft mij duidelijk gemaakt dat u wist dat ik de eigenaar van de Droompaviljoens ben en u weet dat ik niet wil dat er daaromtrent geruchten de ronde gaan doen. Vergeef me als ik het niet goed heb begrepen, maar ik kreeg toch echt de indruk dat u die informatie gebruikte om mij te dwingen u te helpen.'

Ze kreeg een vuurrode kleur. 'Ik heb alleen maar even aangeduid dat u in dat opzicht bepaalde verantwoordelijkheden hebt.'

'Noem het zoals u wilt. Ik noem het chantage.'

'O, nou ja, u mag natuurlijk een eigen mening hebben, sir.'

'Inderdaad. En ik wil er nog aan toevoegen dat chantage niet mijn favoriete spelletje is.'

'Het spijt me dat het nodig was...'

De lichte paniek die in haar ogen verscheen deed hem goed. Hij onderbrak haar spijtbetuigingen met een beweging van zijn hand. 'Hoe gaat het met uw dienstmeisje?'

Madeline was een beetje in de war door de abrupte wijze waarop hij van onderwerp veranderde. Ze slikte even en deed haar best haar zelfbeheersing te hervinden. 'Het gaat prima met Nellie, maar de ontvoerders hebben waarschijnlijk een grote hoeveelheid laudanum in haar keel gegoten. Ze is nog steeds duizelig en weet niet goed wat er allemaal is gebeurd.'

'Latimer vertelde dat ze zich heel weinig van de hele gang van zaken herinnert.'

'Ja. Het enige wat ze nog goed weet is dat de twee mannen ruzie maakten over van wie ze het meeste geld voor haar konden krijgen. Ze had de indruk dat hun was opgedragen haar te ontvoeren, maar dat ze een betere prijs konden krijgen bij een andere afnemer.' Madeline huiverde. 'Het is toch walgelijk dat bordeelhouders zich bezighouden met het kopen en verkopen van jonge vrouwen.'

'Niet alleen jonge vrouwen. Ze handelen ook in jonge mannen.'

'Het is een onmenselijke handel. Je zou toch denken dat de autoriteiten...'

'Die kunnen er weinig tegen ondernemen.'

'Gelukkig hebben we Nellie op tijd gevonden.' Madeline keek hem aan. 'Als u me niet had geholpen waren we haar kwijt geweest. Gisteravond ben ik niet in de gelegenheid geweest u behoorlijk te bedanken. Mag ik dat bij deze doen?'

'Jawel, u mag mij bedanken door mijn vragen te beantwoorden,' zei hij met zachte stem.

Er kwam een angstige blik in haar ogen. Ze greep de rand van het bureau vast, alsof ze zich schrap wilde zetten. 'Dat verwachtte ik al. Nou goed, u hebt recht op een verklaring. Ik denk dat u het liefst wilt weten hoe ik erachter ben gekomen dat u zakelijke belangen in de Droompaviljoens heeft.'

'Neem me niet kwalijk, mevrouw Deveridge, maar mijn nieuwsgierigheid daarnaar heeft me de halve nacht wakker gehouden.'

'Echt waar?' Ze knapte daar zichtbaar wat van op. 'Heeft u veel problemen met slapen?'

Hij glimlachte vaag. 'Ik weet zeker dat ik zal slapen als een dode zodra ik de antwoorden op mijn vragen heb.'

Ze schrok een beetje van het woord *dode*, maar herstelde zich snel. 'O, nou, ik zal maar beginnen met u te vertellen dat mijn vader ook lid was van het Vanzaanse Genootschap.'

'Dat weet ik. Ik weet ook dat hij de meestertitel heeft behaald.'

'Klopt. Maar hij was in de eerste plaats geïnteresseerd in de wetenschappelijke aspecten van het Vanza, niet in de abstracte begrippen of de lichamelijke oefeningen. Hij heeft op het eiland

Vanzagara vele jaren de klassieke Vanza-taal bestudeerd. Binnen het Genootschap stond hij bekend als een expert op dat gebied.'

'Weet ik.'

'Ja.' Ze schraapte haar keel. 'Door middel van zijn werk had hij veel contact met andere Vanza-geleerden in Engeland, op het Continent en in Amerika. Hier in Londen werkte hij samen met Ignatius Lorring.' Ze dacht even na. 'Dat was natuurlijk voor Lorring zo ziek werd dat hij zijn oude vrienden en collega's niet meer kon ontvangen.'

'Lorring was een grootmeester in de Vanza-leer en hij wist meer over de leden dan wie dan ook. Probeert u mij te vertellen dat uw vader met Lorring over de privé-aangelegenheden van de anderen leden sprak?'

'Ik moet u helaas zeggen dat ze meer deden dan het bespreken van de persoonlijke zaken van de leden van het Genootschap. Tegen het eind van zijn leven werd de informatie omtrent de leden een obsessie voor Lorring.' Ze rolde met haar ogen. 'Je zou kunnen zeggen dat hij een grootmeester in de leer van de Excentriciteit, of van het Genootschap van Excentriekelingen en Zonderlingen werd.'

'Zou u alstublieft uw persoonlijke visie op de leden van het Vanzaanse Genootschap achterwege willen laten?'

'Neem me niet kwalijk.'

Ze zag er helemaal niet schuldig uit, vond hij, alleen geïrriteerd omdat hij haar had onderbroken.

'Ik neem aan dat u zeer betrokken bent bij het onderwerp,' zei hij beleefd, 'maar ik ben bang dat we tegen middernacht nog niet klaar zijn met dit gesprek als u alles tot in detail aan mij wilt uitleggen.'

'Best mogelijk,' zei ze fel, 'er zijn immers heel wat eigenaardigheden omtrent het Genootschap waarover we uitgebreid zouden kunnen discussiëren? Maar op uw verzoek zal ik me beperken tot de belangrijkste dingen. Nou dan, Lorring was zo bezeten om alle belangrijke en onbelangrijke persoonlijke details van de leden te weten te komen dat hij mijn vader opdroeg een dossier samen te stellen.'

'Wat voor dossier?'

Ze aarzelde alsof ze in tweestrijd stond. Toen sprong ze op en zei: 'Ik zal het u laten zien.'

Ze trok een gouden ketting die ze om haar hals droeg, over haar hoofd. Hij zag dat er een sleuteltje, dat verborgen was geweest onder haar fichu, aan de tere schakels hing. Ze liep de kamer door en bleef staan voor een klein kastje met een koperen slot.

Ze opende het kastje met het sleuteltje en haalde er een groot, in donker leer gebonden, boek uit. Ze liep ermee naar haar bureau en legde het voorzichtig neer.

'Dit is het dossier dat mijn vader op verzoek van Lorring heeft samengesteld.' Ze sloeg het open en keek naar de eerste bladzijde. 'Nadat mijn vader is gestorven is er niets meer aan toegevoegd. De informatie over de leden is nu dus een jaar oud.'

Er ging een rilling van achterdocht door hem heen. Hij stond op en keek naar de eerste pagina van het oude boek. Hij zag meteen dat de namen die hij las teruggingen tot de vroegste dagen van het Vanzaanse Genootschap. Langzaam sloeg hij de bladen om en liet hij zijn ogen over de tekst glijden. Er stonden uitgebreide notities onder elke naam. Er was veel meer te lezen dan de datum waarop het lid was toegelaten tot het Genootschap en de vorderingen die hij had gemaakt. Ook de zakelijke en persoonlijke betrekkingen, evenals bepaalde karaktereigenschappen en zeer intieme neigingen van de verschillende leden, waren vastgelegd.

Artemis wist dat heel veel van wat hij hier las voer voor de roddelpers zou zijn, en dat was dan nog mild uitgedrukt. Een deel ervan kon namelijk worden gebruikt voor chantage op grote schaal. Hij begon de notities over zichzelf te lezen. Zijn relatie met Catherine Jensen, noch de namen van de drie mannen die hij van plan was te ruïneren waren vermeld. Zijn wraakplannen leken voorlopig dus veilig te zijn. Niettemin stond er veel meer over zijn privé-aangelegenheden in dit verdomde boek dan hem lief was. Hij fronste zijn wenkbrauwen toen hij de zin las die aan het eind van het blad stond.

Hunt is een ware Vanza-meester. Zijn gedachten bewegen zich langs donkere en slinkse wegen.

'Wie weet nog meer van het bestaan van dit boek af?' vroeg hij.

Ze deed een stap achteruit. Hij begreep dat het de barse toon in zijn stem was die haar deed terugdeinzen, niet de vraag zelf.

'Alleen mijn vader en Ignatius Lorring,' zei ze snel. 'En die zijn allebei dood.'

Hij keek op van de pagina waarboven zijn naam stond. 'U vergeet uzelf, mevrouw Deveridge,' zei hij met zachte stem. 'En u bent volgens mij zeer levend.'

Ze slikte met zichtbare moeite, knipperde met haar ogen, glimlachte vervolgens stralend tegen hem en giechelde gemaakt. 'Ja, natuurlijk. Maar u hoeft zich geen moment zorgen te maken over het onbelangrijke feit dat ik dit oude boek bezit, sir.'

Artemis sloeg het dossier met een klap dicht. 'Ik wou dat ik daar zeker van kon zijn.'

'O, dat kunt u, sir. U kunt volkomen blindvaren op mij.'

'Dat moet nog maar blijken.' Hij pakte het boek op en liep ermee naar de kast. 'Oude boekwerken die betrekking hebben op Vanza kunnen een gevaarlijk bezit zijn. Nog niet zo lang geleden zijn er, mede op grond van bepaalde geruchten betreffende een boekje met oude, klassieke teksten, een aantal mysterieuze sterfgevallen ontdekt.'

Hij hoorde een bons, alsof er iets zwaars op de grond viel. Het geluid werd vergezeld van een scherpe uitroep. Hij negeerde de geluiden en schoof het boek op zijn plaats in de kast. Daarna deed hij de deur dicht en keerde zich vervolgens langzaam om naar Madeline.

Ze zat gehurkt op de grond en raapte een zwaar, zilveren beeldje op dat van het bureau was gevallen. Hij zag dat haar vingers trilden toen ze opstond en het beeldje zorgvuldig naast het inktstel neerzette.

'Ik neem aan dat u het over het zogenaamde *Boek der Geheimen* hebt, sir,' zei ze liefjes. Demonstratief begon ze haar handen af te vegen. 'Dat is klinkklare onzin.'

'Daar denken sommige leden van het Genootschap anders over.'

'Mag ik u erop wijzen, sir, dat veel leden van het Genootschap er hoogst merkwaardige gedachten op na houden.' Ze snoof minachtend. 'Het *Boek der Geheimen*, als dat inderdaad ooit heeft bestaan, is vernietigd tijdens de brand die een villa in Italië met de grond gelijk heeft gemaakt.'

'Laten we hopen en bidden dat dat inderdaad het geval is.' Artemis ging voor haar zwaar beveiligde raam staan. Hij keek neer op de kleine tuin en zag dat er nergens lange bomen, heggen of struiken waren die als dekking zouden kunnen dienen voor een inbreker. 'Zoals ik al zei: boeken kunnen een gevaarlijk bezit zijn. Mevrouw Deverdigde, bent u van plan om de informatie die uw vader heeft opgetekend in dat dossier, te gebruiken om nog meer mensen te chanteren? Want ziet u, als dat het geval is, moet ik u waarschuwen dat daar een groot risico aan verbonden is.'

'Wilt u ophouden te pas en te onpas het woord *chantage* te gebruiken?' snauwde ze. 'Dat wordt bijzonder vervelend, ziet u.'

Hij wierp een blik over zijn schouder. De hoogst geïrriteerde blik in haar ogen zou onder andere omstandigheden bepaald amusant zijn geweest. 'Neem me niet kwalijk, madam, maar aangezien het feit dat mijn hele toekomst in uw handen ligt, heb ik behoefte aan voortdurende geruststelling.'

Ze klemde haar lippen woedend op elkaar. 'Ik heb toch al gezegd dat ik geen kwade bedoelingen heb, sir,' siste ze tussen opeengeklemde kiezen. 'Gisteravond was ik gedwongen een noodsprong te maken, maar dergelijke situaties doen zich niet elke dag voor.'

Hij keek naar het snoer belletjes dat aan de luiken bevestigd was. 'Toch kunt u mij niet wijsmaken dat uw zelfvertrouwen even groot is als u mij wilt laten geloven.'

Er viel een diepe stilte. Artemis keerde zich om naar Madeline. Haar gezicht was een en al onwankelbare vastberadenheid, maar achter die blik ontdekte hij een opgejaagd trekje.

'Vertel het me maar, mevrouw Deveridge,' zei hij rustig. 'Wie of wat jaagt u zo'n angst aan?'

'Ik heb geen idee waarover u het heeft, sir.'

'Ik besef terdege dat u denkt dat ik een zonderling ben, zo niet een volslagen idioot, omdat ik een Vanzaan ben. Maar ik verzoek u me toch het voordeel van de twijfel te gunnen.'

Ze leek ineen te schrompelen als een dier dat in het nauw was gedreven. 'Wat bedoelt u?'

'U heeft een gewapende koetsier in dienst, die ook de rol van lijfwacht op zich neemt. U heeft uw ramen beveiligd met luiken die zo zijn uitgerust dat er geen insluiper binnen kan komen zonder zich te verraden. In uw tuin zijn alle bomen en struiken gesnoeid, zodat geen sterveling ongezien het huis kan naderen. En uzelf kunt omgaan met een pistool.'

'Londen is een gevaarlijke plek om te wonen, sir.'

'Dat klopt. Maar ik krijg de indruk dat u zich meer bedreigd voelt dan de meeste andere mensen.' Hij hield haar blik vast. 'Waar bent u zo bang voor, madam?'

Ze keek hem lange tijd zwijgend aan. Toen liep ze om haar bureau heen en liet zich in haar stoel zakken. Haar schouders waren stijf van spanning.

'Mijn persoonlijke zaken gaan u niet aan, meneer Hunt.'

Hij bestudeerde haar afgewende gezicht en zag de strijd tussen haar trots en haar angst... 'Iedereen heeft dromen, mevrouw Deveridge. Ik heb het vermoeden dat u ervan droomt om bevrijd te zijn van de angst die uw geest gevangenhoudt.'

Ze keek hem met berekende nieuwsgierigheid aan. 'En wat denkt u daaraan te kunnen doen?'

'Wie zal het zeggen?' Hij glimlachte fijntjes. 'Ik ben immers de Droomkoopman. Misschien kan ik uw droom waarheid laten worden.'

'Ik ben niet in de stemming voor grapjes.'

'Ik verzeker u dat ik me op dit moment ook niet bepaald ongelooflijk amuseer.'

Haar hand sloot om een kleine, koperen presse-papier. Ze bekeek hem aandachtig. 'Als dat zo is, als u mij echt van dienst kunt zijn, dan moet ik daar zeker een behoorlijke prijs voor betalen?'

Hij schokschouderde. 'Overal is een prijs aan verbonden. Soms is die prijs het waard om betaald te worden. Soms niet.'

Ze sloot even haar ogen. Toen ze ze weer opendeed keek ze hem met vastberaden blik aan.'Ik moet bekennen,' zei ze langzaam, 'dat er bepaalde gedachten door mijn hoofd gingen toen ik gisteravond thuiskwam.'

Hij had haar, dacht hij. Ze had in het aas gebeten. 'En waar dacht u dan aan?'

Ze zette de presse-papier neer. 'Ik moest denken aan een paar gezegden. Het ene was dat je vuur het beste met vuur kunt bestrijden en het andere was dat je een dief het beste met een dief kunt vangen.'

Ineens begreep hij wat ze zei. 'Christus nog aan toe, madam, dit is een Vanza-kwestie, nietwaar?'

Ze knipperde met haar ogen van schrik. Toen bromde ze iets. 'Nou ja, ergens wel. Misschien.' Ze slaakte een zucht. 'Maar dat weet ik niet zeker.'

'Waar gaan uw gedachten eigenlijk naar uit? Probeert u een Vanza-meester voor uw karretje te spannen om een Vanza-probleem de wereld uit te helpen? Werkt uw geest op die manier?'

'Ongeveer wel, ja.' Ze trommelde met haar vingers op het bureau. 'Ik ben nog steeds aan het overwegen, sir, maar ik krijg hoe langer hoe meer het gevoel dat u uitstekend geschikt bent om mij te helpen bij het oplossen van een probleem dat mij letterlijk dag en nacht bezighoudt.'

'U bedoelt dat u een manier heeft gevonden om mijn bekwaamheden te gebruiken om uw probleem op te lossen.'

'Als we tot overeenstemming kunnen komen,' zei ze streng, 'zie ik onze samenwerking in deze zaak als een werkgever tegenover een werknemer. Ik zal u natuurlijk voor uw arbeid betalen.'

'Het wordt steeds geheimzinniger. Hoe denkt u mij eigenlijk in te lijven, madam?' Hij stak afwerend zijn hand omhoog. 'Voor u antwoord geeft wil ik één punt duidelijk vaststellen. Zoals u weet ben ik zakenman en mijn zaken lopen uitstekend. Ik heb uw geld niet nodig en ik wil het dus niet hebben.'

'Kan zijn.' Ze kneep haar ogen halfdicht. 'Maar ik denk dat ik iets anders bezit dat u wel wilt hebben, sir.'

Hij liet zijn ogen met een kille blik over haar heen dwalen. 'Is dat zo? Ik moet toegeven dat dat interessant klinkt.' Hij dacht aan de weddenschap die nog steeds van kracht was. 'En het kan een leuk winstje opleveren.'

Ze staarde hem aan. 'Pardon?'

Hij zag aan de verbijsterde uitdrukking in haar ogen dat ze niets van de weddenschap wist. 'Er wordt een man niet elke dag de gelegenheid geboden een affaire te beginnen met de Verdorven Weduwe. Vertel me eens, madam, mag ik hopen dat ik de gebeurtenis overleef? Of lopen uw minnaars hetzelfde risico als uw echtgenoten?'

Haar gezicht betrok. Een seconde later sproeiden haar ogen vuur. 'Als ik besluit u in dienst te nemen, meneer Hunt, moet u erop rekenen dat er zekere risico's aan verbonden zijn, maar het gevaar komt niet van *mijn* kant.'

Hij trok zijn wenkbrauwen op. 'Het is niet mijn bedoeling lomp te zijn, maar de gezien de vorm waarin u mij wilt betalen...'

Ze keerde haar hoofd veelbetekenend naar de kast waarin het Vanza-dossier stond. 'Ik zag aan uw gezicht dat u het geen prettige gedachte vindt dat er zo veel privé-informatie over u in dat boek staat.'

'Dat heeft u goed gezien. Dat vind ik absoluut geen prettige gedachte.' Hij wist nog niet hoe, maar hij zou dat verdomde boek in zijn bezit weten te krijgen. Hij wierp een blik op de stomme belletjes op de luiken. Voor hem zouden die niet veel moeilijkheden opleveren.

Ze keek hem met een indringende blik aan. 'Als we het eens worden, sir, zal ik u voor uw tijd en moeite belonen met dat boek.'

'Bedoelt u dat u me dat vervloekte boek zult geven als ik bereid ben u te helpen?'

'Ja.' Ze aarzelde even. 'Maar eerst moet ik nog beslissen of ik u wel of niet in dienst wil nemen. Daar wil ik nog wat langer over nadenken. Er staat heel wat op het spel.'

'Ik raad u voor uw eigen bestwil aan niet te lang te aarzelen, mevrouw Deveridge.'

Ze stak uitdagend haar kin in de lucht. 'Weer een bedreiging, sir?'

'Helemaal niet. Ik zeg dit omdat ik heb gezien dat u uw huis in een fort hebt veranderd.' Hij gebaarde naar de luiken. 'Als hetgeen waarvoor u zo bang bent iets met Vanza te maken heeft, dan kan ik u verzekeren dat het gerinkel van die belletjes te laat komt om u van enig nut te zijn.'

Ze werd bleek en greep de armleuningen van haar stoel zo stevig beet dat haar knokkels wit werden. 'Ik denk dat u nu maar beter kunt gaan, sir.'

Hij wachtte even en boog toen instemmend zijn hoofd. 'Zoals u wilt, madam. U weet waar u mij kunt bereiken als u een besluit heeft genomen.'

'Ik zal het u laten weten als ik...' Ze brak af toen de deur van de bibliotheek zonder waarschuwing werd geopend. Snel wierp ze een blik op degene die binnenkwam. 'Tante Bernice.'

'Neem me niet kwalijk, lieverd.' Bernice knikte tegen Artemis. 'Ik wist niet dat je nog bezoek had. Wil je ons even voorstellen?'

'Ja, natuurlijk,' mompelde Madeline.

Snel en onwillig kweet ze zich van haar taak. Artemis liet zich echter niet opjagen. Hij mocht Bernice op het eerste gezicht. Ze was een elegante, mooie vrouw van onbestemde leeftijd, met een aangeboren instinct voor smaak en stijl. Het lachje dat in haar helderblauwe ogen glansde trok hem onweerstaanbaar aan. Hij boog zich over haar hand en werd beloond met een gracieus knikje dat hem vertelde dat deze dame zich heel goed thuis zou voelen op de dansvloer.

'Mijn nichtje heeft me verteld dat we reden te over hebben om u dankbaar te zijn voor uw hulp bij de bevrijding van onze Nellie,' zei Bernice. 'U bent de held van de dag in onze huishouding.'

'Dank u, miss Reed. Wat vriendelijk van u om dat te zeggen.' Hij wierp een snelle blik op Madeline. 'Maar mevrouw Deveridge heeft mij zojuist uitgelegd dat ik me helemaal niet heldhaftig heb gedragen. Het was gewoon mijn plicht, als eigenaar van het park waar de ontvoering plaatsvond, om de verantwoording voor die onverkwikkelijke zaak op mij te nemen en tot een goed einde te brengen.'

Madeline kromp in elkaar. Artemis had daar stiekem plezier in.

Bernice keek Madeline met gefronste wenkbrauwen aan. 'Goeie hemel, lieverd, dat heb je toch niet echt tegen die arme meneer Hunt gezegd? Hij heeft de grenzen van zijn verantwoordelijkheid verre overtreden gisteravond. Ik begrijp niet hoe je erbij komt om te beweren dat hij ook maar enigszins betrokken was bij die zaak.

Nellie is buiten het amusementspark ontvoerd, niet binnen de hekken.'

'Ik heb meneer Hunt alleen maar duidelijk gemaakt dat we zijn hulp heel erg op prijs stelden,' mompelde Madeline bijna onhoorbaar.

'Dat klopt,' zei Artemis. 'En ik blijk me zo goed van die taak gekweten te hebben dat ze overweegt me nóg iets op te dragen. Het heeft te maken met: *met dieven vangt men dieven,* of zoiets.'

De mond van Bernice viel open. 'Heeft ze u een *dief* genoemd, sir?'

'Nou ja,' begon Artemis.

Madeline stak haar handen in de lucht. 'Zo heb ik u nooit genoemd, sir!'

'Dat is waar,' knikte Artemis genadig. Hij wendde zich weer tot Bernice. 'Ze heeft me niet met dief aangesproken.'

'Hè, dat is een opluchting,' zuchtte Bernice.

Madeline kreunde.

'Aangezien ik zakenman ben,' ging Artemis luchtig verder, 'vind ik het idee dat ik opnieuw een opdracht krijg natuurlijk bijzonder interessant.' Hij knipoogde tegen Bernice toen hij naar de deur liep. 'Even tussen u en mij, miss Reed... ik heb goede hoop dat ik de opdracht in de wacht sleep. Er zijn buiten mij maar heel weinig kandidaten die voldoende gekwalificeerd zijn, ziet u.'

Hij liep de gang in en de voordeur uit voor beide vrouwen weer bij hun positieven waren.

5

'Hij is een Vanzaan,' zei Madeline. 'Dat betekent dat hij een spelletje speelt. Ik denk dat we een groot risico lopen als we hem in dienst nemen.'

'Ik denk dat het niet verstandig is de woorden *inhuren* of *in dienst nemen* te gebruiken als we het hebben over de mogelijkheid de heer Hunt te vragen of hij ons wil helpen.' Bernice tuitte haar lippen. 'Je kunt hem moeilijk als een betaalde kracht zien, als je begrijpt wat ik bedoel.'

'Daar ben ik het niet mee eens. De enige manier om met hem samen te werken is hem te zien als iemand die wordt betaald voor zijn diensten.' Madeline boog zich naar voren en bekeek de bronzen presse-papier alsof het een opgegraven voorwerp uit de oudheid was, waaraan mysterieuze krachten konden worden ontleend. 'Als we met mijn plan willen doorgaan, moeten we ervoor zorgen dat Hunt zijn plaats kent.'

Bernice nam een slokje van de thee die Nellie zojuist had ingeschonken. 'Hmmm.'

'Maar ik ben bang dat we helemaal geen keus meer hebben.'

Bernice keek haar niet-begrijpend aan. 'Wat bedoel je?'

'Hij weet van het bestaan van papa's dossier.'

'O, hemel!'

'Ja, ik weet het, het was verkeerd om het hem te laten zien.' Madeline kwam overeind en begon door de kamer te ijsberen. 'Ik heb hem erover verteld toen ik uitlegde hoe ik wist dat hij de eigenaar van de Droompaviljoens was. Ik dacht dat ik hem daarmee kon geruststellen dat ik niet daadwerkelijk aan het spioneren was geweest.'

Bernice had geen pretlichtjes meer in haar ogen. 'Nu hij weet dat enkele van zijn geheimen opgetekend zijn zal hij kosten noch moeite sparen om dat boek in zijn bezit te krijgen.'

'Ik vrees dat u gelijk hebt.' Madeline liet haar blikken over haar kale tuin glijden. 'Ik zag hoe hij keek toen hij bij zijn bladzijde was gekomen. Toen begreep ik ineens dat ik een grote fout had gemaakt.'

'En vervolgens heb je hem dus een voorstel gedaan.' Bernice knikte. 'Dat is zo gek nog niet. Hij scheen happig genoeg om erop in te gaan.'

'Een beetje te happig, als u het mij vraagt. Maar ik weet niet wat ik anders moet doen.' Madeline keek tersluiks naar Bernice. 'Maar weet u, hij kan ons best van dienst zijn. Ik heb hem gisteravond in actie gezien. Hij had een heel pienter plannetje verzonnen om Nellie te bevrijden. En hij heeft haar een heel eind over zijn schouder gedragen. Voor een man van zijn leeftijd schijnt hij nog behoorlijk bij de tijd te zijn.'

'Hij is nog niet hoogbejaard, hoor!'

'Nee, natuurlijk niet,' zei Madeline snel. 'Ik bedoel eigenlijk dat hij niet meer piepjong is.'

'Nee.'

'Maar ook nog niet hoogbejaard, zoals u net zei,' ging ze stuntelig verder. 'Je zou eigenlijk kunnen zeggen dat hij precies goed is. Op leeftijd, maar nog wel fit.'

'Op leeftijd, maar nog wel fit,' herhaalde Bernice op vlakke toon. 'Ja, dat is een goede omschrijving voor Hunt, vind ik.'

'Ik begin te twijfelen aan de reden waarom meneer Hunt, volgens jou, niet wil dat iemand te weten komt dat hij zakenman is.'

'O, ja?'

'Ja. Ik geloof niet dat hij dat zo vervelend vindt omdat hij op zoek is naar een rijke vrouw uit de hoogste kringen.'

Bernice fronste haar wenkbrauwen. 'Waarom niet? Trouwen in een invloedrijke, vermogende familie lijkt mij een logische daad voor een ambitieuze zakenman.'

'Het kan zijn dat meneer Hunt nog wat ambities bezit.' Madeline tikte afwezig tegen de vensterbank. 'Maar ik weet niet zeker of die iets met een huwelijk te maken hebben. Als hij dat per se wil, had hij het allang gedaan, volgens mij.'

'Daar kan ik niets tegenin brengen.'

'Dan hadden we een verlovingsaankondiging moeten lezen. Of in ieder geval een paar roddels over hem en een jongedame van goede komaf.'

'Ja, dat is zo.' Bernice dacht even na. 'Gek dat we tot dusver nog nooit dergelijke praatjes over hem hebben gehoord. Denk je dat er iets met hem aan de hand is?'

'Hoe kom je dat te weten bij een Vanza-meester?' Madeline keerde zich om en begon weer te ijsberen. 'En toch is er iets vreemds aan hem, zeker weten.'

'Wat dan?'

'Weet ik niet precies.' Madeline maaide met haar hand door de lucht toen ze probeerde uit te leggen wat ze dacht. 'Hij is niet het typische, verveelde en arrogante type dat stikt van het geld. Het lijkt wel of hij uit ander hout is gesneden dan die suffe fatten. Hij is een havik onder de mussen.'

'Om precies te zijn: een havik op leeftijd, maar wel een fitte havik, nietwaar?' Een klein, ondeugend lichtje verscheen in Bernices ogen. 'Wat een interessante beschrijving. En zo poëtisch. Een heel levendige beeldspraak, moet ik zeggen.'

Madeline keek haar vanonder gefronste wenkbrauwen aan. 'Dus u vindt mijn beschrijving van Hunt grappig?'

Bernice begon te giechelen. 'Lieverd, ik vind hem vooral geruststellend.'

Madeline bleef stokstijf staan. 'Wat bedoelt u daar in vredesnaam mee?'

'Ik was bang dat je na je afschuwelijke ervaring met Renwick Deveridge nooit meer gezonde belangstelling voor een mannelijk persoon zou opvatten. Maar nu blijkt dat ik me daar geen zorgen over had hoeven maken.'

Madeline kon geen woord uitbrengen van schrik. En toen ze haar zelfbeheersing terug had kon ze geen zinnig woord bedenken. 'Tante Bernice! Kom nou!'

'Je hebt jezelf nu een jaar lang afgesloten voor de wereld. En dat is heel begrijpelijk na alles wat je hebt meegemaakt. Maar de hele zaak zou een nog grotere tragedie worden als zou blijken dat je je natuurlijke, vrouwelijke gevoelens voor altijd had verloren. Ik vat jouw interesse in meneer Hunt dan ook op als een teken van genezing.'

'Ik ben helemaal niet in hem geïnteresseerd, schei uit zeg!' Madeline liep met grote stappen naar de boekenkast. 'In elk geval niet op de manier waarop u doelt. Maar ik ben ervan overtuigd dat we het heel moeilijk zullen krijgen om hem hier weg te houden nu hij op de hoogte is van het bestaan van papa's boek. Het enige wat ons dus overblijft is dan maar gebruik te maken van zijn diensten. Snapt u?'

'Je had hem dat boek gewoon kunnen geven,' zei Bernice droog.

Madeline bleef voor de boekenkast staan. 'Of u het gelooft of niet, daar heb ik aan gedacht.'

‘Maar?’

‘Maar we hebben hem nodig. Waarom zouden we zijn kennis en vaardigheden niet uitbuiten? Dan vangen we twee vliegen in één klap, weet u wel.’ Ze gebruikte vanmorgen wel erg veel spreekwoorden, vond ze zelf.

‘Ach ja, waarom niet?’ Bernice zei het op luchtige toon, maar ze keek bezorgd. ‘We hebben weinig keus in deze zaak, nietwaar?’

‘Inderdaad.’ Madeline keek naar de belletjes aan de luiken. ‘En weet u, als we meneer Hunt het boek niet aanbieden, in ruil voor zijn diensten, dan vrees ik dat hij het op een donkere avond gewoon komt halen.’

De volgende morgen legde Madeline de pen waarmee ze notities had gemaakt neer en klapte het kleine, in rood leer gebonden boekje dat ze probeerde te vertalen, dicht.

Ontcijferen was er een beter woord voor, dacht ze. Het boekje was zeer oud en versleten. Het was met de hand geschreven en bestond uit een wirwar van onbegrijpelijke woordgroepen. Ze vermoedde dat de woorden een mengeling van klassiek Grieks, Egyptische hiërogliefen en de oude, dode taal van Vanzagara was. Het was drie weken geleden, na een lange, omslachtige reis, uit Spanje bij haar bezorgd en het had haar meteen gegrepen. Ze was onmiddellijk begonnen met de vertaling.

Maar tot dusver had ze nog geen succes gehad. Het Grieks was gemakkelijk, maar de woorden die ze had vertaald hadden geen enkele betekenis. De hiërogliefen waren natuurlijk een groot mysterie, hoewel ze had gehoord dat Thomas Young een interessante theorie had opgebouwd over het Egyptische schrift, gebaseerd op zijn werk met de steen van Rosetta. Jammer genoeg had hij nog niets over zijn bevindingen gepubliceerd. En ze wist dat ze wat de oude Vanzagaanse taal betrof een van de zeer weinigen was die misschien een heel klein stukje van de tekst kon ontcijferen. Er waren buiten haar familie maar weinig mensen die wisten dat ze die kunst meester was. De studie van de oude, dode taal van Vanzagara was uitsluitend toegankelijk voor mannen. Vrouwen werden niet tot het Genootschap toegelaten, en het werd niet passend geacht hen in sommige wetenschappelijke aspecten te onderwijzen.

Zelfs na de mededeling dat Winton Reed zijn dochter alles wat hij wist had bijgebracht, geloofden maar weinig leden van het Genootschap dat een vrouw in staat was de gecompliceerde, vreemde taal uit de oude boeken te begrijpen.

Madeline had elke dag een gedeelte van haar vrije tijd aan het boekje opgeofferd. Hoewel het een tijdrovend en moeilijk karwei was, was het een welkome afleiding van haar andere zorgen. Maar vanochtend lukte dat niet.

Ze merkte dat ze om de haverklap op de klok keek. Ze was geprikkeld omdat ze ontdekte dat ze de uren en minuten die waren verlopen sinds ze Latimer met haar boodschap naar Artemis had gestuurd, zat te tellen. Maar ze kon er niets aan doen, het was niet anders.

'Het is er!' riep de Bernice vanuit de hal. 'Het is aangekomen!'

'Wat, in vredesnaam?' Madeline staarde naar de gesloten deur van de bibliotheek en luisterde naar de snelle voetstappen van haar tante die in haar richting kwamen.

Een paar seconden later vloog de deur wijd open. Bernice zeilde triomfantelijk de kamer binnen, zwaaiend met een witte kaart. 'Wat opwindend allemaal!'

Madeline gluurde naar de kaart. 'Wat is dat?'

'Het antwoord van meneer Hunt op jouw boodschap, natuurlijk!'

Madeline slaakte een zucht van opluchting. Ze sprong overeind. 'Geef gauw hier.'

Bernice gaf haar de kaart met een gebaar alsof ze een duif uit een hoed toverde.

Madeline verbrak het zegel en liet haar ogen snel over de inhoud glijden. Eerst dacht ze dat ze het niet goed had gelezen. Ontzet ging ze terug naar het begin en langzaam las ze de inhoud opnieuw. Ze kon er niets anders uit opmaken dan de eerste keer. Ze liet de kaart zakken en staarde Bernice verbijsterd aan.

'Wat is er loos, liefje?'

'Ik heb meneer Hunt een briefje gestuurd waarin stond dat ik de onderhandelingen omtrent een eventuele samenwerking wil voortzetten. En nu stuurt hij mij... deze...'

'Deze wat?' Bernice trok de kaart uit de hand van Madeline. Ze haalde een knijpbrilletje uit haar zak, plantte hem op haar neus en begon hardop te lezen:

> *'Hierbij verzoek ik u om de eer u te mogen begeleiden naar een gemaskerd bal dat aanstaande donderdagavond in een van de Droompaviljoens wordt gehouden.'*

Bernice hief haar hoofd op en keek Madeline met grote ogen aan. 'Tjeetje, liefje, dit is een uitnodiging.'

'Ja, dat had ik al begrepen.' Madeline griste de kaart uit de handen van Bernice en staarde naar de korte, duidelijke tekst. 'Waar is die kerel voor de donder op uit?'

'Madeline toch! Jij bent werkelijk veel te achterdochtig voor een vrouw van jouw leeftijd. Wat is er nu vreemd aan de uitnodiging voor een bal, door een man die bekend staat als een algemeen gerespecteerde heer?'

'Wij hebben het hier niet over een gerespecteerde heer, wij hebben het hier over Artemis Hunt. Ik heb alle recht van de wereld om achterdochtig te zijn.'

'Ik ben bang dat je een beetje overspannen begint te raken, mijn kind.' Bernice fronste haar wenkbrauwen. 'Heb je soms weer slecht geslapen vannacht? Je neemt mijn drankje toch wel in, nietwaar?'

'Ja, ja. Dat spul helpt enorm.' Ze zag niet in waarom ze Bernice de waarheid zou vertellen. Ze had het brouwsel gisteravond weggegooid, net als elke avond, want ze durfde het niet in te nemen. Het laatste wat ze wilde was in slaap vallen. De dromen werden steeds angstwekkender.

'Nou, dan kan het dus geen gebrek aan slaap zijn en moet er iets anders zijn wat jou op je zenuwen werkt,' zei Bernice.

'Mijn reactie op deze uitnodiging van Hunt heeft niets met mijn zenuwen te maken.' Madeline klopte met het kaartje tegen haar handpalm. 'Integendeel, ik gebruik alleen maar mijn gezonde verstand. Ik laat die man weten dat ik voor een bepaalde vergoeding gebruik wens te maken van zijn diensten en hij stuurt mij een uitnodiging voor een gemaskerd bal! Wat is dat nu voor een antwoord?'

'Ik vind dat een heel interessant antwoord, als ik het eerlijk mag zeggen. Vooral omdat het komt van een heer op leeftijd, die nog wel bij de tijd is.'

'Nee.' Madeline keek haar verstoord aan. 'Ik vrees dat het een typisch Vanza-antwoord is. Hunt probeert me in verwarring te brengen. En wij moeten ons afvragen waarom hij dat doet.'

'Ik kan maar één ding bedenken om daarachter te komen, lieverd.'

'O, wat dan?'

'Je moet de uitnodiging aannemen!'

Madeline keek haar met grote ogen aan. 'Bent u ernstig in de war, tante Bernice? Moet ik met die Hunt naar een bal? Dat is het krankzinnigste wat ik ooit heb gehoord.'

Bernice keek haar met wetende blikken aan. 'Je hebt te maken met een Vanza-meester. Je zult met de grootste omzichtigheid en schranderheid met hem om moeten gaan. Maar maak je niet bezorgd, ik heb blindelings vertrouwen in jou. Jij zult dit zaakje perfect afhandelen.

Hmmm.'

'In ieder geval zie ik niet in waarom het verkeerd voor jou zou zijn om naar een danspartij te gaan,' ging Bernice rustig verder. 'Je bent hard aan wat afleiding toe. Je begint al even excentriek, teruggetrokken en geheimzinnig te worden als de leden van het Vanzaanse Genootschap.'

6

'Ik zie dat Glenthorpe vanavond al vroeg de hoogte heeft.' Lord Belstead wierp een misprijzende blik op de man die onderuitgezakt in de diepe fauteuil voor het haardvuur hing. 'Het is nog niet eens tien uur en de man is al volkomen teut.'

'Zullen we hem uitnodigen een paar potjes met ons te kaarten?' Sledmere keek niet op van zijn speelkaarten. 'Glenthorpe is een dwaas, vooral als hij dronken is. We zouden een leuk bedragje van hem kunnen winnen.'

'Dat is me te gemakkelijk.' Artemis keek naar de kaarten die hij in zijn hand hield. 'Er is toch geen lol aan om kaart te spelen met een dronken lor?'

'Mijn gedachten gingen niet uit naar lol, maar naar winst,' zei Sledmere. 'Ik weet nu al wat ik allemaal met dat geld zou kunnen doen.'

Artemis legde zijn kaarten neer. 'Over winst gesproken... ik zie dat ik jullie een aardig centje afhandig heb gemaakt, heren.'

Belstead staarde naar zijn kaarten en blies zijn wangen bol. 'Ten koste van mij, zo te zien. Jij hebt vanavond weer alle geluk van de wereld, sir.'

Glenthorpe, die aan de andere kant van het vertrek zat, zette zijn lege glas neer en kwam moeizaam overeind. Artemis keek naar hem en zei: 'Maar vanavond wil ik dat geluk niet verder uitdagen. Excuseer me, heren, ik geloof dat ik al een beetje laat ben voor mijn afspraakje.'

Belstead grinnikte. 'Wie is het mooie blondje, Hunt?'

'Nu kan ik toch even niet op haar naam komen!' Artemis stond op. 'Maar ik weet zeker dat die me op het juiste moment weer te binnen schiet. Fijne avond verder, heren.'

Sledmere lachte nu hardop. 'Kijk uit dat je op dat juiste moment ook de juiste naam noemt, sir. Om de een of andere vreemde reden voelen dames zich beledigd als je hun namen door elkaar haalt.'

'Bedankt voor je goede raad,' zei Artemis.

Hij liep de kamer uit en ging naar de hal om zijn jas, hoed en handschoenen te halen.

Glenthorpe stond bij de deur. Hij wankelde een beetje en keerde zich om. 'Hé, Hunt, ga je weg?'

'Ja.'

'Mag ik met jou meerijden?' Glenthorpe tuurde met waterige ogen door het raam. 'Het is moeilijk om op een avond als deze een rijtuig te bemachtigen, zie je. Ik geloof dat die smerige mist zo dik is dat je er plakken van kunt snijden.'

'Ik vind het best.' Artemis trok zijn jas aan en liep de deur uit.

'Prachtig.' Glenthorpes opgeluchte gezicht was bijna komisch om te zien. Hij haastte zich achter Artemis aan de nevelige straat op. 'Het is veiliger om met z'n tweeën te vertrekken, weet je. Op avonden als deze zwerven er overal dieven en moordenaars rond.'

'Dat wordt inderdaad beweerd.' Artemis hield een rijtuig aan.

Het voertuig kwam met veel luidruchtig hoefgekletter tot stilstand voor de trap van de club. Glenthorpe klauterde moeizaam naar binnen en liet zich in de kussens vallen. Artemis volgde hem en sloot het portier.

'Ik heb in het vroege voorjaar nog nooit zo'n dikke mist meegemaakt,' mompelde Glenthorpe.

De zweep knalde en het rijtuig ratelde de straat uit.

Artemis bestudeerde Glenthorpe. De man was volkomen in zichzelf gekeerd. Hij staarde wazig naar de donkere straat en zag er angstig uit. Hij maakte een gespannen, zenuwachtige indruk.

'Het zijn natuurlijk mijn zaken niet.' Artemis leunde verder achterover in zijn donkere hoekje. 'Maar ik heb de indruk dat je vanavond een beetje nerveus bent. Zit je ergens over in?'

Glenthorpe keerde met een ruk zijn hoofd om en keek Artemis even aan. Meteen daarop begon hij weer uit het raampje te staren. 'Heb jij weleens het gevoel gehad dat iemand je voortdurend achtervolgt, sir?'

'Achtervolgt iemand mij?'

'Mij, niet jou.' Glenthorpe schoof de gordijntjes dicht en liet zich weer achterover zakken. 'Ik heb de laatste tijd het onaangename gevoel dat ik gevolgd word. Maar als ik dan stilsta en me omdraai is er niemand te zien. Dat is heel verwarrend.'

'Waarom zou iemand jou volgen?'

'Hoe moet ik dat nou weten, verdomme!' Glenthorpe sprak veel te luid en veel te heftig. Hij knipperde verschrikt met zijn ogen bij het geluid van zijn eigen stem. Veel zachter ging hij verder: 'Maar het gebeurt echt. Ik voel het tot op het bot.'

'Wie is de vent die jou volgt?' vroeg Artemis zonder de minste belangstelling.

'Je zult het niet leuk vinden, maar ik geloof dat het...' Hij brak af.

'Wie?' drong Artemis beleefd aan.

'Het is moeilijk uit te leggen.' Glenthorpes handen gleden over de bekleding. 'Het gaat terug naar iets wat een paar jaar geleden is gebeurd. Er was een jonge vrouw bij betrokken.'

'Zo, zo.'

'Het was een doodgewoon toneelspeelstertje, niks bijzonders.' Glenthorpe slikte moeizaam. 'Er is toen iets afschuwelijks gebeurd. Dat was natuurlijk absoluut niet de bedoeling. De anderen zeiden dat het leuk zou worden. Dat het meisje alleen maar een spelletje met ons speelde. Ze bleef zich verweren, weet je wel. Maar het wás geen spelletje, zie je.'

'Wat is er gebeurd?' vroeg Artemis met vlakke stem.

'We hebben haar meegenomen naar een verlaten plek.' Glenthorpe wreef met zijn gehandschoende hand over zijn neus. 'We dachten dat we allemaal een beetje lol konden maken. Maar zij... ze vócht gewoon met ons. Ineens rende ze weg. Wij konden er niets aan doen dat ze... Nou ja, gebeurd is gebeurd. Maar weet je, ik had er helemaal niets mee te maken. De anderen zijn hun gang gegaan met haar, maar toen ik aan de beurt was lukte het niet, als je begrijpt wat ik bedoel. Ik had te veel gedronken. Maar het kan ook zijn dat het kwam door de manier waarop ze me aankeek.'

'Hoe keek ze je dan aan?'

'Alsof ze een soort heks was die een vloek over me uitsprak. Ze zei dat we er allemaal voor zouden moeten boeten. Nou ja, dat was natuurlijk onzin. Maar ik begreep toen wel dat de anderen het mis hadden. Ze was ons niet aan het plagen, ze dééd niet alsof ze niets van ons wilde weten, ze méénde het. En toen... kon ik... nou ja, ik kon er gewoon niet mee doorgaan.'

'Maar je was er wel bij die avond.'

'Ja. Maar alleen omdat de anderen me hebben meegesleurd. Ik hou niet van dergelijke dingen, weet je. Ik ben niet... hoe zal ik het zeggen... ik hou niet zo van die lichamelijke dingen als andere mannen.' Glenthorpe wrong zijn handen. 'Nou ja, hoe dan ook, ik maakte een soort van excuus. De anderen lachten mij uit, maar dat kon me niet schelen. Ik wilde weg. Maar toen rukte het meisje zich los en rende de duisternis in. En daarna gebeurde dat ongeluk. Ze stortte de diepte in...'

'Wat deed jij toen?'

'Ik?' Glenthorpe sperde zijn ogen wijd open. 'Nou, gewoon, niets. Helemaal niets. Dat probeer ik nu juist uit te leggen. Die vent heeft helemaal geen reden om achter mij aan te zitten. Ik heb haar niet eens aangeraakt.'

'Wie zit er nou eigenlijk achter jou aan?'

'Ze zei...' Glenthorpe bevochtigde zijn lippen en wreef weer over zijn neus. 'Ze zei dat haar minnaar ons alle drie zou vernietigen uit wraak voor wat we haar hadden aangedaan. Maar het is nu al vijf jaar geleden. *Vijf lange jaren.* Ik dacht echt dat de hele zaak begraven en vergeten was.'

'Maar nu ben je daar niet meer zo zeker van?'

Glenthorpe aarzelde en toen stak hij zijn hand in zijn zak. Toen hij weer te voorschijn kwam lag er een horlogekettingplaatje in. 'Dit heb ik een paar maanden geleden ontvangen. Het lag zomaar voor de deur.'

Artemis wierp een blik op het gouden plaatje waarin een steigerend paard was gegraveerd. 'Wat is dat?'

'Ik denk dat *hij* me dat heeft gestuurd. De vent die haar zou wreken.'

'Waarom zou hij dat doen?'

Glenthorpe wreef over zijn neus. 'Ik heb het nare gevoel dat hij met me speelt. Zoals een kat doet met een muis, weet je. Maar het is niet eerlijk.'

'Waarom niet?'

'Omdat ik van ons drieën de enige ben die haar geen kwaad heeft gedaan.' Glenthorpe zakte onderuit. 'Ik ben de enige die haar niet heeft aangeraakt.'

'Maar je was er die avond wel bij, nietwaar?'

'Ja, maar...'

'Bespaar me je uitleg, Glenthorpe. Die interesseert me niet. Die kun je beter bewaren voor die geheimzinnige figuur die achter je aan zit.' Artemis tikte tegen het dak om de koetsier te waarschuwen. 'Excuseer me verder, ik ga er hier uit. Ik geloof dat ik de rest van de weg naar huis liever alleen en te voet afleg.'

'Maar de struikrovers...'

'Een man moet keuzes maken als hij moet kiezen wiens gezelschap hij prefereert.'

Het rijtuig kwam tot stilstand. Artemis sprong eruit en smeet het portier dicht. Hij keek niet meer om toen hij de donkere, mistige nacht in liep.

7

Hij ging in tegen al zijn eigen principes. De regels waarnaar hij al die jaren had geleefd waren niet erg talrijk, maar ze waren streng en onbuigzaam. Hij verkocht dromen maar maakte nooit de fout er zelf in te geloven. Hij had een carrière opgebouwd met levendige illusies, maar hijzelf verwarde de werkelijkheid nooit met sprookjes.

Hij had zichzelf voorgehouden dat een paar walsjes met de Verdorven Weduwe niets anders dan een bepaalde strategie waren, een paar slimme handelingen die moesten zorgen dat hij haar in zijn macht kreeg. De jongedame wist te veel van hem en hij vond dat hij de boventoon moest gaan voeren. Het oude Vanza-spreekwoord zei het zo duidelijk: *Wat gevaarlijk is moet eerst begrepen worden voor het beheerst kan worden.*

Madeline keek hem ongeduldig aan door de ooggaten van haar gevederde masker. 'Het is hoog tijd dat wij ter zake komen, sir.'

Met die paar woorden ging zijn overtuiging dat hij haar met een walsje kon verleiden, in rook op. 'Ik had gehoopt dat u uzelf zou toestaan van de avond te genieten, voor wij onze zaken tot in details gaan bespreken.' Artemis trok haar dichter in zijn armen en maakte een zwierige zwaai op de volle dansvloer. 'Ik doe het in elk geval wel.'

'Ik weet niet wat voor spelletje u aan het spelen bent, meneer Hunt, maar ik wil u wel vertellen dat ik uitsluitend hier ben voor zaken en dat dansen en pret maken daar niet bij inbegrepen zijn.'

'Weet je, Madeline, jij voldoet helemaal niet aan de reputatie van verleidelijke weduwe die met één blik vanonder haar lange wimpers een man naar zijn ondergang kan lokken. Ik moet bekennen dat ik daar een beetje teleurgesteld over ben.'

'Het doet mij bijzonder veel genoegen te horen dat ik niet de gewenste opwinding veroorzaak, maar ik kan niet zeggen dat het mij verbaast dat u die misser van mij heeft opgemerkt. Mijn tante heeft mij er gisteren namelijk nog op gewezen dat ik even zonderling en teruggetrokken begin te worden als de leden van het Vanzaanse Genootschap.'

'Maak je maar niet bezorgd, madam. Ik merk dat ik snel een bepaalde warmte begin te ontwikkelen voor teruggetrokken, zonderlinge vrouwen.'

Hij zag dat haar mond open viel van verbazing. Voor ze hem op scherpe wijze terecht kon wijzen – wat hij ongetwijfeld verdiende – trok hij haar weer mee in een grote zwaai. De dikke plooien van haar zwarte japon zwierden om haar enkels.

Hij was vastbesloten in elk geval van een deel van de avond te genieten. Ze voelde even heerlijk aan in zijn armen als hij had gedacht: levendig, warm en sensueel. Haar geur was bedwelmender dan het meest exotische parfum. Op het moment dat hij dat gesprek met haar had gehad in haar bibliotheek, was er een eigenaardige roekeloosheid in hem opgeborreld. Vanavond zou hij daaraan toegeven, ondanks de risico's die eraan waren verbonden.

Ze had een kwart van de dansvloer nodig om weer tot zichzelf te komen. 'Waarom wilt u eigenlijk zo graag deelnemen aan een stomme schertsvertoning als deze wals?' vroeg ze nijdig.

'Het is geen schertsvertoning, we doen niet net alsof. Wij dansen echt, voor het geval u dat nog niet had gemerkt. In de Droompaviljoens zijn heel veel dingen illusies, maar wat wij doen heeft daar totaal niets mee te maken. Ik verwacht dat we allebei buiten adem zijn als we ermee ophouden.'

'U weet heel goed wat ik bedoel, sir.'

Hij glimlachte vaag. 'Ik hou me bezig met het verkopen van dromen en illusies, madam. U bent hard toe aan een paar van mijn artikelen. Net als elke integere zakenman sta ik erop dat u mijn waren test, voor we overgaan tot de saaie bezigheid van het afwikkelen van zaken.'

Hij draaide een andere kant op voor ze daar tegenin kon gaan. Als hij wild genoeg met haar danste zou ze misschien een tijdlang geen adem hebben om over zaken te praten.

Eens zou het er natuurlijk wel van moeten komen... Maar hij was van plan dat te doen op dit terrein, waar hij de baas was, en niet op een plek die zij zou kiezen. Dat waren kleinigheden die grote gevolgen konden hebben. Als je zaken ging doen met een dame die erom bekendstond dat ze mannen vermoordde, moest je ervoor zorgen dat je op een plek was waar veel volk aanwezig was.

Terwijl hij ronddraaide met Madeline stelde de praktische kant van zijn karakter met voldoening vast dat de zalen van het Goudpaviljoen meer dan vol waren. In de zomermaanden werd er elke donderdagavond een gemaskerd bal georganiseerd en die bals behoorden tot de meest populaire attracties van het amusementspark. Ze waren voor iedereen die een kaartje kon kopen toegankelijk. Het enige wat verplicht was was een masker.

Sommige attracties kregen kritiek van het publiek. Maar de gemaskerde bals waren door de meest beroemde kopstukken uit de modewereld als amusant betiteld. Meer was niet nodig om de menigte aan te trekken. De vage geruchten over schandaaltjes en intriges die omtrent het park werden verspreid werkten in feite als lokmiddel. Elke donderdagavond vermengden aanstellerige dandy's, officieren, losbollen en boeren zich met actrices, deftige dames, prostituees, kooplieden en schurken op de dansvloer. Ze dansten daar in een schitterend ontworpen klassiek Egyptisch of oud Romeins decor.

Het gedimde licht weerspiegelde in de vergulde pilaren, obelisken en beelden. Het ene eind van de gigantische zaal werd gedomineerd door een Egyptische tempel, compleet met stenen sfinxen. Aan het andere eind stond een Romeinse fontein, omgeven door afgebrokkelde zuilen, in een wijde, lage vijver. Daar tussenin stonden hier en daar valse mummies, weelderige tronen en groepjes geverfde urnen. Er waren ook een paar donkere alkoofjes en prieeltjes om je terug te trekken. Daar stonden smalle, stenen bankjes waar net twee personen op konden zitten.

Toen Artemis het vervallen park drie jaar geleden had gekocht, had hem duidelijk voor ogen gestaan wat hij ermee wilde doen. Henry Leggett had al zijn plannen met de grootste nauwkeurigheid laten uitvoeren. Henry pleegde overleg met de uitvoerder, de architecten en de decorateurs. Ze hadden allemaal duidelijke instructies gekregen om een exotische, luxueuze en mysterieuze sfeer te scheppen.

Niemand begreep beter hoe je dromen moest suggereren dan een man die zichzelf niet toestond om te dromen.

De muziek hield veel te snel op. Onwillig bleef hij staan. De dikke zwarte stof van haar japon zwierde nog even achter haar aan en kwam toen tot rust. Haar ogen daagden hem vanachter haar masker uit.

'U heeft zich naar hartenlust kunnen amuseren met mij te plagen, kunnen we dan nu overgaan tot gewichtiger zaken, sir?'

Nou ja, hij had natuurlijk van tevoren geweten dat het niet de hele nacht bal zou zijn. 'Prima, mevrouw Deveridge, we gaan onze zaken regelen. Maar niet hier. We hebben een rustig plekje nodig voor die minderwaardige bezigheid.'

'Zo zou ik het niet willen noemen, sir.'

'In de hogere kringen is er niets zo vulgair als zaken doen, mevrouw.'

Hij pakte haar arm en leidde haar door de brede, dubbele deuren naar het verlichte park waarin de Droompaviljoens gesitueerd waren. Het zachte weer had een grote menigte verleid om van de – een tikje dubieuze – geneugten van het amusementspark te gaan genieten.

De zorgvuldig bedachte verlichting verhoogde het sprookjesachtige effect van de triomfbogen, de mythische uitbeeldingen en de klassieke ruïnes die op strategische plekjes langs de bochtige, met bomen afgezette paden, opdoken. Hoog boven hun hoofden vertoonde een acrobaat zijn kunsten op een strakgespannen koord. En op de grond werden weddenschappen afgesloten over de verrichtingen van een in oriëntaals kostuum gestoken goochelaar. Wandelaars slenterden rond en snoepten van worstenbroodjes en pasteitjes die ze in een van de ontelbare kraampjes hadden gekocht. Mannen en vrouwen flirtten in de donkere hoekjes van het park en slenterden duistere paadjes in. Muziek, gelach en een zo nu en dan opklaterend applaus verlevendigden de sfeer in het amusementspark.

Madeline keek tersluiks naar een groepje luidruchtige jongelui dat elkaar stond te verdringen voor de ingang van de grot van een kluizenaarster. 'Ik wed dat die grot er van binnen griezelig echt uitziet.'

'Daar gaat het nu juist om, mevrouw Deveridge.'

Hij verstevigde zijn greep om haar arm en trok haar mee naar het achterste deel van het park, waar het bos in een donkere en geheimzinnige nevel verborgen lag. Ze kwamen langs de ingang van het Kristalpaviljoen, waar het publiek stond te kijken naar een twee legers speelgoedsoldaatjes die in een hevig gevecht verwikkeld waren.

Ineens klonk er een enthousiast applaus op vanuit het naastliggende paviljoen. Madeline keerde zich om en keek naar de verlichte ingang. 'Wat is daar te zien?'

'Dat is het Zilverpaviljoen. Ik heb een hypnotiseur in dienst genomen om demonstraties te geven.'

'O ja, dat is ook zo. Dat was de man die Nellie en Alice die avond zo graag wilden zien.' Ze wierp hem een nieuwsgierige blik toe. 'Gelooft u in hypnose, sir?'

Hij luisterde naar de enthousiaste uitroepen die vanuit het Zilverpaviljoen het park in rolden. 'Ik geloof in de verkoop van kaartjes, madam. Daar is die hypnotiseur bijzonder goed in.'

Ze kon niet lachen om dat ironische grapje en haar gezicht werd zorgelijk. 'Toch zijn er elementen in de Vanza-leer die gebaseerd zijn op wat hypnotisme wordt genoemd.'

'Dat zal ik niet tegenspreken. De geest is een onbekend terrein. De mysteries daarvan zijn de kern van de Vanza-filosofie.'

Ze kwamen hoe langer hoe minder mensen tegen naarmate het pad donkerder werd.

'Waar gaan we heen?' vroeg Madeline onzeker.

'Naar een gedeelte van het park dat nog niet is opengesteld voor het publiek. Daar kunnen we ongestoord praten. Ik zal u de nieuwste, in aanbouw zijnde, attractie laten zien.'

'En dat is?'

'Het Spookhuis.'

Ze keerde met een ruk haar hoofd naar hem toe. 'Spoken?'

De scherpte van haar toon verraste hem. 'U wilt me toch niet wijsmaken dat u bang bent voor spoken, mevrouw Deveridge? Daar geloof ik echt geen snars van.'

Ze zei geen woord, maar hij voelde dat ze gespannen was.

Spoken?

Ze kwamen bij donkere heggen die het achterste gedeelte van het park afsloten en Artemis deed zijn masker af.

'Hier hoeft u niet meer bang te zijn dat iemand u herkent, mevrouw Deveridge. Hier mag helemaal niemand komen.'

Ze aarzelde nog even, maar deed toen ook haar masker af. Het maanlicht glansde op haar donkere haar.

'Het Spookhuis is nog niet klaar.' Artemis deed de toegangspoort open en pakte een lantaarn die iemand daar had achtergelaten. 'Volgende maand wordt de officiële opening verricht. Ik verwacht dat het paviljoen grote belangstelling zal krijgen van jonge mensen en verliefde paartjes.'

Madeline zei nog steeds niets toen hij de lantaarn aanstak en haar voorging over een grindpad dat was omheind door hoge heggen. Ze gingen een hoek om en stonden voor een stenen poort.

'Daar ligt het nieuwe doolhof,' wees Artemis toen ze onder de poort door gingen. 'Het gaat tegelijk met het Spookhuis open. Ik heb het zelf geconstrueerd en ik heb Vanza-patronen gebruikt die zo ingewikkeld zijn dat ze menige bezoeker volkomen van de wijs zullen brengen.'

'Ongetwijfeld. Mijn vader zei altijd dat Vanza-labyrinten de meest ingewikkelde waren die hij ooit had bezocht.'

De afkeuring in haar stem deed hem lachen. 'Houdt u niet van labyrinten?'

'Als kind was ik er dol op. Maar later bracht ik ze telkens in verband met Vanza.'

'En toen vond u ze natuurlijk niet leuk meer.'

Ze wierp hem een raadselachtige blik toe maar gaf geen antwoord.

Hij trok haar weer mee een hoek om. De gotische gevel van het Spookhuis doemde dreigend op in het maanlicht. De smalle ramen zagen er donker en boosaardig uit.

Madeline liet haar ogen over het onheilspellende bouwwerk dwalen. 'Het lijkt op een kasteel uit een van de griezelverhalen van mevrouw York. Er moet heel wat gebeuren eer ik daar naar binnen ga.'

'Dat beschouw ik als een compliment.'

Verschrikt hief ze haar hoofd op. Toen moest ze tegen wil en dank lachen. 'Ik neem aan dat u ook een vinger in de pap heeft gehad bij het ontwerpen van dit huis?'

'Ja. Ik denk dat deze creatie een paar van mijn meer avontuurlijke gasten de stuipen op het lijf zal jagen.'

Ze keek hem onderzoekend aan. 'De Droompaviljoens zijn wel iets meer dan een zakelijke investering voor u, nietwaar?'

Zijn ogen waren op het kasteel gericht terwijl hij zijn antwoord overwoog. 'Ik zal u een geheim vertellen dat ik nog nooit aan iemand anders heb verteld, mevrouw Deveridge. Ik heb dit park gekocht omdat ik geloofde dat het een uitstekende investering was. Ik wilde huizen en winkels op het terrein bouwen. Misschien doe ik dat later toch nog wel. Maar intussen kwam ik erachter dat ik er plezier in had om allerhande leuke attracties te verzinnen en te ontwerpen. Dromen verkopen is een lucratieve handel.'

'Ja, ja.' Ze keek weer naar het Spookhuis. 'Bent u van plan het park open te houden nadat u een geschikte echtgenote hebt gevonden?'

'Dat weet ik nog niet.' Hij zette een voet op een van de stenen die langs het pad naar het kasteel lagen. 'Dit is de tweede keer dat u mij ondervraagt over mijn plannen met betrekking tot mijn toekomstige echtgenote. U schijnt erover in te zitten dat ik niet helemaal eerlijk tegen haar zal zijn.'

'En dat zou ik u niet aanbevelen.'

'Dat begrijp ik, maar stel nu dat ze bezwaar heeft tegen mijn bron van inkomsten!'

Madeline vlocht haar gehandschoende handen achter haar rug in elkaar. Ze scheen diep onder de indruk te zijn van dit gotische bouwwerk. 'Ik raad u aan meteen vanaf het begin eerlijk tegen haar te zijn, sir.'

'Zelfs als ik haar daarmee zou kunnen verliezen?'

'Ik kan u uit ervaring vertellen dat bedrog geen goede basis voor een huwelijk is.'

'Wilt u daarmee zeggen dat uw huwelijk daarvan te lijden had?'

'Mijn echtgenoot heeft tegen me gelogen vanaf het moment dat we aan elkaar werden voorgesteld, sir.'

De mengeling van ijzige kilte en naakte angst in haar stem bezorgde hem kippenvel. 'Waarover heeft hij gelogen?'

'Over alles. Hij loog tegen mijn vader en hij loog tegen mij. Ik kwam er te laat achter dat ik helemaal niets van hetgeen hij had gezegd kon geloven. Tot op de dag van vandaag probeer ik er nog steeds achter te komen wat hij mij allemaal heeft wijsgemaakt.'

'Wat een onplezierige ervaring.'

'Erger dan u zich ooit kunt voorstellen,' fluisterde ze met onvaste stem.

Hij stak zijn hand uit en pakte voorzichtig haar kin. 'Voor we verder gaan met onze zakelijke bespreking, mevrouw Deveridge, stel ik voor dat we een overeenkomst sluiten.'

'Wat voor overeenkomst?'

'Laten we beloven dat we, zolang onze zakelijke relatie bestaat, nooit tegen elkaar zullen liegen. Er kunnen bepaalde dingen zijn waarover we niet willen praten. We mogen onze eigen geheimen voor onszelf houden. Tenslotte heeft iedereen recht op privacy. Maar we mogen elkaar geen leugens vertellen. Afgesproken?'

'Dat is gemakkelijk te beloven, sir.' Haar ogen waren doorzichtige poelen in het maanlicht. 'Maar hoe kunnen we zeker weten dat de ander zich eraan houdt?'

'Dat is een uitstekende vraag, mevrouw Deveridge. Daar weet ik zo gauw geen zinnig antwoord op. Ik denk dat er niets anders op zit dan elkaar gewoon te vertrouwen.'

Haar mond vertrok. 'Er wordt beweerd dat ik volslagen geschift ben en een moordenares op de koop toe. Weet u zeker dat u het risico durft te nemen mij op mijn woord te geloven?'

'We hebben allemaal onze kleine ondeugden en zonden, nietwaar?' Hij haalde zijn schouders op. 'Als we deze overeenkomst sluiten, zult u evenveel van mij door de vingers moeten zien. Bijvoorbeeld mijn Vanza-verleden en het ongelukkige feit dat ik zakenman ben.'

Ze staarde hem aan. Toen slaakte ze een korte, ingehouden kreet die met een beetje moeite voor een lachje gehouden kon worden. 'Heel goed, sir, ik geef u mijn woord, voor wat dat waard is. Ik zal u geen leugens vertellen.'

'En ik zal u eveneens geen leugens voorschotelen.'

'Wat een interessante overeenkomst, vindt u niet?' zei ze wrang. 'Een belofte van eerlijkheid tussen een vrouw die naar men zegt in koelen bloede haar man heeft vermoord en een man die de waarheid omtrent zichzelf voor de buitenwereld verborgen houdt.'

'Ik ben er tevreden mee.' Hij keek haar strak aan. 'En nu we onze wederzijdse beloftes hebben afgelegd wilt u mij misschien vertellen wat ik voor u moet doen, mevrouw Deveridge.'

'U hoeft niet bang te zijn hoor, ik wil niets meer van u dan wat men van een gestoorde vrouw kan verwachten.' Ze vestigde haar ogen op het kasteel. 'Ik wil dat u mij helpt om een spook op te sporen, sir.'

Zwijgend liet hij die woorden op zich inwerken. Toen haalde hij diep adem. 'Ik kan niet geloven dat een dame met uw intellect en met uw opvoeding in spoken gelooft.'

Haar gezicht werd strak. 'Ik kan het zelf nauwelijks geloven.'

'Heeft dat spook van u een naam?'

'O ja,' zei ze zacht, 'hij heeft zeker een naam. Hij heet... Renwick Deveridge.'

Misschien waren de praatjes toch echt waar. Misschien was ze inderdaad niet goed wijs, en rijp voor een gesticht. Ineens voelde hij dat het kouder werd. Vanaf de Theems kwam een dikke mistdeken aan drijven, die zich uitspreidde over het park.

'Gelooft u werkelijk dat uw overleden echtgenoot is opgestaan uit zijn graf om u het leven zuur te maken?' vroeg hij ernstig.

'Vlak voordat hij... overleed, tijdens die brand, heeft mijn echtgenoot gezworen dat hij elk lid van onze familie zou uitroeien.'

'Grote God!'

'Het is hem nog gelukt mijn vader te vermoorden.'

Artemis keek haar onderzoekend aan. 'Winton Reed is volgens zeggen aan een hartaanval overleden.'

'Het was vergif, meneer Hunt.' Ze wierp hem een snelle blik toe en keek toen gauw een andere kant op. 'Mijn tante heeft nog geprobeerd hem te redden, maar mijn vader was al oud en zijn hart was in slechte conditie. Hij is een paar uur na de brand overleden.'

'O.' Hij probeerde zijn stem neutraal te houden. 'Ik neem aan dat jullie daarvan geen bewijs hebben?'

'Eigenlijk niet, nee.'

'Hmmm.'

'U gelooft me niet, nietwaar?' Ze maakte een gebaar met haar hand. 'Nou ja, dat kan ik u niet eens kwalijk nemen. Degenen die denken dat ik mijn echtgenoot heb vermoord zullen ongetwijfeld zeggen dat mijn schuldgevoelens zo sterk zijn dat ik nu voortdurend zijn geest zie.'

'Heeft u zijn geest gezien?'

'Nee.' Ze aarzelde even. 'Maar ik ken iemand die hem wel heeft gezien.'

Was die vrouw zo gek als een deur? vroeg hij zich af. Of was ze een uitgekookte moordenares die probeerde om hem voor haar karretje te spannen? Hoe dan ook, deze hele affaire zou beslist niet saai worden.

'Wat is er volgens u aan de hand, mevrouw Deveridge?'

'Ik weet dat het krankzinnig klinkt, maar ik begin me de laatste tijd af te vragen of mijn echtgenoot werkelijk is omgekomen bij die brand.'

'Ik heb begrepen dat het lichaam van Deveridge in de as is gevonden.'

'Klopt. De dokter heeft hem geïdentificeerd. Maar stel...?'

'Stel dat de dokter het mis had? Wilde u dat zeggen?'

'Ja. Men heeft mij verteld dat het lichaam verbrand was, maar dat het niet onherkenbaar was geworden. Desalniettemin kan er best een verkeerde conclusie zijn getrokken.' Ze keerde zich met een ruk naar hem toe. Haar ogen leken enorm groot in het licht van de lantaarn. 'Hoe dan ook, ik moet de waarheid achterhalen, en snel ook. Als mijn echtgenoot nog in leven is, weet ik dat hij is teruggekeerd om zijn wraakplannen in verband met mij en mijn familie uit te voeren. Ik moet alles in het werk stellen om mijn tante en mijzelf te beschermen.'

Hij keek haar lange tijd onderzoekend aan. 'En als blijkt dat u inderdaad het slachtoffer bent van een overspannen verbeelding, mevrouw Deveridge? Wat dan?'

'Bewijs mij dat ik ten onrechte geloof dat Renwick is opgestaan uit zijn graf. Laat mij zien dat ik gek ben. Geloof me, sir, ik wil dolgraag weten of ik wel of niet op het randje van een zenuwinstorting sta.' Haar mond vertrok grimmig. 'Dan kan ik tenminste aan mijn genezing gaan werken. Mijn tante is een expert in het maken van drankjes tegen dergelijke aandoeningen.'

Hij maakte een gebaar met zijn hand. 'Misschien kunt u een van de specialisten in Bow Street consulteren, mevrouw Deveridge. Het is heel goed mogelijk dat een van die artsen u kan helpen.'

'Al zou ik zo'n Bow Street-kwakzalver ervan kunnen overtuigen dat ik niet gestoord ben, dan nog zou hij geen schijn van kans hebben tegen een man die een expert is in Vanza-vaardigheden.'

'Was Deveridge een expert?'

'Ja. Hij was geen meester, hoewel hij er hevig naar verlangde die titel te behalen, maar hij was bijzonder bekwaam. Weet u, ik heb alle dossiers van mijn vader betreffende de leden van het Genootschap zorgvuldig doorgenomen en ik ben tot de conclusie gekomen dat er buiten u maar één persoon is die ik om hulp had kunnen vragen. Maar die man is helaas niet beschikbaar.'

Om de een of andere onverklaarbare reden irriteerde het hem dat zij had overwogen zich tot iemand anders te wenden. 'Wie is die andere man die u bekwaam genoeg achtte om u te helpen?'

'De heer Edison Stokes.'

'Die is op dit moment niet in Engeland,' mompelde Artemis. 'Hij is een tijdje geleden getrouwd. En nu maakt hij met zijn bruid een tocht langs de Romeinse ruïnes, als ik het wel heb.'

'Inderdaad. Daarom heb ik weinig keus.'

'Het geeft altijd veel voldoening te weten dat je boven aan de lijst staat, zelfs al ben je daar per ongeluk terechtgekomen.'

Ze keek hem aan. 'En, sir? Wilt u mij helpen in ruil voor dat boek van mijn vader?'

Hij keek haar strak aan en vond geen spoor van krankzinnigheid in haar ogen. Wat hij wel zag was vastberadenheid en een zweem van naakte wanhoop. Als hij haar niet hielp zou ze op haar eigen houtje verder gaan of zich misschien wenden tot een van die warhoofden van het Vanzaanse Genootschap. En wat ze ook zou kiezen, het zou haar in groot gevaar kunnen brengen als haar angst gegrond bleek te zijn.

Als zou blijken dat die gegrond was.

Er waren meer dan genoeg redenen om niet met die vrouw in zee te gaan, wist hij. Maar op dit moment kon hij er zo gauw niet één bedenken.

'Ik zal hier en daar eens informeren,' hoorde hij zichzelf voorzichtig zeggen. Hij zag dat haar mond openging en stak bezwerend zijn hand op. 'Als ik iets hoor wat uw angst rechtvaardigt, zullen we de zaak verder bespreken. Maar voor die tijd doe ik geen beloftes.'

Ze beloonde hem met een onverwachte glimlach, die zo stralend was dat het licht van de lantaarn erbij verbleekte. 'Dank u, sir. Ik beloof u dat u het dossier van mijn vader krijgt, zodra deze zaak achter de rug is.'

'Ja,' zei hij hardop. *Dat krijg ik toch wel, hoe dan ook,* dacht hij bij zichzelf.

'Ziezo,' zei ze gedecideerd, 'en nu wilt u mij zeker een paar vragen stellen?'

'Ik heb inderdaad een heleboel vragen.'

'Ik moet bekennen dat hetgeen ik u ga vertellen een beetje bizar klinkt... op zijn minst.'

'Daar twijfel ik niet aan.'

'Maar ik verzeker u dat ik goede redenen heb om bezorgd te zijn.'

'We hadden het zoëven over de waarheid, mevrouw...'

Ze keek hem onderzoekend aan. 'Ja?'

'We hebben elkaar beloofd dat we altijd de waarheid tegen elkaar zullen zeggen, en daarom moet ik je nu meteen bekennen dat ik je zeer aantrekkelijk vind, Madeline.'

Er viel een diepe stilte.

'O, hemeltje,' zei ze ongeduldig. 'Dat treft hoogst ongelukkig.'

'Dat zal wel, maar ik moest het je toch vertellen.'

'Ik had gehoopt dat we die complicaties zouden kunnen vermijden.'

'Hier nog een, madam.'

'Hoe dan ook,' zei ze streng, 'ik weet dat u in het voordeel bent boven alle andere heren die het hoofd moeten bieden aan eenzelfde beproeving.'

'Beproeving.' Hij dacht even over het woord na. 'Ja, dat woord beschrijft het probleem uitstekend.'

Ze fronste haar wenkbrauwen. 'U bent echt niet de eerste man die op die manier over mij denkt.'

'Het is een hele troost voor mij om te weten dat ik niet de enige ben die lijdt.'

Ze slaakte een diepe zucht. 'Ik weet ook niet hoe het komt, maar ik heb het afgelopen jaar heel wat briefjes en boeketten van onbekende heren ontvangen. En ze wilden allemaal een romantisch afspraakje met me maken, of u het gelooft of niet.'

'Ja, ja.'

'Het is vreselijk raar, maar tante Bernice heeft me uitgelegd dat een bepaald soort heren zich aangetrokken voelt door weduwen. Die mannen denken blijkbaar dat een dame in mijn positie al wat ervaring heeft in diverse dingen en dat zo'n man zich dan niet druk hoeft te maken over zijn eigen... eh... gebrek aan ervaring, zullen we het maar noemen.'

Artemis knikte begrijpend. 'Met andere woorden, hij hoeft zich niet als een heer te gedragen uit angst haar onschuld te bezoedelen.'

'Precies. Tante Bernice zegt dat er blijkbaar een bijzonder aura om een weduwe heen hangt.'

'Hmmm.'

'Ja. Ik kan me best indenken dat een man die een liaison met een dame wil beginnen, zich bezorgd maakt over zijn vaardigheden.'

'Hmmm.'

Ze schudde even haar hoofd. 'Maar je zou toch denken dat de geruchten omtrent de manier waarop ik weduwe ben geworden alle mannen zou afschrikken.'

'Inderdaad.'

'Ervaring is goed en wel, maar ik zie niet in wat er aantrekkelijk is aan een dame die, naar men aanneemt, haar echtgenoot met voorbedachten rade om het leven heeft gebracht.'

'Over smaak valt niet te twisten.' Hij besloot niets over de weddenschappen in de clubs te zeggen. Duizend pond als beloning voor degene die erin slaagde een nacht met haar te overleven was meer dan genoeg uitleg voor de briefjes en uitnodigingen die ze had ontvangen. En daar zou ze niet blij van worden, vermoedde hij.

Ze wierp hem een waarschuwende blik toe. 'Ik raad u aan uw Vanza-training te hulp te roepen om u te helpen u schrap te zetten tegen elke vorm van belangstelling en hoop op een romantische relatie met mijn persoontje.'

Hij legde zijn handen om haar gezicht. 'Het spijt me je te moeten vertellen dat zelfs mijn meestertitel niet bestand blijkt te zijn tegen mijn verlangen om een romantische relatie met jou aan te knopen, Madeline.'

Haar ogen werden groot. 'Echt niet?'

'Echt niet.'

Ze slikte moeizaam. 'Wat gek!'

'Ja, hè? Maar jij hebt mij voortdurend voorgehouden dat alle Vanza-mannen volslagen gek zijn, dus...'

Hij boog zijn hoofd en bedekte haar mond met de zijne voor ze nog een woord kon zeggen.

Hij merkte dat ze schrok en in de war raakte, maar ze probeerde niet hem af te weren. Hij trok haar in zijn armen en drukte haar tegen zijn borst. Ze was nu veel dichterbij dan toen ze op de dansvloer stonden. Hij voelde de warmte van haar lichaam. Hij voelde zijn erectie tegen de zachte ronding van haar heup. Haar bedwelmende geur vulde al zijn zinnen.

Ze slaakte een kreet. En toen werd haar mond zacht onder de zijne. De plooien van haar japon streken langs zijn laarzen. Hij legde zijn handen onder het lijfje van haar japon. De onderkant van haar borsten rustte verleidelijk tegen de bovenkant van zijn handen. Hij voelde dat zijn bloed sneller ging stromen.

Misschien hangt er inderdaad een bijzonder aura om een weduwe heen, dacht hij.

Hij kuste haar verlangend. Haar reactie was enthousiast, maar een beetje onhandig. Hij hield zichzelf voor dat ze al een jaar weduwe was en dat haar huwelijk niet bevredigend was geweest.

De sterke begeerte die in hem ontvlamde verraste hem. Zijn training had hem geleerd te allen tijde zijn zelfbeheersing te bewaren, ook in zijn relatie met vrouwen. Daar kwam nog bij dat hij bepaald niet meer een puber was die zijn eerste roes van de seksualiteit beleefde.

Maar op dit moment bevond hij zich toch in een zeer seksuele roes!

Zijn lippen gleden naar het zachte, gevoelige plekje in haar hals en zijn handen sloten steviger om haar slanke middel. Haar vingers woelden door zijn haar. Ze huiverde in zijn armen.

Er was zeer beslist iets bijzonders aan een weduwe, of dat nu een aura was of iets anders, dacht hij. In elk geval was déze weduwe heel bijzonder.

'Artemis.' Het was alsof er een dam was doorgebroken ergens in haar binnenste.

Haar reactie joeg zijn bloed heet door zijn aderen. Het was jaren geleden dat hij zo hartstochtelijk naar een vrouw had verlangd. Het feit dat zijn zelfbeheersing, die hij met zo veel moeite en pijn in bedwang had leren houden, het begaf, zou hem moeten doen huiveren. Maar in plaats daarvan wilde hij niets liever dan zich overgeven aan zijn lusten.

'Neem me niet kwalijk,' zei hij tegen haar mond. 'Maar jij bent nog gevaarlijker dan de geruchten ons willen doen geloven.'

'Nee.'

'Ja.'

'Misschien is het iets meer dan die bepaalde neiging waarover ik het zoëven had,' zei ze ademloos.

'Misschien. Maar ik wil best bekennen dat het mij geen snars kan schelen.'

Hij probeerde na te denken toen hij haar weer begon te kussen. Dat viel niet mee. Maar één ding was hem pijnlijk duidelijk: hij kon haar niet zomaar, hier, op het natte gras, neerleggen.

Hij tilde haar op en liep naar de trappen van het Spookhuis. De dikke stof van haar japon golfde over zijn armen.

'O, lieve God!' Madeline trok haar mond weg en verstijfde in zijn armen. Zelfs in de schemering kon hij zien dat haar ogen wijd stonden van schrik. 'Het *raam*!'

'Wat?' Door de angst in haar stem werd hij ruw teruggesmeten in de werkelijkheid. Hij zette haar snel neer en keek spiedend naar de rij smalle, gesloten vensters. 'Wat is er?'

'Er is iemand binnen.' Ze staarde naar de donkere ramen op de tweede verdieping. 'Ik zag hem bewegen, dat zweer ik.'

Artemis kreunde. 'Ik geloof je.'

'Wat?' Ze keerde zich met een ruk om en keek hem aan. 'Maar wie...?'

'Mijn jonge vriend Zachary of een van zijn Ogen en Oren, denk ik. Ik waarschuw hen voortdurend dat ze niet in het in aanbouw zijnde Spookhuis mogen rondhangen tot het helemaal klaar is. Maar die bloeddorstige, kleine duivels zijn er zo opgewonden over. Ze hebben Henry zelfs allerlei ideeën aan de hand gedaan om zeer levensechte spookachtige effecten te creëren.'

Hij liep de trap op.

'Artemis, wacht...'

'Blijf hier maar even wachten.' Hij pakte de lantaarn en deed de voordeur open. 'Ik ben zo terug. Ik moet alleen die knulletjes even wegjagen.'

'Ik heb er geen goed gevoel over, Artemis.' Ze sloeg haar armen om zichzelf heen en staarde onzeker naar de deur. 'Kom alsjeblieft terug. Stuur een van je mensen maar naar die jongens toe.'

Ze was overdreven angstig, vond hij. Maar aan de andere kant had hij hier te doen met een dame die doodsbang was voor de geest van haar overleden echtgenoot. Hij dacht aan de verzwaarde luiken en de alarmbelletjes die ze in haar huis had laten installeren. Welk kwaadaardig lot had hem in de handen van deze vrouw gevoerd? Maar hij kon haar niet meer aan haar lot overlaten, en dat kwam niet omdat hij het dossier van haar vader zo graag wilde hebben.

'Rustig nu maar,' zei hij op sussende toon. 'Ik ben binnen een paar seconden terug.'

Hij ging het Spookhuis binnen. Het licht van zijn lamp gleed over de imitatiestenen muren, die diepe, donkere schaduwen naast de omhoogdraaide trap in het midden van de hal wierpen.

'Verdomme, waarom ben jij toch zo'n ongelooflijke stijfkop?' Madeline tilde haar rokken op en rende hem achterna. 'Ik heb echt iemand voor dat raam gezien.'

'Ik heb toch gezegd dat ik je op je woord geloof.'

'Probeer me niet wijs te maken dat je net doet of je meewerkt, sir. Je bent nu bij mij in dienst. Als je erop staat de indringer in zijn kraag te grijpen, dan ben ik verplicht met je mee te gaan.'

Daar dacht hij even over na en het gevolg daarvan was dat hij ervan afzag haar te dwingen naar buiten te gaan. Blijkbaar was ze zeer ontdaan over wat ze bij dat venster had gezien. En ze zou misschien nog banger worden als hij haar alleen buiten liet wachten. Het was trouwens zeer onwaarschijnlijk dat de indringer, als er echt een indringer bestond, een ernstige bedreiging vormde.

'Zoals je wilt.' Hij liep de smalle trap naar de volgende verdieping op. Het licht van de lantaarn wierp grillige schaduwen op de wanden.

'Ik hoop dat ik je niet beledig,' mompelde Madeline achter hem, 'maar ik wil je wel zeggen dat ik niet van plan ben ooit mijn goede geld te verspillen aan deze walgelijke attractie.'

'Het is echt griezelig, hè?' Hij keek naar de gebleekte botten die in een stenen nis hingen. 'Wat vind je van dit skelet?'

'Gewoonweg afschuwelijk.'

'Dit was de bijdrage van Kleine John. Als alles af is hangen er verscheidene spoken aan het plafond en een leuke variatie van onthoofde lichamen. Een van de andere jongens stelde voor een paar figuren, gekleed in monnikspij, boven aan de trap te zetten.'

'Artemis, schei alsjeblieft uit! Dit is niet het juiste moment om een gedetailleerde rondleiding te geven. Daarboven zit een indringer. Misschien wacht híj op het juiste moment om ons de trap af te schoppen.'

'Dat is hoogst onwaarschijnlijk. Zachary en zijn vrienden weten heel goed dat ik hun een dergelijke actie niet in dank zal afnemen.' En dat was wel heel mild uitgedrukt. Als hij de rekel, die zijn romantisch samenzijn met Madeline zo wreed had verstoord, te pakken kreeg dan zou hij hem in niet mis te verstane woorden aan zijn verstand brengen hoe kwaad hij was. 'Mijn Ogen en Oren zijn een prima ploegje, maar het komt weleens voor...'

Hij brak abrupt af toen hij een geluid boven aan de trap hoorde. Het lamplicht streek over de zoom van een mantel, maar degene die erin zat maakte dat hij wegkwam. De indringer verdween vrijwel geruisloos in een lange gang.

'Artemis,' hijgde Madeline.

Hij negeerde haar, rende de laatste treden op en vloog achter de vluchtende gestalte aan. Hij hoorde dat Madeline hem volgde. Voor het eerst vroeg hij zich af of het wel verstandig was geweest haar mee te laten gaan. Hij had maar een vage glimp van de indringer opgevangen, maar dat was wel genoeg geweest om te weten dat hij met een man en niet met een jongen te maken had.

Aan het eind van de gang sloeg een deur dicht. Artemis rende erheen en bleef voor de deur staan. Hij zette de lantaarn op de grond en draaide aan de deurkruk. Hij gaf mee maar de deur ging niet open.

'De rotzak heeft er iets zwaars tegenaan geschoven,' zei hij tegen Madeline.

Hij zette zijn schouder tegen de deur en duwde zo hard hij kon.

'Wacht, ik help je.' Madeline ging naast hem staan en zette beide handen tegen het hout.

Artemis voelde dat de deur meegaf en dat er aan de andere kant iets over de vloer schoof. Hij hoorde geluiden in de kamer.

'Wat voert die vent allemaal uit?' mompelde hij.

Hij gaf een laatste, harde duw tegen de deur. Die ging ver genoeg open om hem erdoor te laten, en hij glipte de stikdonkere kamer in.

'Hier blijven,' siste hij over zijn schouder tegen Madeline. Deze keer klonk het zo bars dat ze het als een bevel moest opvatten.

'Wees in vredesnaam voorzichtig,' zei ze met een stem die een even autoritair ondertoontje had als die van hem.

Artemis liep gebukt en vlak langs de muur de kamer in, zoals hij vroeger had geleerd. Instinctief zocht hij de donkerste plekjes op.

Maar hij wist dat hij te laat was.

Door het raam, dat uitkwam op een piepklein nepbalkonnetje, stroomde koude nachtlucht naar binnen. Een netwerk van kunstmatige spinnenwebben danste in de tocht. De transparante sluiergordijnen bolden op in het maanlicht en daagden hem zwijgend uit.

De stommeling, dacht Artemis. Dacht hij nu echt dat hij op die manier kon ontsnappen? De indringer zat stevig in de val, tenzij hij het erop had gewaagd en omlaag was gesprongen.

Maar wezens die in de val zitten zijn vaak levensgevaarlijk.

Voorzichtig liep hij langs een pasgeverfd decorstuk van twee spoken die over een doodskist gebogen stonden. Met beide handen streek hij de spinnenwebben van zijn gezicht terwijl hij naar het venster toe sloop. Vanaf de zijkant kon hij het hele balkonnetje overzien. Het was leeg.

'Er is niemand daarbuiten,' fluisterde Madeline die midden in de kamer stond. 'Hij is verdwenen.'

'Hij mag van geluk spreken als hij zijn nek niet heeft gebroken bij die sprong.'

'Ik heb geen bons gehoord.'

Ze had gelijk.

Artemis stapte het balkonnetje op en keek omlaag. Hij zag geen levenloze figuur op het gras liggen. En hij zag ook niemand strompelend naar de zelden gebruikte, zuidelijke uitgang lopen.

'Verdwenen,' fluisterde ze.

'Het is onmogelijk dat hij zo'n sprong heeft gemaakt zonder tenminste een enkel te verzwikken.' Hij deed een stap achteruit en keek omhoog. 'Ik vraag me af of hij soms een andere route heeft genomen.'

'Via het dak?'

'Zou kunnen, hoewel hij toch op zeker moment naar beneden had gemoe...' Hij brak af toen zijn laars tegen iets zachts stootte. Hij keek omlaag en kreeg spontaan kippenvel. 'Wel verdomme!'

Madeline keek ademloos toe toen hij zich bukte om het ding waarop hij bijna had getrapt op te rapen. 'Wat is het?'

'Hierdoor komt het dat onze indringer zijn nek niet heeft gebroken toen hij zoëven via dit balkon is ontsnapt.' Artemis trok een stuk touw omhoog met ingewikkelde knopen erin. 'Hierdoor is hij ongetwijfeld binnengekomen en ook weer weggegaan.'

Madeline slaakte een zucht. 'Nou ja, je weet nu in elk geval dat ik geen spook heb gezien.'

'Integendeel. Ik denk niet dat we daar volkomen zeker van kunnen zijn.'

Madeline verstijfde. 'Wat bedoel je?'

Artemis trok het dikke touw verder omhoog. 'De knopen die hij heeft gebruikt om deze touwladder te maken zijn Vanzaanse knopen.'

8

'Vertel me alles, vanaf het begin,' zei Artemis.

Madeline keek door het venster naar de kleine, kale tuin. Ze klemde haar handen achter haar rug ineen en probeerde haar gedachten te ordenen. Ze was zich intens bewust van Artemis, die tegen de rand van haar bureau leunde in afwachting van haar verhaal.

De vorige avond, na het incident in het Spookhuis, had hij haar regelrecht naar huis gebracht. Hij had de sloten van de deuren en luiken gecontroleerd en beloofd dat hij iemand zou sturen die haar huis gedurende de nacht in het oog zou houden.

'Probeer een beetje uit te rusten,' had hij gezegd. 'Ik moet eens heel goed nadenken. Morgenochtend kom ik terug en dan zullen we een plan opstellen.'

Ze had de hele nacht liggen overwegen hoeveel ze hem zou vertellen. En nu het zover was moest ze haar woorden heel voorzichtig kiezen. 'Ik heb je al verteld dat mijn echtgenoot mijn vader met vergif om het leven heeft gebracht. Papa was nog niet dood toen ik hem vond. Bernice heeft nog geprobeerd hem te redden, maar zelfs haar sterkste middelen waren daartoe niet in staat. Ze zei dat Renwick een of ander fataal Vanzaans brouwsel had gebruikt.'

'Ga verder.'

Zijn stem klonk toonloos. Je kon er niets uit opmaken. Ze wist dan ook absoluut niet of hij haar geloofde.

'Tegen die tijd wisten we allemaal dat Renwick volslagen krankzinnig was. Hij heeft dat een paar maanden heel knap weten te verbergen. In elk geval lang genoeg om mijn vader en mij en een heleboel anderen om de tuin te leiden. Maar uiteindelijk kwam het toch uit.'

'Hoe kwam het uit? Waardoor wist je dat je echtgenoot een gevaarlijke gek was?'

Ze aarzelde. 'Na onze bruiloft werd het snel duidelijk dat er iets heel vreemds aan de hand was met Renwick. Hij zat urenlang in een speciale kamer boven in het huis. Hij noemde dat vertrek zijn laboratorium. De deur was altijd op slot. Niemand mocht daar binnenkomen. Maar op een middag, toen hij aan het mediteren was, heb ik de sleutel te pakken gekregen.'

'En heb je toen de verboden kamer doorzocht?'

'Ja.' Ze keek neer op haar handen. 'Ik neem aan dat jij vindt dat een gehoorzame echtgenote zoiets niet behoort te doen.'

Artemis negeerde die opmerking. 'Wat heb je ontdekt?'

Ze keerde zich langzaam om tot hun ogen elkaar ontmoetten. 'Het bewijs dat Renwick een ongezonde interesse in de schaduwzijde van Vanza had.'

'Wat voor soort bewijs was dat?'

'Dossiers. Boeken. Notities. Alchemistische rotzooi waarvan mijn vader een diepe afkeer had. Hij zei altijd dat dat soort dingen niet bij de echte, reine Vanza-leer hoorde. Maar ik weet uit mijn eigen onderzoeken dat er altijd een donkere onderstroom van magie en alchemie in die filosofie aanwezig is geweest.'

'Walgelijke, occulte nonsens. De monniken van de Tuin Tempels geven daar geen les in. Dat is verboden kennis.'

Ze trok haar wenkbrauwen op. 'Je weet toch wat ze over verboden kennis zeggen, sir? Sommige verwrongen geesten worden daar juist door aangetrokken.'

'Ik neem aan dat jouw echtgenoot een van de mensen was die erdoor aangetrokken werden?'

'Ja. Dat was de echte reden waarom hij contact wilde maken met mijn vader en zich wilde indringen in ons gezin. Hij ging zelfs zo ver dat hij met mij trouwde, in de hoop dat mijn vader hem na verloop van tijd zou vertellen wat hij wilde weten. Hij geloofde namelijk dat mijn vader al zijn geheimen met hem zou delen als hij een lid van de familie was geworden.'

'Wat voor geheimen wilde Deveridge te weten zien te komen?'

'Twee dingen. Op de eerste plaats wilde hij de oude, klassieke Vanza-taal, waarin de boeken over alchemie en magie zijn geschreven, machtig worden.'

'En wat nog meer?'

Haar gezicht werd strak. 'Renwick wilde de meestertitel verwerven. Het was gewoon een obsessie van hem dat statussymbool te verwerven.'

'En jouw vader weigerde hem binnen te voeren in de hoogste regionen van de kennis?'

Ze haalde diep adem. 'Ja. Papa besefte, maar helaas te laat, dat Renwick door en door slecht was. Mijn echtgenoot geloofde heilig dat hij zichzelf in een tovenaar kon veranderen zodra hij de geheime, occulte teksten uit de Vanza-leer had ontcijferd.'

'Als hij dat echt geloofde was die man inderdaad stapelgek.'

'Meer dan dat, sir. Hij was moordzuchtig. Kort voor hij stierf waarschuwde mijn vader Bernice en mij. Hij vertelde ons dat Renwick had gezworen ons allemaal te doden. Mijn echtgenoot was van plan onze hele familie uit te roeien omdat papa weigerde hem te leren wat hij weten moest om de occulte teksten te kunnen vertalen.'

'Maar Deveridge is gelukkig door een inbreker gedood voor hij die wraakplannen ten uitvoer kon brengen,' zei Artemis rustig.

'Ja.' Madeline keek recht in zijn onderzoekende ogen. 'Bernice is ervan overtuigd dat het Lot ons te hulp is geschoten.'

'Hmmm.' Artemis knikte bedachtzaam. 'Het lot is altijd handig voorradig als verklaring voor dat soort dingen, nietwaar?'

Ze schraapte haar keel. 'Zeker! Ik weet niet wat er gebeurd zou zijn als Renwick was blijven leven. Papa was dood, dus er was verder niemand die Bernice en mij tegen hem kon beschermen.'

'Als het waar is wat je me hebt verteld kan ik me jouw dilemma levendig voorstellen.'

Ze sloot even haar ogen en vermande zich. 'Je gelooft me niet.'

'Laten we zeggen dat ik me op dit punt geen mening veroorloof.'

'Ik weet dat het allemaal heel bizar klinkt, maar het is de waarheid.' Ze wrong haar handen. 'Ik zweer het, Artemis, ik ben niet gek. Wat ik je heb verteld is niet het product van een overspannen brein. Je móet me geloven!'

Hij keek haar nog even doordringend aan. Toen stond hij abrupt op en liep naar een tafeltje waarop drankflessen stonden. Hij pakte een zware, kristallen karaf, deed de stop eraf en schonk wat cognac in een glas.

Hij pakte het glas op, duwde het in haar handen en sloot haar vingers eromheen. 'Drink.'

Het glas voelde koud aan. Ze keek naar de inhoud en merkte dat ze niet meer helder kon denken. Ze zei het enige wat haar op dat moment te binnen schoot: 'Maar het is pas elf uur in de morgen, sir. Op dit uur van de dag drinkt men toch geen cognac.'

'Je zult verbaasd staan over wat sommige mensen om elf uur in de morgen allemaal doen. Drink op.'

'Grote hemel, jij bent al net zo vervelend als tante Bernice met haar drankjes.' Ze bracht het glas naar haar mond en nam een slok. Het spul brandde de hele weg omlaag langs haar slokdarm, maar de warmte voelde verrassend plezierig aan. Zo plezierig, in feite, dat ze besloot nog een slok te nemen.

'Zo,' zei Artemis, 'en nu gaan we de kern van het probleem aanpakken. Jouw echtgenoot is al een jaar dood. Wat is er, afgezien van het incident in het Spookhuis gisteravond, nog meer gebeurd dat jou op het idee heeft gebracht dat Renwick Deveridge is teruggekeerd om wraak te nemen op jou en je tante?'

'Begrijp me niet verkeerd, sir.' Ze zette het glas met een klap neer. 'Ik weet dat er over mij wordt gekletst. Er wordt gezegd dat ik wilde fantasieën en vreemdsoortige visioenen heb. Maar ik heb alle reden om te vrezen dat er iets heel vreemds aan de hand is.'

Hij glimlachte fijntjes. 'Ik merk dat de cognac je levensgeesten aanmerkelijk heeft opgepept, madam. Vertel eens over de geest van Renwick Deveridge.'

Ze vouwde haar armen over haar borst en begon te ijsberen. 'Ik geloof niet echt dat Renwick Deveridge het onmogelijke heeft gedaan en is opgestaan uit zijn graf om ons lastig te vallen. Als hij werkelijk hier ergens rondloopt, dan is dat omdat hij de brand overleefd heeft. Ik heb je gevraagd me te helpen een spook te vangen, maar ik geloof niet in geesten.'

'Ik geloof je op je woord.' Hij leunde met een schouder tegen de boekenkast. Zijn ogen bleven op haar gezicht gericht. 'Ik zal mijn vraag anders stellen. Wat is er de afgelopen tijd gebeurd waardoor jouw angst voor Deveridge weer is opgelaaid?'

Het wordt een beetje ingewikkeld om dat uit te leggen, dacht ze. 'Een week geleden heb ik een briefje ontvangen van een heer die een collega van mijn vader was. Hij is ook een expert op het gebied van dode en klassieke talen, en hij kent de oude Vanzaanse taal.'

'Wat stond er in het briefje?'

Ze zette zich schrap. 'Hij vertelde me dat hij de geest van Renwick Deveridge in zijn bibliotheek had gezien. Hij voelde zich verplicht mij dat te vertellen.'

'Genadige hemel!'

Ze zuchtte diep. 'Ik weet dat het ongelooflijk klinkt, sir. Maar je moet althans een gedeelte ervan serieus opvatten, anders heb ik helemaal niets aan je.'

'Wie is de geleerde die beweert dat hij een geest heeft gezien?'

Dat is ook weer iets afschuwelijks, dacht ze. 'Lord Linslade.'

'*Linslade*?' Artemis keek haar ongelovig aan. 'Iedereen weet dat die man volslagen gek is. Hij is al jaren omringd door geesten. Hij praat regelmatig met de schaduw van zijn overleden vrouw, is mij verteld.'

'Weet ik.' Ze hield op met ijsberen en liet zich in de dichtstbijzijnde stoel vallen. 'Geloof me, zijn briefje gaf me een schok, maar ik heb er verder totaal geen aandacht meer aan geschonken tot...'

'Tot wat?'

'Tot vier dagen geleden. Toen ontving ik een boodschap van de heer Pitney.'

Artemis keek haar scherp aan. 'Eaton Pitney?'

'Ken je hem?'

'Ik heb hem jaren geleden een paar keer ontmoet. Hij is ook een erkend taalkundige.'

'Inderdaad.'

'Ik meen te weten dat Pitney de laatste tijd even excentriek is geworden als Linslade.'

'Ja.' Ze leunde achterover en keek hem aan. 'Hij is absoluut een heel vreemde figuur, zelfs voor iemand die lid is van het Vanzaanse Genootschap. Hij denkt al jaren dat hij in de gaten wordt gehouden door fantomen, die hij Onbekenden noemt. Ik heb gehoord dat hij vorig jaar al zijn personeel heeft ontslagen omdat hij bang was dat die Onbekenden zich, vermomd als bedienden, in zijn huis ophielden.'

'Beweert Pitney ook dat hij de geest van Deveridge heeft gezien?' vroeg Artemis spottend.

'Nee, meneer Hunt.' Ze trommelde met haar vingers op de armleuning van de stoel en het kostte haar zichtbaar moeite haar ongeduld te verbergen. 'Hij spreekt in zijn briefje helemaal niet over geesten.'

Zijn gezichtsuitdrukking werd wat zachter, maar zijn blik bleef koel en alert. 'Wat schrijft hij precies?'

'Ik zal het u laten lezen.'

Ze stond op, trok de sleutel die ze om haar nek droeg te voorschijn en liep naar de kast waarin ze het dossier met de namen van de leden van het Genootschap had opgeborgen. Ze deed de deur open en haalde er een briefje uit.

Ze wierp een blik op het pietepeuterige schrift en overhandigde het vervolgens aan Artemis.

Hij pakte het aan en begon hardop te lezen.

'Beste mevrouw D.
Als ex-collega van uw hooggeëerde vader voel ik het als mijn plicht u ervan in kennis te stellen dat een van de Onbekenden, na mij jarenlang vanuit het duister gadegeslagen te hebben, zo brutaal was om te proberen mijn bibliotheek te betreden. Gelukkig werd hij tegengehouden door mijn stevige sloten en luiken.

Hieruit maak ik op dat die Onbekende zich toegang heeft willen verschaffen tot mijn boeken en notities en ik vraag me af of hij dat ook zal proberen bij andere experts in oude talen. Uw vader heeft mij op een keer verteld dat hij u heeft onderwezen in de oude taal van Vanzagara. Ik weet ook dat u de boeken en artikelen van Winton Reed in uw bezit heeft. Daarom wil ik u waarschuwen dat er misschien iemand op zoek is naar dergelijke paperassen.

U weet ongetwijfeld dat er geruchten waren over een oude Vanzaanse tekst die het Boek der Geheimen wordt genoemd. Dat is natuurlijk klinkklare onzin, maar de geruchten zouden de Onbekenden weleens uit hun schaduwen kunnen lokken om op zoek te gaan naar...'

Artemis vouwde het briefje weer dicht. Zijn gezicht stond bedachtzaam. Dat vond Madeline een goed teken.

'Ik weet best dat we daar niet veel aan hebben,' zei ze voorzichtig. 'Een briefje over een spook, afkomstig van een man die erom bekendstaat dat hij vaak spoken ziet. En een briefje waarin staat dat een fantoom *waarschijnlijk* zijn bibliotheek heeft willen binnendringen, maar daar niet in geslaagd is. De man die dat schrijft wordt al jarenlang geplaagd door vreemde verschijningen. En toch lukt het me niet die briefjes van Linslade en Pitney uit mijn hoofd te zetten.'

'Je hoeft mij verder niets meer uit te leggen, Madeline,' zei Artemis rustig. 'Ik begrijp nu waarom je zo ongerust bent.'

Een golf van opluchting schoot door haar heen. 'Zie jij dan enig verband tussen die twee briefjes?'

'Natuurlijk. Elk afzonderlijk zouden die briefjes brabbelende nonsens van een paar warhoofden kunnen zijn. Maar als je ze naast elkaar legt vormt zich een lijn.'

'Precies.'

Hij begrijpt het, dacht ze. Maar ja, hij is immers een Vanzaan. Een van de grondbeginselen van de Vanzaanse filosofie was de bereidheid om door de lagen van de realiteit heen de mogelijkheden onder de oppervlakte te ontdekken.

'Het meest opmerkelijke vind ik,' ging Artemis verder, 'dat Linslade het niet over een of ander doodgewoon spook heeft, maar over de geest van jouw dode echtgenoot.'

'Begrijp je nu waarom ik het nodig vond om bepaalde voorzorgsmaatregelen te nemen en dat ik de zaak tot op de bodem wil uitzoeken?'

'Jazeker.' Hij keek naar haar. 'Ik neem aan dat je met Linslade wilt beginnen?'

'Ja. Ik wil hem graag vanmiddag al een bezoek brengen, als het jou uitkomt.'

Artemis schokschouderde. 'Ik moet toegeven dat ik een beetje nieuwsgierig ben geworden. En ik heb nog nooit een gesprek gevoerd met een man die zegt dat hij regelmatig met geesten praat.'

'Wat aardig dat u mij een bezoek brengt, mevrouw Deveridge.' Lord Linslade glimlachte breed terwijl hij Madeline naar een stoel leidde. Ze dacht te zien dat zijn kleine, scherpe ogen twinkelden van plezier toen hij zich omkeerde naar Artemis.

'En jij, sir. Fijn je weer eens te zien, Hunt.' Hij knikte Artemis verheugd toe. 'Het is een hele tijd geleden sinds wij elkaar hebben gesproken, nietwaar?'

'Een paar jaar, geloof ik,' zei Artemis terwijl hij ging zitten.

'Tjonge.' Linslade knikte en ging achter zijn bureau zitten. 'Dat is veel te lang, sir. Ik heb gehoord dat je in de Tuin Tempels hebt gestudeerd en dat je de meestertitel hebt behaald.'

Madeline keek naar een levensgroot portret van Lady Linslade dat achter het bureau van de baron hing. Op het schilderij was een pronte vrouw met een indrukwekkende boezem afgebeeld, die tijdens haar leven ook boven haar tengere, rustige echtgenoot had uitgetorend. Ze was gekleed in een avondjapon met een laaguitgesneden, vierkante hals, gemaakt van fijne stof met Griekse en Etruskische voorstellingen. Ze was twaalf jaar geleden overleden en in die tijd was de japon die zij droeg een trend in de toen heersende mode.

Madeline herinnerde zich dat Lord en Lady Linslade altijd gekleed gingen naar de laatste mode. Lady Linslade zat nu voor eeuwig vast aan haar twaalf jaar oude japon, maar haar echtgenoot had zijn moderne stijl behouden. Vandaag droeg hij een elegant gesneden kostuum waarbij een zachtroze satijnen vest hoorde en een halsdoek die volgens de laatste mode, op een zeer ingewikkelde manier, was geknoopt.

Linslade vouwde zijn slanke, keurig gemanicuurde handen en legde ze voor zich op zijn bureau. Toen knikte hij vriendelijk tegen Madeline. 'Ik moet zeggen dat ik een paar zeer stimulerende gesprekken met je vader heb gehad.'

Madeline verstijfde. 'Heeft u met papa gesproken?'

'Inderdaad.' Linslade grinnikte. 'Weet je, ik zie Reed nu vaker dan toen hij nog in leven was.'

Madeline zag een spottend lachje in Artemis' ogen verschijnen en probeerde het te negeren.

'Waarover praat u met mijn vader?' vroeg ze ernstig.

'We hebben het natuurlijk hoofdzakelijk over ons onderzoek naar de dode Vanzaanse taal,' zei Linslade. 'Winston Reed bracht daar altijd de meest interessante denkbeelden over naar voren. Ik ben van mening dat er in heel Europa geen grotere wetenschappers op het gebied van die taal zijn dan hij en Ignatius Lorring.'

'O.' Madeline wierp weer een snelle, onzekere blik op Artemis. Ze wist niet wat ze daarop moest zeggen.

'Sir,' zei Artemis rustig, 'spreekt u ook regelmatig met Lorring?'

'Lorring is een paar maanden geleden overleden en sindsdien heeft hij geen contact meer met mij gezocht. Maar dat verbaast mij niet echt.' Linslade snoof. 'De man was altijd enorm arrogant en zelfverzekerd. Hij had het hoog in zijn bol, weet je. Hij beschouwde zichzelf als de ongeëvenaarde expert op elk aspect van Vanza. Ik betwijfel of daarin verandering is gekomen nu hij dood is.'

'Hij heeft inderdaad het eiland Vanzagara ontdekt en groot gemaakt,' hielp Artemis hem herinneren. 'Dankzij Lorring hebben wij kennis kunnen nemen van de kunst en de filosofie van Vanza. Hij was de stichter en de eerste grootmeester van het Vanzaanse Genootschap. Je zou kunnen zeggen dat hij alle reden had om een hoge dunk van zichzelf te hebben.'

'Ja, ja, weet ik wel.' Linslade maakte een wegwerpend gebaar. 'Niemand haalt het ook in zijn hoofd om zijn positie als de ontdekker van Vanzagara te betwisten. En eerlijk gezegd had ik gehoopt dat hij na zijn dood contact met me zou zoeken. Aan het eind van zijn leven was hij heel erg ziek, weet je. Hij ontving nauwelijks nog bezoekers. Ik heb nooit de gelegenheid gehad om met hem over een zeker gerucht, dat mij vlak voor zijn dood ter ore was gekomen, te praten.'

'Wat was dat voor gerucht?' wilde Artemis weten.

'Dat heb je toch zeker wel gehoord?' Linslade keek hem aan.

'Een paar maanden geleden was het Genootschap in rep en roer omdat het gerucht de ronde deed dat er een bepaald, heel oud boekje was gestolen.'

'Het Boek der Geheimen,' zei Artemis. 'Ja, daar heb ik over horen praten. Maar ik heb er totaal geen aandacht aan besteed.'

'Nee, natuurlijk niet,' zei Linslade snel. 'Dat is immers baarlijke nonsens. Maar toch was het een raar praatje, vind je niet? Ik zou graag hebben gehoord wat Lorring daarvan dacht.'

'Wat ik ervan weet,' zei Artemis vastberaden, 'is dat het Boek der Geheimen, als het inderdaad bestond, verloren is gegaan tijdens de brand die de villa van Farrell Blue in Italië heeft verwoest.'

'Ja, ja, dat weet ik.' Linslade zuchtte. 'Maar jammer genoeg heeft Blue na zijn dood ook geen contact meer met mij gezocht, daarom heb ik hem daar niet naar kunnen vragen.'

Dit leidde allemaal naar niets, dacht Madeline. Het werd tijd dat zij het gesprek ging overnemen. 'My lord, in uw brief schreef u dat u onlangs mijn overleden echtgenoot heeft gezien.'

'Ja, hier in mijn bibliotheek.' Linslades opgewekte gezicht betrok. 'Dat was een hele verrassing, dat kan ik je wel vertellen. We hebben elkaar een paar keer ontmoet toen hij een student van je vader was, maar we waren niet bepaald dikke vrienden.'

Artemis strekte zijn benen uit en bestudeerde de neuzen van zijn glimmend gepoetste laarzen. 'Ziet u hem als een collega?'

'We deelden bepaalde wetenschappelijke interesses, maar Deveridge moest niets hebben van mijn theorieën en meningen. Eerlijk gezegd maakte hij onomstotelijk duidelijk dat hij mij een brallende, oude dwaas vond. Ik vond hem nogal grof, moet ik zeggen.' Linslade hield abrupt op en keek Madeline verontschuldigend aan. 'Vergeef me, beste kind, ik mag natuurlijk jouw overleden echtgenoot niet bekritiseren.'

Ze wist met moeite een koel glimlachje te voorschijn te persen. 'Ik weet zeker dat u ervan op de hoogte bent dat mijn huwelijk geen gelukkige verbintenis was, sir.'

'Ik geef toe dat ik geruchten van dergelijke strekking heb vernomen.' De heldere ogen van Linslade vulden zich met medeleven. 'Wat tragisch is dat. Het spijt me zo dat je de lichamelijke en de geestelijke geneugten, waarvan Lady Linslade en ik gelukkigerwijze mochten genieten, hebt moeten missen.'

'Ik weet dat zo veel geluk in een huwelijk slechts zelden voorkomt, sir,' zei Madeline bruusk. 'Maar nu wil ik nog even terugkomen op het gesprek dat u met wijlen mijn echtgenoot had. Zou u kunnen herhalen wat u bij die gelegenheid hebt besproken?'

'Zeker.' Linslade tuitte zijn lippen. 'Het was geen lang gesprek. Eigenlijk hebben we elkaar puur bij toeval getroffen.'

Artemis liet zijn laarzen voor wat ze waren en keek met een ruk op. 'Wat bedoelt u?'

'Het was al erg laat toen Deveridge in de bibliotheek verscheen. Het personeel was allang naar bed. Als ik die avond niet naar beneden was gegaan om een boek te halen, omdat ik niet in slaap kon komen, zou ik hem finaal misgelopen zijn.'

Madeline boog zich naar voren. 'Wat heeft hij precies tegen u gezegd, sir?'

'Even nadenken.' Linslade fronste zijn wenkbrauwen en beet op zijn onderlip. 'Ik geloof dat ik eerst begon te praten. Wij wisselden de bekende beleefdheden uit. Ik zei dat ik verbaasd was hem te zien. En ik zei dat ik had gehoord dat hij een jaar geleden bij een brand om het leven was gekomen.'

'Wat zei hij daarop?' In de stem van Artemis klonk nu onverholen nieuwsgierigheid.

'Ik geloof dat hij zei dat hij dat hoogst onplezierig had gevonden.'

'Onplezierig?' Madeline voelde ijskoude zweetdruppeltjes langs haar rug glijden. 'Was dat het woord dat hij gebruikte?'

'Ja, dat weet ik zeker.' Linslade schoof ongemakkelijk op zijn stoel heen en weer en keek haar verontschuldigend aan. 'Zoals ik al zei, we praatten maar wat. Natuurlijk ben ik niet ingegaan op de details omtrent de roddelpraatjes die ik had gehoord over de manier waarop hij... eh... is gestorven, lieve kind.'

'Natuurlijk niet.' Madeline kuchte even. 'Het was heel tactvol van u om niet over die ongelukkige geruchten met hem te praten.'

'Ik ben altijd erg beleefd tegen de doden,' verzekerde Linslade haar. 'Dat schijnen ze op prijs te stellen. En ik sta in elk geval op het standpunt dat datgene wat tussen man en vrouw voorvalt uitsluitend hun zaak is.'

Artemis keek Linslade aan. 'Hoe reageerde Deveridge toen u hem aansprak?'

'Hij scheen even te schrikken toen ik tegen hem begon te praten.' Linslade trok zijn wenkbrauwen op. 'Het leek alsof hij niet had verwacht mij daar aan te treffen. Ik kan me niet voorstellen waarom niet. Híj was tenslotte degene die contact met mij zocht, en hij stond in míjn bibliotheek.'

'Inderdaad. Wat heeft u nog meer tegen hem gezegd?'

'Ik vroeg of hij nog steeds bezig was met zijn studie van de oude taal. Hij bevestigde dat.'

Linslade wiebelde met zijn wenkbrauwen. 'Hij is zelfs over de roddel betreffende het Boek der Geheimen begonnen. Hij vroeg of ik de laatste berichten daarover wist.'

'Waarover?' vroeg Artemis met vlakke stem.

'Over de mogelijkheid dat het Boek der Geheimen toch niet verloren is gegaan bij die brand in Italië. Hij zei dat hij had gehoord dat de recepten die daarin staan niet alleen in de oude taal zijn geschreven, maar ook in een soort code. Heel ingewikkeld materiaal allemaal, zelfs voor een expert in de oude Vanza-taal. Hij scheen ervan uit te gaan dat er een soort verklaring of een of ander hulpmiddel nodig is om de boel te ontcijferen.'

Madeline balde één gehandschoende hand tot een vuist. 'Wat was uw antwoord daarop?'

Linslade snoof minachtend. 'Ik heb hem verteld dat alle praatjes over dat zogenaamde Boek der Geheimen klinkklare nonsens zijn.'

'Heeft hij verder nog iets gezegd?' Madeline hoorde dat haar stem trilde en ze klemde haar kiezen op elkaar.

'Niets bijzonders. We babbelden nog even en toen verdween hij.'

Artemis keek naar Madeline.

'O, ja! Hij vroeg me jou te vertellen over onze ontmoeting. Hij zei dat hij niet wilde dat je hem zou vergeten. Daarom heb ik je dat briefje geschreven,' voegde Linslade er nog snel aan toe.

Madeline hield een paar seconden haar adem in. Ze kon geen vin meer verroeren. Ze voelde dat Artemis haar met een verbaasde, zijdelingse blik opnam, maar ze kon zich niet bewegen om hem aan te kijken.

Ze staarde naar Linslade. Die man hield regelmatig gesprekken met geesten. Hij was niet helemaal zuiver op de graat. Maar hij leek ook niet volslagen gestoord. Hoeveel van hetgeen hij had verteld was waar en hoeveel was fantasie? Hoe kon je daar achter komen?

Ze wierp een blik op het portret van Lady Linslade in haar twaalf jaar oude japon. En toen bedacht ze iets.

'My lord,' zei ze langzaam, 'ik zou heel graag nog één ding willen weten. Als u in contact treedt met de geest van uw overleden echtgenote, hoe is ze dan gekleed?'

'Gekleed? Nou ja, in een prachtige japon natuurlijk.' Linslade glimlachte minzaam. 'Lady Linslade heeft altijd een voortreffelijke smaak gehad.'

Artemis keek Madeline aan. Hij had blijkbaar door waar ze heen wilde, want hij knikte bijna onmerkbaar.

'Kleedt Lady Linslade zich nog altijd naar de laatste mode?' Madeline hield haar adem in.

Linslade keek verbaasd en zei een beetje spijtig: 'Ik vrees van niet. Ze verschijnt altijd in die mooie japon die ze droeg toen ze poseerde voor het portret dat achter mij hangt. Ze was dol op de Griekse en Etruskische stijl, zie je.'

'O ja.' Madeline haalde voorzichtig adem. 'En mijn vader? Hoe was hij gekleed toen u zijn geest ontmoette?'

Linslade knikte. 'Precies zoals de laatste keer dat ik hem zag. Hij droeg de donkerblauwe jas die hij altijd aan had op de vergaderingen van het Genootschap, met een nogal opzichtig geel vest eronder. Ik weet zeker dat je weet wat ik bedoel.'

'Ja.' Ze slikte. 'Ik weet welk geel vest u bedoelt. En mijn echtgenoot? Weet u nog wat hij aan had toen zijn geest u laatst bezocht?'

'Toevallig wel, ja. Ik weet nog dat ik vond dat hij er zeer modieus uitzag. Hij droeg een donkere jas, met weggesneden panden naar de laatste mode, en zijn halsdoek had een Serenade-knoop. Die knoop is op dit moment het toppunt van elegantie.'

'Ja, ja,' fluisterde Madeline.

'O, en er was nog iets. Hij had een wandelstok bij zich. Het mooie, gouden handvat had de vorm van de kop van een valk. Heel bijzonder.'

Madelines nekharen gingen overeind staan.

Tien minuten later hielp Artemis haar in het rijtuig, stapte zelf ook in en sloot het portier. De spanning in haar ogen stond hem niet aan. Ze leek rustig, maar zag veel te bleek.

'Is alles goed met je?' vroeg hij toen het rijtuig zich in beweging zette.

'Ja, natuurlijk.' Ze vlocht haar vingers in elkaar. 'Artemis, het lijkt erop dat Linslade die avond geen geest, maar een echte indringer in zijn bibliotheek heeft gehad.'

'Een indringer die zoveel op jouw dode echtgenoot leek dat Linslade dacht dat hij de geest van Renwick Deveridge was.' Hij leunde achterover op de zachte bank. 'Interessant. O ja, ik moet je nog vertellen, Madeline, dat je op bijzonder knappe wijze die laatste informatie uit hem hebt losgekregen. Dat ik er zelf niet aan heb gedacht!'

Ze keek verrast op bij dat compliment. 'Dank je wel.'

Hij haalde zijn schouders op. 'Het lijkt er dus op dat de geesten die aan Linslade verschijnen gekleed gaan in de kleren die ze droegen toen ze nog leefden. Maar Renwicks geest was gekleed naar de huidige, nieuwste mode, en niet die van vorig jaar.'

'Linslade ís natuurlijk een rare vogel,' hielp Madeline hem herinneren.

'Dat is waar. Het is best mogelijk dat we te veel waarde hechten aan zijn antwoorden op onze vragen. Die man beschikt blijkbaar over de wildste waandenkbeelden. Misschien heeft hij die modieuze outfit van jouw overleden man verzonnen omdat hij absoluut niet meer wist hoe hij was gekleed toen ze elkaar voor het laatst ontmoetten.'

Ze dacht even over zijn woorden na. 'Ik begrijp waar je heen wilt. Ik weet zeker dat de lord te veel heer is om een naakt spook te fantaseren.'

'Een naakt spook. Wat een interessante gedachte.'

Ze keek hem bestraffend aan. 'Ik geloof niet dat we hier zitten om de modieuze smaak van spoken en geesten te bespreken. Als iemand ons zou horen zou hij absoluut denken dat we uit een gekkenhuis zijn ontsnapt.'

'Ja.'

'Artemis, ik moet je iets vertellen.'

'En dat is?'

'Lord Linslade vertelde dat die geest een... wandelstok bij zich had.'

'Ja, én? Wandelstokken zijn tegenwoordig zeer in de mode. Ik heb er zelf geen, maar dat komt omdat ik ze alleen maar lastig vind.'

Ze keek naar buiten. 'Maar weet je, de stok die Linslade beschreef klonk nogal uniek.'

'Ja. Die gouden handgreep in de vorm van de kop van een roofvogel. Wat is daarmee?'

Ze liet langzaam haar adem ontsnappen. 'Hij klonk niet alleen uniek, hij klonk ook walgelijk bekend. Renwick had een wandelstok die er precies zo uitzag als Linslade beschreef.'

Hij kreeg een akelig gevoel in zijn maag. 'Weet je dat zeker?'

'Ja.' Er verscheen een uitdrukking in haar ogen die veel weg had van paniek. Maar ze wist zich onmiddellijk te beheersen. 'Ja, dat weet ik zeker. Hij heeft me op een keer verteld dat het een cadeau van zijn vader was.'

Artemis keek haar bedachtzaam aan. 'Ik denk dat het het beste is als jij en je tante bij mij komen logeren tot dit achter de rug is,' zei hij langzaam.

Haar ogen werden groot. 'Bedoel je dat we bij jou moeten intrekken? Dat is belachelijk. Waarom zouden we zoiets raars doen?'

'Omdat ik ervan overtuigd ben dat die grote koetsier van jou en die kleine belletjes aan je luiken, absoluut geen obstakel zijn voor de geest van Renwick Deveridge.'

'Maar, Artemis...'

Hij keek haar strak aan. 'Jij hebt mij bij deze zaak betrokken, madam. En wij hebben een overeenkomst gesloten. Ik zal dat fantoom van jou opsporen. Maar dan moet jij mijn adviezen betreffende jullie veiligheid navolgen.'

Ze keek hem wantrouwig aan. 'Jouw bevelen, bedoel je.'

'Je mag het noemen zoals je wilt. Maar in zaken zoals deze kunnen er geen twee kapiteins op de brug staan. Jij brengt elk lid van je huishouding in gevaar als je alles wat ik doe bekritiseert.'

'Ik heb helemaal geen kritiek op jouw handelingen, sir. Ik vraag me alleen af of het wel verstandig is om te doen wat jij voorstelt.'

'Vreemd genoeg beschouw ik dat als kritiek,' zei hij.

Ze maakte een ongeduldige beweging. 'Jij bent een tikje gevoelig als jouw autoriteit wordt aangevochten, nietwaar?'

'Daar ben ik inderdaad bijzonder gevoelig voor. Zo gevoelig dat ik zelden toesta dat iemand zich daaraan schuldig maakt.'

Ze keek hem boos aan. 'Je kunt niet van mij verlangen dat ik al jouw beslissingen zonder slag of stoot accepteer.'

'Mag ik je er nogmaals aan herinneren dat jij naar mij bent toegekomen, madam? Jij hebt mij een voorstel gedaan en ik heb dat aangenomen. We zijn een overeenkomst aangegaan.'

Ze aarzelde even en besloot toen een ander onderwerp aan te snijden. 'Sir, je moet zorgen dat je dat andere doel niet uit het oog verliest.'

Een onplezierig moment lang dacht hij weer dat ze iets van zijn plannen om Catherine te wreken wist. 'Mijn andere doel?'

'Je weet toch nog wel dat je op zoek bent naar een gefortuneerde bruid!' Ze keek hem met een donkere blik aan. 'Je hebt mij duidelijk gemaakt dat je niet wilt dat het uitlekt dat je zakenman bent omdat je bang bent dat dat je kansen op een geschikte partij zal schaden.'

'Ja, en verder?'

'Ik wil je erop wijzen dat niet alleen het feit dat je zakenman bent bepaalde mensen tegen je in zal nemen,' zei ze met zachte stem. 'Heel wat families uit de hoogste kringen zouden het er weleens niet mee eens kunnen zijn dat jij de Verdorven Weduwe als logé in je huis opneemt.'

'Daar heb ik geen minuut aan gedacht.' Hij fronste zijn wenkbrauwen. 'Denk jij echt dat een paar van die arrogante totebellen bezwaar zullen maken tegen de gasten die ik verkies uit te nodigen in mijn huis?'

'Ja, absoluut.'

'Wat bekrompen van die lui, zeg!'

'Want weet je,' ging ze ernstig verder, 'het zou aantonen dat je niet veel smaak hebt. Dat begrijp je toch zelf ook wel. Ik verzeker je dat het soort dame dat op jouw lijst van huwelijkskandidaten voorkomt het niet op prijs zal stellen dat ik een poosje onder jouw dak heb gewoond.'

'Madeline, wanneer heb jij voor het laatst een hele nacht doorgeslapen?'

Ze keek hem onthutst aan, maar wist zich opnieuw verbluffend snel te herstellen. 'Hoe ben je daar achter gekomen?'

'Ik heb met de man die ik vannacht voor jouw huis heb laten waken gesproken. Hij zei dat het licht in jouw kamer tot de ochtendstond aan is gebleven. Ik vrees dat dat altijd zo gaat.'

Ze keerde haar hoofd om en keek de zonnige straat in. 'Om de een of andere vreemde reden denk ik dat hij, als hij terugkomt, in de nacht komt opdagen. Hij was een schepsel van de duisternis, zie je.'

'Deveridge?'

'Ja. Hij zag eruit als een engel, maar hij was in werkelijkheid een duivel. Ik denk dat wie of wat is teruggekeerd om hem te wreken, ook de duisternis prefereert.'

Artemis boog zich naar voren en nam haar handen in de zijne. Hij wachtte tot haar ogen de zijne ontmoetten.

'Dat klinkt heel redelijk,' zei hij. 'Degenen die zich met het occulte gebazel dat tot de donkere stroming van het Vanza behoort, bezighouden, zijn vaak geneigd tot melodramatisch gedrag. Ze staan erom bekend dat ze voornamelijk de nacht uitkiezen voor hun activiteiten. Maar ik vrees dat je er niet op kunt rekenen dat een beoefenaar van de zwarte kunst altijd in het donker werkt. Het feit dat jij hem in de nacht verwacht zou hem ertoe kunnen aanzetten overdag zijn opwachting te komen maken.'

'Het is allemaal zo verdraaid ingewikkeld,' fluisterde ze met ingehouden woede. 'Ik wou dat mijn vader zich nooit met de Vanza-filosofie had ingelaten. Ik wou dat ik er nooit iets van had gehoord en nooit iemand had ontmoet die daar een studie van maakte.'

'Madeline...'

Ze balde haar handen tot vuisten tussen zijn vingers. 'Ik zweer je: als dit voorbij is wil ik nooit meer iets te maken hebben met iets of iemand die ook maar iets te maken heeft met die afgrijselijke filosofie.'

Artemis kreeg een naar gevoel van binnen. 'Je hebt nu luid en duidelijk verkondigd hoe je tegenover de Vanza-leer staat. Wat je gaat doen als dit voorbij is, is jouw zaak. Maar op dit moment heb jij mij in dienst genomen om iets voor je op te lossen. Ik wil dat je je verstand gebruikt. Als je je niet om je eigen veiligheid bekommert, denk dan in elk geval wel aan je tante. Ben je bereid haar bloot te stellen aan risico's?'

Ze bestudeerde ernstig zijn gezicht. Om zijn logica kon ze niet heen. Hij zag dat ze dat begreep. *Vanza-logica*. Hij wist wat ze zou zeggen voor ze haar mond opendeed.

'Nee, natuurlijk niet,' zei ze rustig. 'Je hebt gelijk. Ik moet aan de veiligheid van tante Bernice denken. Ik zal meteen maatregelen gaan treffen. We kunnen vandaag nog bij je intrekken.'

'Dat is een wijs besluit, madam.'

Ze keek hem verstoord aan. 'Ik was me er niet van bewust dat ík een besluit nam, sir. Ik denk dat jij dat hebt gedaan.'

'Hmmm.'

'Misschien...' zei ze bedachtzaam, 'als we heel discreet te werk gaan en veel geluk hebben, komt niemand uit jouw sociale kringen erachter dat je logés hebt. Of misschien herkennen ze mij niet eens, als ze er toch achter komen.'

'Hmmm.'

Hij besloot niet te praten over een bepaalde weddenschap van duizend pond die in alle clubs in de stad afgesloten kon worden.

9

Even na twee uur in de ochtend legde Artemis zijn kaarten neer en keek zijn tegenstander aan. 'Ik geloof dat je me vijfhonderd pond schuldig bent, Flood.'

'Maak je geen zorgen, je krijgt je verdomde geld aan het eind van de maand, Hunt.' Corwin Flood krabbelde zijn naam op een papiertje en schoof dat over de tafel heen.

Artemis trok een wenkbrauw op toen hij het briefje oppakte. 'Betaal je je schulden aan het eind van de maand? Moet ik daaruit opmaken dat je momenteel nogal krap zit, Flood?'

'Helemaal niet.' Flood greep de fles die op tafel stond. Hij vulde zijn glas en dronk het in één teug leeg. Daarna zette hij het neer en keek Artemis met een donkere blik aan. 'Ik heb een fortuin gestoken in een veelbelovende investering, je weet wel zo'n kans die je maar eenmaal in je leven krijgt. Ik heb alles bij elkaar geschraapt wat ik vinden kon om die aandelen te kunnen kopen. Over twee weken kan ik de winst opstrijken. En dan krijg jij je geld.'

'Ik verheug me op dag dat jouw schip met goud binnenkomt.'

Flood snoof. 'Het is geen schip. In een schip had ik nooit zo veel geld gestoken. Dat is veel te riskant, man. Schepen kunnen zinken. Schepen kunnen spoorloos verdwijnen op zee. Schepen kunnen aangevallen worden door piraten.' Hij leunde voorover op de tafel en liet zijn stem dalen. Op vertrouwelijke toon fluisterde hij: 'Mijn investering loopt geen enkel risico, Hunt. En dan nog wat, ik maak veel meer winst dan de lading van een schip ooit opbrengt.' Hij grinnikte ondeugend. 'Tenzij die lading toevallig uit puur goud bestaat.'

'Ik moet zeggen dat je me flink nieuwsgierig hebt gemaakt. Er gaat nu eenmaal niets boven goud.'

De grijns verdween abrupt van Floods gezicht. Hij scheen zich te realiseren dat hij te veel had losgelaten. 'Grapje!' Hij keek schichtig om zich heen en schonk zich nog een glas in. 'Ik kletste maar wat, joh!'

Artemis kwam langzaam overeind. 'Ik hoop dat je geen grapjes maakte over je financiële vooruitzichten aan het eind van de maand.' Hij glimlachte fijntjes. 'Het zou een hele teleurstelling voor me zijn als zou blijken dat je je speelschulden niet kunt betalen, Flood. Echt een hele teleurstelling.'

Flood kromp in elkaar. Toen snauwde hij woedend: 'Je krijgt je geld heus wel.' Hij sprak met dubbele tong.

'Daar ben ik blij om. Weet je zeker dat je me niet iets meer kunt vertellen over de investering die over veertien dagen al winst uitkeert? Misschien heb ik ook wel zin om mee te doen.'

'Het spijt me,' zei Flood kortaf. 'Alle aandelen zijn verkocht. Ik had er helemaal niet over moeten praten. De aandeelhouders hebben een zwijgplicht.' Zijn gezicht stond ineens bezorgd. 'Zeg, Hunt, je vertelt dit niet verder, hè?'

Artemis glimlachte. 'Ik zwijg als het graf, Flood. Dat beloof ik. Het laatste wat ik wil is me bemoeien met jouw investering.'

Flood keek hem lodderig aan alsof de glimlach van Artemis hem in een soort trance had gebracht. Toen knipperde hij met zijn ogen en probeerde weer helder te worden. 'Gelijk heb je. Het is in je eigen belang om je mond te houden, nietwaar? Als jij mijn investering in de war schopt, kun je naar je geld fluiten, toch?'

'Zo is het maar net.'

Artemis keerde zich om en ging op weg naar de uitgang. Drie jonge, modieus geklede mannen, die alle drie behoorlijk diep in het glaasje hadden gekeken, versperden zijn pad.

Een van hen deed een stap naar voren. Zijn ogen werden groot van zogenaamde verbazing. Hij stak met een dramatisch gebaar zijn handen in de lucht.

'Nee, maar, wie hebben we hier? Is dit niet de dapperste, brutaalste en meest onverschrokken man van heel Engeland? Jawel, jawel! Heren... hier staat de heer Hunt!'

De twee anderen riepen op zangerige toon: *'Hunt, Hunt, Hunt.'*

'Bekijk dat nobele gelaat maar eens goed, bestudeer hem grondig, want een man van zijn kaliber zullen we misschien nooit meer in deze mooie club te zien krijgen.'

'Hunt, Hunt, Hunt.'

'Morgenochtend zal onze dappere Hunt duizend pond rijker zijn, of...'

'Hunt, Hunt, Hunt.'

'Of hij zal deze aardkloot voor altijd verlaten hebben, en zijn overgegaan naar de eeuwige jachtvelden waar hij door niemand minder dan de Verdorven Weduwe is heen gestuurd.'

'Hunt, Hunt, Hunt.'

'Wij wensen hem vannacht het allerbeste. En wij gunnen hem vooral een stevig, onvermoeibaar lid zodat hij ten volle kan genieten van zijn laatste nacht op deze aarde.'

'Hunt, Hunt, Hunt.'

Artemis liep vastberaden op de drie jongemannen af. Ze lachten bulderend en maakten overdreven diepe buigingen toen ze het pad voor hem vrijmaakten.

'Hunt, Hunt, Hunt.'

Artemis bleef bij de ingang van de zaal staan en keerde zich om. Hij keek de drie jongens lang en doordringend aan. De mensen in de club hielden vol verwachting hun adem in. Artemis haalde zijn horloge uit zijn zak. Alle ogen waren op hem gericht toen hij het dekseltje opende en keek hoe laat het was.

Vervolgens klikte hij het deksel weer dicht en liet het horloge nonchalant in zijn zak glijden. 'Ik vrees dat ik me vanavond iets eerder moet terugtrekken. Ik heb nog het een en ander te doen dat mijn volle aandacht opeist. Ik ben er zeker van dat jullie daar begrip voor hebben.'

De drie jongelingen hinnikten van de lach. Rondom de kaarttafel werd besmuikt gegrinnikt.

'Maar morgen...' Artemis liet een veelbetekenende stilte vallen, 'aangenomen dat ik deze nacht overleef...'

Een van de jonge losbollen snoof. 'Oké, laten we even meegaan in uw optimisme, sir, wat had u morgen willen doen?'

'Morgen ga ik afspraken noteren voor een duel met elke man in deze club die zo onbeleefd is de dame die in mijn huis logeert, in mijn bijzijn te beledigen.'

De drie mannen staarden Artemis met open mond en grote, angstige ogen aan. De sfeer van leedvermaak die in het vertrek had geheerst maakte plaats voor een drukkende stilte.

Tevreden met het effect van zijn woorden liep Artemis de gang in. Hij pakte zijn mantel en handschoenen en liep de trap naar de straat af.

Hij was nauwelijks drie treden afgedaald toen hij haastige voetstappen achter zich hoorde.

'Wacht even, Hunt,' riep Flood. 'Ik wil graag met je meerijden.'

'Ik zie nergens een leeg rijtuig.' Artemis keek de lege, mistige straat in. 'Ik loop tot het plein. Ik denk dat daar wel een huurrijtuig te krijgen is.'

'Zijn er geen rijtuigen?' Flood keek onzeker om zich heen. 'Maar er staan er altijd een paar te wachten voor de deur.'

'Vanavond niet. Dat komt ongetwijfeld door de mist. Misschien wil jij liever binnen wachten tot er een komt opdagen.' Artemis keerde Flood zijn rug toe en liep weg.

'Wacht, ik loop met je mee,' zei Flood snel. Er was een ondertoon van angst in zijn stem. 'Je hebt gelijk, op het plein zullen er wel een paar staan. En het is veiliger om met z'n tweeën te zijn.'

'Je doet maar.'

Flood ging naast hem lopen. 'Het is op dit uur onveilig op straat, zeker op een nacht als deze.'

'Het verbaast me te horen dat jij bang bent om hier alleen te lopen, Flood. Ik dacht dat jij heel wat tijd in de rosse buurten zoek bracht. En dit deel van de stad is een stuk minder onveilig.'

'Ik ben helemaal niet bang,' gromde Flood. 'Ik gebruik alleen mijn gezonde verstand, dat is alles.'

Artemis luisterde naar de licht bevende stem van Flood. Hij glimlachte fijntjes. Flood was doodsbang.

Flood keek hem met een onzekere blik aan. 'Maar vertel eens, wat was dat nu allemaal in de club, zo-even? Ben je echt van plan elke man die een opmerking over mevrouw Deveridge maakt uit te dagen?'

'Nee.'

Flood snoof. 'Dat dacht ik al.'

'Ik daag alleen iedereen uit die een opmerking maakt die belédigend voor die dame is.'

'Grote God! Riskeer jij een duel voor een vrouw als de Verdorven Weduwe? Ben je helemaal gek geworden, man! Ze is niet meer dan een...'

Artemis bleef abrupt staan en keerde zich met een ruk om. 'Ja, Flood? Wat wou je zeggen?'

'Verdomme, sir, iedereen weet dat ze een moordenares is.'

'Daar was geen bewijs voor.' Artemis glimlachte. 'En het is algemeen bekend dat niemand voor moord veroordeeld kan worden zonder onweerlegbaar bewijs.'

'Maar iedereen weet...'

'Is dat zo?'

De mond van Flood bewoog maar er kwam geen zinnig woord meer uit. Hij staarde Artemis aan, die zich niet bewoog, en ging toen wankelend een stap achteruit. In het schijnsel van de gaslantaarn zag zijn gezicht, dat was getekend door jaren van losbandigheid, er nors en angstig uit.

'Wilde je er nog iets over zeggen, Flood?'

'Nee.' Hij begon demonstratief zijn mantel glad te strijken. 'Ik wilde niets zeggen. Ik heb alleen iets gevraagd.'

'Denk dan maar na over het antwoord.' Artemis liep verder.

Flood aarzelde en bedacht toen dat hij de weg terug in zijn eentje niet durfde riskeren. Snel haastte hij zich achter Artemis aan.

Zwijgend liepen ze een tijdje samen op. Floods voetstappen klonken griezelig hard in de stilte die hen omgaf. Artemis had een jarenlange training in dergelijke dingen gehad en hij liep zonder een geluid te maken.

'Ik had een lamp mee moeten nemen.' Flood wierp een blik over zijn schouder. 'Die stomme gaslantaarns zijn volkomen nutteloos als het mistig is.'

'Ik geef er de voorkeur aan geen lamp mee te nemen als het niet nodig is,' zei Artemis. 'De lichtkrans van de lamp is een prachtig doelwit voor straatrovers.'

'Allemachtig!' Flood keek weer achterom. 'Daar heb ik nog nooit bij stilgestaan.'

Er klonk een zacht, schurend geluid uit een smal steegje.

Flood greep Artemis' mouw. 'Hoorde jij dat ook?'

'Dat is een rat of zo.' Artemis keek strak naar Floods gehandschoende vingers op zijn mouw. 'Je kreukt mijn mantel, sir.'

'Neem me niet kwalijk.' Flood trok onmiddellijk zijn hand terug.

'Het komt mij voor dat jij behoorlijk in de rats zit, Flood. Misschien moet je een drankje kopen om je zenuwen wat te kalmeren.'

'Verdomd, Hunt. Ik heb je toch gezegd dat ik stalen zenuwen heb.'

Artemis schokschouderde en zei niets. Een deel van zijn geest registreerde automatisch de geluiden van de nacht, selecteerde daarin de vertrouwde geluiden, en luisterde naar het zachte slepen van een leren zool op het plaveisel.

Aan het andere eind van de straat klonk het gekletter van paardenhoeven.

'Dat is misschien een huurrijtuig,' zei Flood hoopvol.

Maar het voertuig verdween in tegengestelde richting.

'Ik had in de club moeten blijven,' mompelde Flood.

'Waarom ben je eigenlijk zo bang?'

Flood aarzelde even en zei toen: 'Als je het per se wilt weten... ik ben een paar maanden geleden bedreigd.'

'Nee toch!' Artemis keek naar een brandende kaars die voor een raam stond. 'Wie heeft je bedreigd?'

'Ik weet zijn naam niet.'

'Maar je kunt de vent toch wel beschrijven?'

'Nee.' Flood zweeg even. 'Ik heb hem nog nooit gezien, weet je.'

'Als jij die man nog nooit hebt ontmoet, waarom bedreigt hij je dan?'

'Dat weet ik niet,' jammerde Flood. 'Daarom is het allemaal zo vervloekt vreemd.'

'Heb je er helemaal geen idee van waarom die kerel juist jóu bedreigt?'

'Hij stuurde...' Flood brak af en zoog hoorbaar zijn adem in toen een kat langs het trottoir schoot en in een steegje verdween. 'Godallemachtig! Wat was dat?'

'Dat was een kat.' Artemis wachtte even. 'Jij hebt echt iets voor je zenuwen nodig, Flood. Wat heeft die man je gestuurd?'

'Een plaatje. Zo'n gegraveerd ding dat je aan je horlogeketting hangt.'

'En dat vind jij een bedreiging?'

'Het... het is een beetje moeilijk uit te leggen.' Nu hij eenmaal was begonnen met praten kon hij niet meer ophouden. 'Het heeft allemaal te maken met iets wat een paar jaar geleden is gebeurd. Een stel vrienden en ik vermaakten ons met een toneelspeelstertje. Het stomme wicht wist zich los te rukken en rende weg. Het was donker. We waren ergens buiten de stad, en toen gebeurde er een ongeluk waarbij zij... nou ja, dat doet er niet toe. Het punt is dat ze zwoer dat haar minnaar haar op een dag zou wreken.'

'En denk jij dat dat moment nu is aangebroken?'

'Dat kan.' Flood keek weer over zijn schouder. 'Maar het kan niet degene zijn over wie zij het had. Zelfs als dat stomme sletje inderdaad een minnaar had, waarom heeft die dan zo lang gewacht om ons te grazen te nemen? Ik bedoel, het was een onbenullig toneelspeelstertje. En het is al vijf jaar geleden.'

'Je kent dat oude gezegde toch wel, Flood. *Wraak is een schotel die het beste koud opgediend kan worden.*'

'Maar we hebben haar niet vermoord.' De stem van Flood schoot de hoogte in. 'Ze rende het donker in en stortte van een rots af.'

'Dat klinkt alsof ze probeerde aan jou en je vrienden te ontkomen, Flood.'

'Ik moet met die vent praten, wie hij ook is.' Flood keek schichtig om zich heen. 'Ik zal hem uitleggen dat we geen kwaad in de zin hadden. We wilden alleen een beetje dollen met dat wicht. Het is niet onze schuld dat dat stomme...'

'Spaar je adem, Flood. Het is niet nodig dat je mij uitleg geeft. Ik wil jouw verontschuldigingen helemaal niet horen.'

Een prostituee die voor het raam met de brandende kaars zat, glimlachte tegen Artemis en liet de shawl die ze om haar schouders had, zakken, zodat er een blote borst zichtbaar werd. Hij keek zonder een spoor van belangstelling naar de vrouw en vestigde zijn aandacht weer op de straat.

'Ik ontving dat ding een paar maanden geleden,' zei Flood na een tijdje. 'Misschien was het een kwaadaardige grap.'

'Als dat zo is heeft de wreker een vreemd soort humor.'

Artemis zag vanuit zijn ooghoek dat er in de schaduw achter hen iets veranderde. Heel even wist hij niet wat het was. Toen begreep hij het.

'Grote God,' zei hij zacht, 'ze heeft de kaars uitgeblazen.'

'Dat hoertje?' Flood keerde zijn hoofd naar het donkere raam. 'Ja, inderdaad. Maar wat zou dat? Misschien is ze...'

Hij brak af toen hij zag dat Artemis zich plat tegen de muur drukte en niet meer op hem lette.

De aanvaller dook niet op uit een steegje of een donker portiek. Hij sprong omlaag uit een raam. De plooien van een zwarte mantel golfden om hem heen en verduisterden het beetje licht dat de gaslantaarn op de straat wierp.

Hij heeft een mes, dacht Artemis. De meeste Vanza-vechters gebruiken geen wapens, maar er zijn uitzonderingen. Bij een Verborgen Spin-tactiek wordt altijd een mes gebruikt.

Hij greep de zoom van de mantel, zodat het kledingstuk niet over hem heen kon vallen, wat wel de bedoeling van de aanvaller was, en trok hem opzij. Op het nippertje kon hij de uitschietende laars van de man ontwijken.

De Vanza-vechter landde op de grond en stond oog in oog met Artemis. Zijn gezicht was verborgen achter een zwarte shawl. Koele lichtstralen spetterden op het mes. Hij deed een uitval.

Artemis stapte opzij. Hij wist dat hij de man al in verwarring had gebracht met zijn snelle actie. Maar hij moest nu vlug handelen, voor de aanvaller een andere tactiek ging toepassen.

De gemaskerde man zag dat hij zijn doel had gemist. Hij probeerde zich te herstellen. Het lukte hem op de muur te klimmen, maar hij verloor een fractie van een seconde zijn evenwicht.

Artemis schopte tegen de hand die het mes omklemde. Het was raak. Het mes kletterde op de straatstenen.

Nu hij het voordeel van de verrassing niet meer kon benutten, achtte de aanvaller het verstandiger om de benen te nemen. Hij maakte dat hij wegkwam. Zijn mantel waaierde achter hem aan als een grote, zwarte vleugel.

Artemis greep het puntje van de jas en trok hard. Het verbaasde hem niet dat de mantel neerdwarrelde aan zijn voeten. De gemaskerde man had de gesp losgemaakt.

De aanvaller verdween in de diepe schaduwen van een onverlicht steegje. Zijn voetstappen klonken nog even na en toen werd het stil. Artemis bekeek de wollen mantel.

'Jemig, man.' Flood staarde Artemis verbijsterd aan. 'Die vent had het op jou gemunt. De rotzak probeerde je keel door te snijden.'

Artemis liet de mantel op de grond vallen. 'Ja.'

'Ik moet zeggen dat je hem briljant op zijn nummer hebt gezet. Een dergelijke stijl van vechten heb ik nog nooit gezien. Heel ongewoon.'

'Ik had geluk. Ik kreeg een seintje.' Artemis keek naar het donkere venster waarachter de prostituee had gezeten. 'Dat was weliswaar niet voor mij bestemd, maar dat doet er niet toe.'

'Die smerige straatrovers worden met de dag brutaler,' zei Flood. 'Als het nog erger wordt kan een man niet meer op straat lopen zonder lijfwacht naast zich.'

Artemis greep het touw dat uit het venster bungelde. Een korte blik op de ingewikkelde knopen die erin waren gelegd, was voldoende. Londen had het wrange genoegen heel wat dieven en straatrovers te herbergen, maar heel weinig van hen waren getraind in de Vanzaanse vechtkunst.

10

De vlammen grepen loeiend met hun tentakels om zich heen. Het vuur woedde in het laboratorium dat een verdieping hoger lag, maar het wierp een duivels licht door de lange gang. Rookwolken ontrolden zich als een donkere banier die voorafging aan een legioen van vampieren uit de hel.

Ze hurkte voor de slaapkamerdeur. De zware, ijzeren sleutel was glibberig van zijn bloed. Ze probeerde niet naar het lichaam op de grond te kijken. Maar op het moment dat ze de sleutel in het sleutelgat wilde steken begon de dode man te lachen. De sleutel gleed uit haar vingers...

Madeline werd met een schok wakker en trilde over haar hele lichaam. Ze zat rechtop in bed, hapte naar adem, en hoopte dat ze niet hardop had geschreeuwd. Ze was klam van ijskoude transpiratie. De dunne stof van haar nachthemd kleefde aan haar rug en borst.

Een paar seconden lang wist ze niet waar ze was. Een nieuwe golf van angst schoot door haar heen. Ze stapte uit bed. Toen haar blote voeten de koude vloer raakten wist ze ineens dat ze in een slaapkamer in het grote huis van Artemis Hunt was.

Zijn uitstekend onderhouden, grote, mooie huis. Haar vingers trilden, net als in haar droom. Ze moest zich concentreren op het aansteken van een kaars. Toen het gelukt was gleed er een warme gloed over de gebeeldhouwde bedstijlen en de wastafel. De koffers met boeken die ze haastig had ingepakt stonden in een hoek van de kamer.

Ze keek op de klok en zag dat het bijna drie uur in de ochtend was. Ze had twee volle uren geslapen voor ze wakker was geworden door die nachtmerrie. Dat was verbazingwekkend. Ze sliep zelden in voor het buiten licht was. Misschien kwam dat omdat ze wist dat dit huis uitstekend beveiligd was en dat er een robuuste bewaker met een grimmige hond wachtliep rond het huis. Onbewust had ze zichzelf toegestaan in te dommelen.

Ze liep naar de deur en deed hem voorzichtig open. De gang was donker, maar bij de trap was het schemerig. Het licht kwam uit de hal beneden. Ze hoorde gedempt stemgeluid. Artemis was thuis.

Nou, dat werd tijd, dacht ze. Hij had haar verteld dat hij vanavond inlichtingen ging inwinnen in de speelzalen en herenclubs. Ze was nieuwsgierig naar wat hij te weten was gekomen.

Er ging beneden een deur dicht. En toen werd het stil. Ze wachtte nog even maar hoorde Artemis niet de trap opkomen. Ze begreep dat hij naar zijn bibliotheek was gegaan.

Ze ging terug naar haar slaapkamer, pakte haar peignoir die aan het voeteneind lag en trok hem aan. Daarna strikte ze de band om haar middel en stapte in haar pantoffels. Haar slaapmutsje was af gegleden en lag op haar kussen. Ze zette het op haar verwarde haren en vond dat ze er nu decent genoeg uitzag om naar beneden te gaan. Ze haastte zich door de donkere, brede gang en liep de fraai gebeeldhouwde trap af die met een sierlijke boog omlaag leidde. Haar zachte pantoffeltjes maakten geen geluid op de beklede treden. Ze stak de hal over en bleef aarzelend voor de bibliotheek staan. Er ging iets strengs uit van die stevig gesloten deur. Het voelde aan alsof Artemis op dat moment niet gesteld was op gezelschap. Misschien was hij stomdronken thuisgekomen. Ze fronste haar wenkbrauwen. Ze vond het moeilijk om zich Artemis in beschonken toestand voor te stellen. Er hing een aura van zelfbeheersing om hem heen die een dergelijke zwakheid niet toestond.

Ze klopte aan. Geen antwoord.

Met haar hand op de deurkruk aarzelde ze even, maar toen deed ze voorzichtig de deur open. Als Artemis inderdaad teut was zou ze weggaan en morgenochtend met hem praten.

Ze gluurde om het hoekje van de deur. Er brandde een vuur in de haard maar er was geen spoor van Artemis te bekennen. Misschien was hij helemaal niet in zijn bibliotheek. Maar waarom brandde er dan een vuur?

'Ik neem aan dat jij het bent, Madeline?' De lage, donkere stem klonk vanuit de diepte van een grote oorfauteuil die naar de haard toegekeerd stond.

'Ja.'

Hij klonk absoluut niet teut, stelde ze vast. Opgelucht stapte ze over de drempel en sloot de deur. Haar handen bleven op de deurknop rusten. 'Ik hoorde je thuiskomen.'

'En daarom ben je meteen hierheen gesneld om te horen wat ik te melden heb. Heel normaal toch, ook al is het drie uur in de nacht.' Zijn stem klonk koel en spottend. 'Ik begin door te krijgen dat jij een zeer veeleisende werkgeefster bent, mevrouw Deveridge.'

Hij was niet dronken, maar hij was ook absoluut niet in een goed humeur. Ze klemde haar lippen op elkaar en liet de deurknop los. Rustig liep ze naar hem toe.

Toen ze bij de haard was keerde ze zich om. Hij lag, niet onelegant, onderuitgezakt in de brede stoel. Haar adem stokte. Ze zag onmiddellijk dat er iets ergs was gebeurd.

Er gloeide een donker vlammetje in zijn ogen. Hij had zijn jasje uitgedaan, zijn halsdoek hing los om zijn nek. De voorkant van zijn geplooide, witlinnen hemd stond tot halverwege zijn borst open. Het kroezelige borsthaar was zichtbaar als een donkere schaduw.

Hij had een halfleeg glas cognac in zijn ene hand. De vingers van zijn andere hand omklemden een voorwerp dat ze niet kon zien.

'Meneer Hunt.' Ze keek hem met groeiende onrust aan. 'Artemis. Ben je ziek?'

'Nee.'

'Ik neem aan dat er iets onprettigs is gebeurd. Wat?'

'Een kennis en ik zijn vanavond op straat aangevallen.'

'*Aangevallen*? Lieve God. Door wie? Ben je beroofd?' Toen kwam er een andere gedachte in haar op. Ze bestudeerde snel zijn gezicht. 'Is een van jullie gewond?'

'Nee. De boef heeft zijn doel niet bereikt.'

Ze slaakte een zucht van opluchting. 'De hemel zij dank. Een straatrover zeker? Ik weet dat het niet pluis is in de omgeving waar die speellokalen zijn. Je moet echt wat voorzichtiger zijn, hoor.'

'Deze aanval is niet in die buurt gebeurd. Het was heel dicht bij een van mijn eigen clubs.' Hij hief zijn glas op en nam een slokje. Langzaam liet hij het glas zakken. 'Wie hij ook was, het was een Vanzaan.'

Ze kreeg kippenvel op haar armen. 'Weet je dat zeker?'

'Absoluut.'

'En kon jij...?' Ze hield op, slikte moeizaam en probeerde het opnieuw. 'Heb je hem gezien?'

'Nee. Hij had een shawl om zijn gezicht gebonden. Uiteindelijk heeft hij de benen genomen. Ik geloof dat hij hulp heeft gehad van een prostituee die hem een teken heeft gegeven toen ze ons zag aankomen. Morgen zal ik proberen haar op te sporen. Misschien kan zij ons een tip geven waardoor we achter de identiteit van die schurk kunnen komen.'

Madeline voelde dat haar maag samentrok. 'Denk je dat de geest van Renwick Deveridge weer actief was?'

'Ik moet toegeven dat ik niet goed op de hoogte ben van bovennatuurlijke zaken, maar als ik het wel heb dragen geesten over het algemeen geen messen bij zich.'

'Had hij een mes bij zich?'

'Ja. Hij gaf een uitstekende demonstratie van de Verborgen Spintactiek.' Artemis walste zijn cognac rond in zijn glas. 'Maar gelukkig had ik gezien dat die prostituee ineens haar kaars doofde, waardoor ik gealarmeerd werd en de aanvaller van zijn verrassingselement werd beroofd.'

'Is je vriend ook niet gewond?'

Artemis klemde zijn hand om het voorwerp dat hij vasthield. 'Mijn metgezel is geen vriend van me.

'O.' Ze liet zich langzaam in een stoel zakken en dacht na over het schokkende nieuws. 'De man die de rol speelt van Renwicks geest zit nu achter jou aan, nietwaar? Hij weet dus dat mijn tante en ik bij jou logeren. Misschien weet hij zelfs dat jij mij wilt helpen. Ik heb me niet gerealiseerd...'

'Madeline, rustig nu maar.'

Ze strekte haar schouders en keek hem aan. 'Hij was absoluut van plan jou te vermoorden vannacht. We moeten ervan uitgaan dat hij het nogmaals zal proberen.'

Artemis vertrok geen spier toen ze die conclusie uitsprak 'Kan zijn. Maar niet meteen. Hij zal de volgende keer veel zorgvuldiger te werk gaan. Hij weet immers dat ik na vannacht zeer op mijn hoede zal zijn.'

'Hij weet nog veel meer, sir. Je hebt met hem gevochten. Dat betekent dat hij nu weet dat jij een Vanzaan bent.'

'Ja.' Artemis lachte grimmig. 'En aangezien hij heeft verloren weet hij ook dat ik zijn meerdere ben in de vechtkunst. Ik denk dat we rustig kunnen aannemen dat hij in de toekomst minder roekeloos zal zijn.'

Ze huiverde. 'Wat heb je tegen je metgezel gezegd? Heb je hem enige uitleg gegeven?'

'Welnee. Hij nam klakkeloos aan dat het een straatrover was.

En dat heb ik zo gelaten.' Artemis staarde in zijn glas.

'O,' zei ze weer. 'Uit je toon kan ik opmaken dat je niet veel op hebt met de man die bij je was.'

Artemis antwoordde niet. In plaats daarvan bracht hij het glas naar zijn mond en dronk.

Ze besloot het over een andere boeg te gooien. 'Ben je in je clubs of in de speellokalen nog iets te weten gekomen?'

'Heel weinig. In elk geval is geen van de heren uit de hogere kringen vereerd met een bezoek van een geest.'

'De meeste heren uit de hogere kringen zullen niet graag toegeven dat ze een spook hebben gezien,' zei Madeline droog.

'Daar heb je gelijk in.'

Madeline schraapte haar keel. 'Toen jij weg was is die jongeman die allerlei inlichtingen voor je verzamelt aan de deur geweest.'

'Zachary? Wat had hij te melden?'

'Hij zei dat Eaton Pitney al een paar dagen niet meer gezien is. De buren geloven dat hij naar zijn buitenhuis op het platteland is gegaan. De huishoudster, die tweemaal per week bij hem komt, heeft te horen gekregen dat ze pas volgende maand hoeft terug te komen.'

Artemis staarde in de vlammen. 'Interessant.'

'Ja, dat vond ik ook.' Ze aarzelde. 'Ik weet niet of dit het juiste moment is om te bespreken wat onze volgende stap zal zijn, sir, maar nadat Zachary was vertrokken heb ik eens goed nagedacht. Ik vind het heel vreemd dat Pitney juist nu de stad uit is. Hij reist tegenwoordig nog maar heel weinig, en toch is hij, vlak nadat hij mij dat briefje heeft gestuurd, naar het platteland vertrokken.'

'Dat is inderdaad vreemd,' zei Artemis overdreven bezorgd. 'Je zou zelfs kunnen zeggen dat het hoogst verdacht is.'

Ze fronste haar wenkbrauwen. 'Hou je mij voor de gek, sir?'

Hij vertrok even zijn mond. 'Dat zou ik absoluut niet durven! Ga verder, alsjeblieft.'

'Nou, ik dacht zo... het kan toch zijn dat Pitney de stad is ontvlucht omdat er opnieuw iets raars is gebeurd. Misschien is de indringer teruggekeerd en heeft hij Pitney bang gemaakt of bedreigd. Hoe dan ook, ik ben tot de conclusie gekomen dat wij maar één ding kunnen doen.'

'Goh!' Er glinsterde een gevaarlijk lichtje in Artemis' ogen. 'En wat mag dat dan wel zijn, madam?'

Ze stak haar kin in de lucht en keek hem wantrouwig aan. Ze wist niet wat ze van hem denken moest. Toen boog ze zich naar voren en dempte haar stem, hoewel er niemand anders in de kamer was. 'Ik stel voor om het huis van Pitney te doorzoeken terwijl hij op het platteland zit. Misschien vinden we iets belangrijks, de een of andere hint die ons duidelijk maakt waarom hij de stad heeft verlaten.'

Tot haar verbazing knikte Artemis. 'Goed idee. Ik heb daar eerder op de avond ook aan gedacht.'

'Wist je dan dat hij de stad uit was?'

Hij haalde zijn schouders op. 'Iemand aan een van de kaarttafels had het erover.'

'Ja, ja.' Ze werd wat levendiger. 'Nou, dan zitten we blijkbaar op één lijn met onze gedachten, sir. Dat is heel bevredigend, nietwaar?'

Hij keek haar met een raadselachtige blik aan. 'Maar niet zo bevredigend als een paar andere dingen die we samen zouden kunnen doen.'

Ze besloot die opmerking te negeren. Hij was echt in een zonderlinge bui, dacht ze. Maar goed, ze kende hem eigenlijk helemaal niet. Misschien was dit wel zijn normale manier van doen. Ze besloot het gesprek strikt zakelijk te houden.

'Ik denk dat we het beste naar het huis van Pitney kunnen gaan als het helemaal donker is,' dacht ze hardop.

'Maar dan lopen we het risico dat de buren zien dat er licht brandt. Nee, dat vind ik geen goed plan.'

'O.' Ze dacht ingespannen na. 'Vind jij dat we overdag naar binnen moeten gaan? Lopen we dan geen risico gezien te worden?'

'Er is een hoge muur om de tuin van Pitney. Als ik eenmaal in die tuin ben, kan geen sterveling me meer zien.'

Het duurde een paar seconden voor ze begreep wat hij bedoelde. En toen het muntje gevallen was werd ze witheet van woede. 'Dat had je gedacht, sir! Jij denkt toch niet dat je daar in je eentje naartoe kunt gaan, wel? Dit is míjn plan en ík ga het uitvoeren.'

Zijn ogen vernauwden zich. 'Daar komt niets van in. Jij blijft hier terwijl ik het huis van Pitney doorzoek.'

Zijn arrogante vertoon van macht was te veel voor haar. Ze sprong overeind. 'Ik sta erop mee te gaan, sir!'

'Die gewoonte van jou om over alles ruzie te maken begint mij danig te irriteren, Madeline.' Hij zette langzaam en voorzichtig zijn lege glas op het tafeltje naast zich. 'Jij hebt mij ingehuurd om een onderzoek voor je te verrichten, maar je blijft zaniken over elke beslissing die ik neem.'

'Dat is helemaal niet waar.'

'Het is wel waar. Ik word er zo langzamerhand doodziek van.'

Ze balde haar vuisten. 'Je vergeet je plaats, sir.'

Artemis bewoog geen vin, maar ze wist meteen dat ze een grote fout had gemaakt.

'Mijn plaats?' herhaalde hij met gruwelijk vlakke stem. 'Ik neem aan dat het moeilijk voor je is om mij in deze zaak als je gelijke te zien. Ik ben tenslotte een ordinaire zakenman.'

Haar mond werd droog. 'Ik bedoel jouw plaats met betrekking tot onze overeenkomst, sir,' zei ze haastig. 'Het is niet mijn bedoeling de indruk te wekken dat ik jou geen heer vind, alleen maar omdat... eh...'

'Alleen maar omdat ik de Droomverkoper ben?' Hij kwam overeind met de soepele, trage bewegingen van een kat die in de tuin een vogeltje ziet.

'Jouw zaken hebben hier niets mee te maken,' zei ze, naar ze hoopte, vol overtuiging.

'Het verheugt me dat te horen, madam.' Hij deed zijn hand open. Ze hoorde een tikje en zag dat hij een klein voorwerp op het tafeltje smeet. Ze kon niet zien wat het was, maar ze ving een goudachtige glans op.

Artemis liep naar haar toe. Ze keerde met een ruk haar hoofd om.

'Artemis?'

'Het is bijzonder vriendelijk van je dat je mijn burgerlijke broodwinning over het hoofd wilt zien, madam.' Zijn glimlach was ijskoud. 'Maar ja, je kunt het je natuurlijk niet permitteren om kieskeurig te zijn, nietwaar?'

Ze deed een stap achteruit en merkte dat ze tegen de muur naast de schouw terechtkwam.

'Sir, ik geloof dat dit niet een goed moment is om ons gesprek voort te zetten. Het is misschien beter dat ik naar bed ga. Morgenochtend, bij het ontbijt, kunnen we onze plannen om het huis van de heer Pitney te doorzoeken verder uitwerken.'

Hij kwam nog dichterbij en zette zijn grote handen aan weerszijden van haar hoofd tegen de muur, zodat ze gevangen was. 'Integendeel, Madeline. Ik denk dat we nu moeten praten over jouw denkbeelden omtrent mijn *plaats*.'

'Een andere keer, sir.'

'Nu.' Zijn glimlach was nog steeds kil. Maar zijn ogen niet. 'Volgens mij heb je helemaal niet het recht om je vol walging af te keren van mijn zakelijke bezigheden. Er wordt tenslotte beweerd dat jij je eigen echtgenoot om het leven hebt gebracht en dat je daarna zijn huis in brand hebt gestoken om die misdaad te verdoezelen.'

'Eh... Artemis...'

'Ik wil best toegeven dat jouw reputatie je een tikje hoger op de sociale ladder plaatst dan een heer die zich met handeldrijven bezighoudt, maar op z'n hoogst één of twee treetjes, meer niet.'

Ze haalde diep adem en merkte meteen dat dat alweer een kapitale fout was. Zijn geur, een mengeling van opgedroogd zweet, cognac en een onbekend luchtje dat specifiek van hem was, maakte haar een beetje duizelig.

'Sir, je bent blijkbaar vannacht niet jezelf. Ik denk dat die ontmoeting met die Vanza-schurk je zenuwen een schok heeft bezorgd. '

'Denk je dat?'

'En dat is ook logisch,' verzekerde ze hem ernstig. 'Als degene die jou aanviel werkelijk Renwick was, dan heb je geluk dat je het hebt overleefd.'

'Ik heb niet met een geest gevochten, Madeline. En in alle bescheidenheid wil ik eraan toevoegen dat ik meer heb gedaan dan het overleven. Ik heb die rotzak op de vlucht gejaagd. Maar mijn zenuwen zijn inderdaad een tikje in de war.'

'Daar heeft mijn tante een prima drankje voor.' Haar stem klonk veel te hoog. 'Zal ik even naar boven rennen en een paar flesjes voor je halen?'

'Ik weet dat er maar één remedie voor mij is.'

Hij boog zijn hoofd en kuste haar. Het was een zware, bedwelmende, eisende kus die haar gezonde verstand alle hoeken van de kamer liet zien. Trillend en ademloos keek ze hem aan. Een huivering van opwinding ging door haar heen. Ze wist feilloos dat hij haar reactie had gevoeld.

Hij kreunde, kwam nog dichterbij en kuste haar opnieuw. Ze voelde zich in de greep van een verlangen waartegen ze zich niet kon verzetten. Ze voelde dezelfde duizelingwekkende draaikolk van emoties die ze had ervaren toen hij voor het eerst, bij het Spookhuis, had gekust.

'Madeline...' Zijn lippen vormden haar naam tegen haar mond. 'Verdomme, vrouw, je had hier vannacht niet binnen moeten komen.'

Ineens werd ze roekeloos. Het was alsof ze zojuist had geleerd dat ze kon vliegen als ze haar zinnen daarop zette.

Hij is de Droomkoopman, waarschuwde ze zichzelf. *Dit soort mooie illusies is een onderdeel van zijn handeltje.*

Maar sommige dromen waren hun geld waard.

'Ik neem mijn eigen beslissingen, Artemis.' Ze sloeg haar armen om hem heen en leunde tegen zijn borst. 'Ik wilde jouw kamer binnen gaan.'

Hij hief zijn hoofd op zodat hij haar kon aankijken. 'Als je blijft ga ik met je vrijen. Dat begrijp je toch wel? Ik ben deze nacht niet in de stemming om spelletjes te spelen.'

Het vuur dat in zijn binnenste brandde was heter dan het vuur in de haard. En het leek alsof zij ook steeds warmer werd. Iets wat volgens haar voor altijd was uitgedoofd vlamde weer op. Maar één ding wilde ze nog weten.

'Die eh... aandrang van jou, sir...'

Hij streek met zijn mond over de hare. 'Ik verzeker je dat mijn verlangen om met jou te vrijen meer is dan een doodgewone aandrang.'

'Ja, best, maar ik bedoel, is het niet alleen omdat een weduwe een vreemde aantrekkingskracht schijnt te bezitten? Want ik zou het vreselijk vinden als dat het was...'

'Hoe het komt of waardoor het komt weet ik niet, maar de aantrekkingskracht is er, Madeline.' Hij kuste haar hartstochtelijk om elk woord te onderstrepen. 'De lieve Heer zij mij genadig, jij trekt mij echt ongelooflijk aan.'

De hese klank in zijn stem maakte een stroom van vrouwelijke macht in haar los. Ze voelde zich ineens heel licht in haar hoofd. Ze legde haar handen op zijn schouders en spreidde haar vingers. Onder de stof van zijn hemd voelde ze zijn spieren en botten. Ze glimlachte traag en keek naar hem op vanonder haar wimpers.

Het is inderdaad aantrekkelijk om weduwe te zijn, vond ze. Ze voelde zich in elk geval vannacht heel frivool.

'Weet je zeker dat je het risico durft te nemen met de Verdorven Weduwe naar bed te gaan?' vroeg ze zacht.

Zijn ogen werden donker bij haar uitdagende toon. 'Is het even gevaarlijk om je minnaar te zijn als om je echtgenoot te zijn?'

'Dat weet ik niet, sir. Ik heb nog nooit een minnaar gehad. Je zult de gok moeten wagen.'

'Mag ik je eraan herinneren, madam, dat je hier een man voor je hebt die vroeger zijn brood verdiende aan de kaarttafels?' Hij woelde met uitgespreide vingers door haar haar, waardoor het mutsje weer af viel. Zijn hand sloot rond haar nek. 'Ik ben bereid de gok te wagen, als de inzet de moeite waard is.'

Hij tilde haar op en droeg haar naar de brede, donkerrode bank. Voorzichtig liet hij haar op de zachte kussens zakken. Toen keerde hij zich om.

Ze zag hem de kamer door lopen en hoorde dat hij de deur op slot deed. Weer schoot er een golf van achterdocht door haar heen. Ze had het gevoel dat ze aan de rand van een klif stond en neerkeek op de wildschuimende golven van een onbekende zee. De drang om te springen was bijna onweerstaanbaar.

Artemis kwam naar haar toe. Hij friemelde aan de knopen van zijn hemd. Toen hij weer bij de bank was lag het kledingstuk op de grond.

In het licht van de vlammen zag ze een kleine tatoeage op zijn borst. Ze herkende er de Bloem van Vanza in. Vreemd genoeg werd ze bij het zien daarvan niet met beide voeten op de aarde gezet. Er kwamen geen oude angsten of slechte herinneringen bij haar op. Ze staarde alleen maar naar de machtige omvang van Artemis' borst. De kracht die hij uitstraalde was opwindend en verleidelijk en ongelooflijk bevredigend voor al haar zintuigen.

Hij ging naast haar voeten zitten en trok zijn laarzen uit. Een voor een vielen ze op het tapijt. De gedempte ploffen klonken als alarmbelletjes.

Maar toen ze zijn brede schouders zag, die door de vlammen een goudachtige bronskleur kregen, was er geen belletje meer te horen. Hij was slank en gespierd en overweldigend mannelijk. Ze zat gevangen in een gelukzalige, hardnekkige wolk van opwinding die sterker was dan enig drankje dat Bernice ooit had gebrouwd.

Automatisch stak ze een hand uit en gleed ze met haar vinger langs de bochtige spierbundel op zijn bovenarm. Artemis greep haar hand, keerde hem om, en kuste de gevoelige huid van haar pols.

Toen ging hij boven op haar liggen en drukte haar met zijn gewicht in de kussens. Hij had alleen zijn broek nog aan, maar die kon zijn hevige opwinding niet verbergen. Hij schoof een been tussen haar dijen. Ze voelde dat haar peignoir weg schoof. Haar dunne nachtjapon was geen belemmering voor zijn handen. Zijn vingers sloten om haar borst. Ze had het gevoel dat ze koorts had.

Hij kuste een tepel en daarna de andere, waardoor het dunne mousseline vochtig werd. Zijn vingers bewogen over haar heen en gleden naar de ronding van haar heup. Zijn handpalm omvatte haar dij en kneep er zachtjes in.

Ze hapte naar adem toen ze voelde dat haar lichaam reageerde. Tussen haar benen leek een geheime, hete bron te zitten, die haar volkomen van haar stuk bracht. Ze klemde haar armen om de blote rug van Artemis, en genoot van het stevige, gespierde houvast dat hij bood. Zijn harde, trillende mannelijkheid drukte tegen haar bovenbeen.

Zijn ene hand gleed naar de binnenkant van haar dij, naar het geheime plekje waar de spanning zich opbouwde. Met een vinger begon hij haar voorzichtig te masseren. Er ging een heftige schok door haar heen.

'Artemis.'

'Bepaalde gokjes,' zei hij met een stem die droop van voldoening, 'zijn inderdaad de moeite waard.'

'Ik ben tot precies dezelfde conclusie gekomen, sir.'

Ze wist allang niet meer hoe ze normaal adem moest halen, maar toen hij de zoom van haar nachtjapon omhoog trok tot boven haar middel, dacht ze dat ze zou stikken.

Hij hield even op om zijn broek los te maken. Toen duwde hij zijn lid in haar hand. Ze boog haar vingers eromheen, verwonderd over het gladde, harde oppervlak.

Ze hoorde dat hij zijn adem inzoog bij haar aanraking.

Daardoor aangemoedigd verstevigde ze haar greep. Artemis verstijfde. 'Als jij zo door blijft gaan zullen we allebei teleurgesteld worden.'

Ze schrok en liet hem meteen los. 'Neem me niet kwalijk. Ik wilde je geen pijn doen.'

Hij stootte een korte, hese lach uit en legde zijn klamme voorhoofd tegen het hare. 'Ik kan je verzekeren dat dit verre van pijn doet. Ik wil alleen maar dat het niet te snel voorbij is.'

Ze lachte stralend tegen hem. 'Ik ook niet. Eerlijk gezegd wil ik de rest van de nacht best zo doorbrengen.'

'Als jij denkt dat je urenlang deze marteling kunt volhouden, dan kun je een Vanza-meester misschien een paar lessen in zelfbeheersing geven.'

'Lieve hemel, is dit een marteling voor je?'

Hij kuste haar hals. 'Ja.'

'Dat wist ik niet,' zei ze bezorgd. 'Ik wil je niet laten lijden, Artemis.'

Opnieuw moest hij lachen. 'Je bent te vriendelijk, mijn schat. Ik zal me graag onderwerpen aan alles wat je met me wilt doen.'

Hij bewoog zich even. Zij had zich niet gerealiseerd dat hun positie was veranderd, tot ze ineens voelde dat zijn lid langzaam maar zeker het hete plekje tussen haar dijen naderde.

Opnieuw ging er een huivering door haar heen. 'Artemis?'

'Ja, ik weet het. Er blijft niet veel over van die veelgeroemde zelfbeheersing van jou, nietwaar?' Het klonk alsof hij plezier had. 'Het is goed, mijn liefste,' fluisterde hij binnensmonds, 'ik kan ook niet langer wachten.'

Hij kwam een beetje overeind en nam haar toen met een stevige, lange stoot.

Ze wist genoeg van het een en ander om te verwachten dat het een beetje pijn zou doen, maar ze was niet voorbereid op het gevoel alsof ze met brute kracht uit elkaar getrokken werd.

'Artemis!' Ze kon nauwelijks een woord uitbrengen. Zijn naam klonk als een jammerklacht.

Hij bleef roerloos boven op haar liggen. 'Grote goedheid!'

Ze merkte dat ze lag te snikken als een gewond hondje. 'Wil je alsjeblieft.. eh... van mij af gaan? Ik geloof dat we een probleem hebben.'

'Madeline.' Er ging een hevige huivering door hem heen. Elke spier in zijn lichaam was gespannen als een boog. 'Waarom heb je het me niet verteld? Hoe kan dat nou? Verdomme nog aan toe, je bent getrouwd geweest!'

'Maar ik ben nooit een echtgenote geweest.'

'De advocaten,' kreunde hij tegen haar borst. 'De nietigverklaring. Het is nooit bij mij opgekomen dat die was gebaseerd op feiten.'

Ze klemde haar kiezen op elkaar en duwde tegen zijn schouders. 'Ik weet heus wel dat dit allemaal mijn schuld is, maar tot mijn verdediging kan ik alleen maar aanvoeren dat het niet in me is opgekomen dat jij zo slecht in mij zou passen. Wil je nu alsjeblieft onmiddellijk van mij af gaan?'

'Niet doen,' zei hij dringend toen ze overeind wilde komen. 'Alsjeblieft, verroer je even niet.'

'Maar ik wil dat je ogenblikkelijk van me af gaat.'

'Dit is niet hetzelfde als mij uit je salon smijten. Madeline, ik waarschuw je, verroer je niet.'

'Hoe vaak moet ik je nog vertellen dat ik geen bevelen van jou aanneem?' Ze wrong zich in bochten onder hem in een poging te ontkomen aan zijn loodzware gewicht en de intense volheid tussen haar benen.

Het was alsof ze hem had gestoken. Hij begon zich terug te trekken, maar er ging iets verschrikkelijk mis. Zijn zware lichaam begon hevig te trillen. Hij begon te kreunen met een geluid dat diep onderuit zijn keel leek te komen.

Angstig plantte ze haar nagels in zijn schouders. Ze bleef roerloos liggen, durfde geen vin meer te verroeren en voelde dat hij heftig in haar begon te bewegen.

Toen het voorbij was, viel hij slap tegen haar aan.

Er viel een doodse stilte.

'O, verdomme, verdómme!' zei hij met grote spijt.

Langzaam probeerde ze moed te verzamelen.

'Artemis?'

'Wat nou weer, madam? Ik waarschuw je, mijn zenuwen kunnen vannacht niet veel meer hebben. Misschien moet ik je vragen naar boven te gaan om een van die beroemde drankjes van je tante te halen.'

'Het is niets bijzonders, echt niet.' Ze bevochtigde haar lippen. 'Alleen maar dat, nou ja, ik wilde zeggen dat deze houding niet meer zo onplezierig is als een paar minuten geleden.'

Zijn hart sloeg twee slagen over. Toen hief hij langzaam zijn hoofd op en keek met grimmige ogen op haar neer.

'Pardón?' zei hij op ijzig beleefde toon.

Ze wist een vaag, verontschuldigend lachje te voorschijn te persen. 'Het is goed nu, echt waar. Ik was zoëven misschien wat overhaast, maar ik geloof dat je toch wel in mij past.'

'God hemelse deugd!' Deze keer klonken zijn woorden zo binnensmonds dat ze bijna onverstaanbaar waren.

Ze schraapte haar keel. 'Wil je het misschien nog een keer proberen?'

'Wat ik wil is een verklaring,' siste hij tussen zijn tanden.

Hij richtte zich op en ging staan. Ze kreeg ineens een verdrietig en eenzaam gevoel toen hij haar zijn rug toekeerde en zijn broek dichtknoopte.

Zonder een woord te zeggen gaf hij haar een grote, witlinnen doek. Gekwetst nam ze hem aan. Ze was dankbaar dat haar zware, gewatteerde peignoir het grootste deel van het bewijs van haar nachtelijke activiteiten had geabsorbeerd. Ze hoefde in elk geval niet bang te zijn voor de wetende blik van de huishoudster morgenochtend.

Ze verzorgde zich zo goed ze kon, haalde diep adem en stapte toen snel uit bed. Maar haar knieën leken wel van watten gemaakt te zijn en wilden haar niet dragen. Ze stak haar hand uit om zich aan de armleuning van de bank vast te grijpen. Artemis ving haar op en drukte haar met verrassende tederheid – gezien zijn slechte humeur – tegen zich aan.

'Alles goed?' vroeg hij bars.

'Ja, natuurlijk.' Boosheid en trots schoten haar te hulp. Ze bond de band van haar peignoir stevig om haar middel. Toen merkte ze dat ze nog steeds de linnen doek die hij haar had gegeven in haar hand had. Ze wierp er een blik op en zag dat er vlekken op zaten. Verlegen propte ze hem in haar zak.

Artemis liet haar los en ging voor het haardvuur staan. Hij legde zijn arm op de schoorsteenmantel en staarde in de vlammen.

'Er werd destijds verteld dat jouw vader informatie aan het inwinnen was omtrent de nietigverklaring van een huwelijk,' zei hij met toonloze stem. 'Nu pas begrijp ik dat jij echt grond had om je huwelijk te laten annuleren.'

'Ja.' Ze staarde triest in het vuur. 'Maar ik zou elke grond hebben aangepakt om aan dat huwelijk te ontsnappen.'

Hun ogen ontmoetten elkaar. 'Was Deveridge impotent?'

'Dat weet ik niet.' Ze schoof haar koude handen in de wijde mouwen van haar peignoir. 'Ik weet alleen dat hij totaal geen belangstelling voor mij had. Niet op die manier. Helaas kwam ik daar pas in onze huwelijksnacht achter.'

'Waarom is hij eigenlijk met je getrouwd als hij niet in staat is de meest fundamentele plicht van een echtgenoot te vervullen?'

'Ik denk dat ik nu wel duidelijk genoeg heb uitgelegd dat Renwick niet van mij hield. Hij had geen belangstelling voor het huwelijk als zodanig. Hij wilde alleen maar de donkerste, diepste geheimen van het Vanza te weten komen. Hij was ervan overtuigd dat mijn vader hem daarbij kon helpen door hem de oude Vanzataal te leren.'

Artemis' hand klemde om de rand van de schouw. 'Ja, natuurlijk. Ik kan geloof ik niet meer helder denken. Neem me alsjeblieft niet kwalijk.'

'Je hebt een veelbewogen nacht achter de rug,' troostte ze.

'Dat kun je wel zeggen, ja.'

'Zal ik nu dan maar een drankje van mijn tante voor je...'

Hij keek haar alleen maar aan. 'Als jij nog één keer over die stomme drankjes begint sta ik niet meer voor mezelf in.'

Het begon haar ineens allemaal te irriteren. 'Ik wilde alleen maar helpen, hoor.'

'Geloof me, madam, je hebt al meer dan genoeg gedaan voor één nacht.'

Ze aarzelde even en besloot toen het beetje wat ze van Renwicks gedrag begrepen had aan hem te vertellen. 'Ik heb je al verteld dat ik op een dag de kamer van mijn man heb doorzocht.'

Artemis keek haar onderzoekend aan. 'Ja, en?'

'Ik heb toen een paar van zijn notities gelezen. Daarin stond dat hij ervan overtuigd was dat zijn impotentie te wijten was aan zijn toewijding aan de Vanza-leer.Hij schreef dat hij zich met zijn hele energie op zijn studie moest concentreren om in staat te zijn de oude geheimen betreffende de alchemie te ontcijferen en te doorgronden.'

'Ik begrijp het.' Artemis trommelde met zijn vingers op de schoorsteenmantel. 'En jij had er geen notie van dat hij totaal geen interesse had voor echtelijke plichten, tot je huwelijksnacht was aangebroken?'

'Ik weet dat het moeilijk te begrijpen is, sir.' Ze zuchtte. 'Geloof me, ik ben tientallen keren in gedachten teruggegaan naar de weken voor mijn huwelijk en heb me afgevraagd hoe ik zo stom heb kunnen zijn.'

Hij fronste zijn wenkbrauwen. 'Madeline...'

'Het enige wat ik je kan vertellen is dat Renwick een duivel uit de hel was die eruitzag als een engel uit de hemel.' Ze sloeg haar armen om zichzelf heen. 'Hij dacht dat hij ons allemaal met zijn charme om zijn vinger kon winden. En dat lukte hem ook een tijdlang.'

Artemis' kaken werden strak. 'Ben je verliefd op hem geworden?'

Ze schudde haar hoofd. 'Achteraf denk ik dat hij een soort magie gebruikte om de waarheid omtrent zichzelf te verbergen. Maar dat is een te gemakkelijke verklaring. Ik moet gewoon eerlijk zijn... Renwick wist precies hoe hij mij kon verleiden.'

Voor het eerst sinds het incident op de sofa vertrok de mond van Artemis in een geamuseerde grijns. 'Maar blijkbaar heeft hij je niet overweldigd met zijn hartstocht.'

'Nee, natuurlijk niet,' zei ze vinnig. 'Hartstocht zal op de een of andere manier best prima zijn, neem ik aan. Maar ik was niet zo jong en naïef om dat te verwarren met liefde.'

En die fout moet ik vannacht ook niet maken, hield ze zichzelf grimmig voor.

'Natuurlijk niet,' mompelde hij. 'Geen enkele vrouw met een uniek temperament en een sterke wilskracht als de jouwe zou haar gezonde verstand en logica in verwarring laten brengen door een onbeduidende emotie als hartstocht.'

'Precies. Ik heb heel wat bedenkingen tegen de Vanza-filosofie, ik moet er in feite niets van hebben, dat weet je.'

'Inderdaad, je hebt je gevoelens omtrent dat onderwerp meerdere malen luid en duidelijk verkondigd.'

'Maar ik ben nu eenmaal opgegroeid in een gezin waarin Vanzanormen en -principes golden, en ik moet bekennen dat bepaalde afwijzingen ten aanzien van hevige passies mij wel aanstonden.' Ze aarzelde even. 'Renwick was zo uitgekookt om dat te begrijpen. Ik denk dat hij daar handig gebruik van maakte om mijn gunsten te verwerven en die tactiek was absoluut verleidelijker dan hartstocht.'

'Wat is er nu verleiderlijker dan passie voor een vrouw met jouw temperament, madam?' Hij wierp haar een eigenaardige, ondeugende blik toe. 'Ik wil best toegeven dat ik daar heel nieuwsgierig naar ben.'

'Sir, ik begrijp niet waar je heen wilt. Verveel ik je, of zo?'

'Ik weet het niet,' zei hij eerlijk. 'Vertel maar verder.'

'Nou ja, hij zei dat hij diepe bewondering had voor mijn intelligentie en bekwaamheden.'

'Aha! Nu begrijp ik het. In het kort gezegd: hij zei dat hij verliefd was op je hersens.'

'Zoiets, ja. En ik, stomme idioot, geloofde hem!' Ze sloot haar ogen bij de herinneringen die in haar opkwamen. 'Ik dacht echt dat wij voor elkaar bestemd waren. Twee zielen verbonden door een magische band, die boven het lichamelijke uit steeg en ons op een hoger plan samen zou brengen.'

'Dat moet een verduiveld sterke band zijn.'

'Nou ja, ten slotte bleek het een illusie te zijn.'

Artemis keek neer op de vlammen in de haard. 'Als ook maar de helft van wat je me hebt verteld de waarheid is, dan was die Renwick Deveridge inderdaad volkomen gestoord.'

'Ja. Maar zoals ik al zei, dat heeft hij in het begin geraffineerd weten te verbergen. En na onze huwelijksnacht werd mij snel duidelijk dat er iets behoorlijk mis was.'

'Nou ja, gestoord of niet, de man is nu dood en begraven,' zei Artemis terwijl hij in de vlammen staarde. 'Maar het lijkt alsof iemand ons nu wil laten geloven dat hij is opgestaan uit zijn graf.'

'Als het niet de geest van Renwick is moet het iemand zijn die hem goed genoeg heeft gekend om hem te imiteren. En het moet een Vanzaan zijn.'

'We moeten informatie inwinnen over het verleden van

Deveridge. Morgenochtend zal ik Henry Leggett opdracht geven zich daarin te verdiepen.' Artemis keerde zich om en keek haar aan. 'En intussen moeten wij de situatie waarin we ons bevinden het hoofd zien te bieden.'

'Wat bedoel je?'

'Dat weet je best.' Hij wierp een blik op de rode bank en keek haar toen weer aan. 'Het is duidelijk te laat om nu nog mijn verontschuldigingen aan te bieden voor hetgeen in deze kamer heeft plaatsgevonden...'

'Dat hoeft ook niet,' viel ze hem snel in de reden. 'Of ík zou dat moeten doen.'

Hij trok één wenkbrauw op. 'Daar ga ik geen ruzie over maken.'

Ze kreeg een kleur. 'Hoe dan ook, sir, er is gewoon niets veranderd.'

'Niets?'

'Ik bedoel, ik ben nog steeds een weduwe met een zekere reputatie. Ik woon momenteel onder jouw dak. Als dat bekend wordt zullen de mensen ongetwijfeld het ergste denken, namelijk dat wij een affaire hebben.'

'En dat klopt nu dus ook.'

Ze klemde de kraag van haar peignoir tegen haar hals en stak haar kin in de lucht. 'Waar of niet waar, zoals ik al zei: er is helemaal niets veranderd. Wij bevinden ons in dezelfde positie als voor de... eh... gebeurtenis die op de bank plaatsvond.'

'Niet helemaal.' Hij liep naar haar toe. 'Maar vannacht zullen we daar niet verder op in gaan. Ik vind dat we allebei genoeg opwinding hebben beleefd voor één dag.'

'Maar, Artemis...'

'We hebben het er nog wel over.' Hij pakte haar arm. 'Als we allebei een behoorlijke nachtrust hebben gehad en erover nagedacht hebben. Kom, Madeline, nu moet je echt naar bed.'

Maar daar had zij nog geen zin in. 'We moeten toch plannen maken! We moeten het huis van Pitney doorzoeken...'

'Later, Madeline.'

Hij verstevigde zijn greep om haar elleboog en duwde haar met zachte drang naar de deur. Toen ze het tafeltje naast de fauteuil passeerden viel haar oog op een klein, glanzend plaatje. Ze keek ernaar en zag dat het het voorwerp was dat Artemis in zijn hand had gehad toen zij binnenkwam.

Voor ze er een vraag over kon stellen stond ze echter al voor de deur.

'Welterusten, Madeline.' Zijn blik werd zachter toen hij haar door de deuropening schoof. 'Probeer wat te slapen. Ik vrees dat je lange tijd niet behoorlijk hebt geslapen. Dat komt door je zenuwen, zie je. Vraag maar aan je tante.'

Hij kuste haar met verrassende tederheid en deed toen vastberaden de deur voor haar neus dicht. Ze bleef nog een hele tijd naar het glanzende hout staan staren en liep toen langzaam naar de trap die naar haar slaapkamer voerde.

Toen ze zich tussen de lakens liet glijden dacht ze aan het kleine voorwerp op het tafeltje. Ze wist bijna zeker dat het een gouden horlogekettingplaatje was.

11

Er was een Onbekende binnen. Zijn ergste nachtmerries werden bewaarheid. Ze hadden iemand gestuurd om hem te laten ophouden.

Hij wist al jaren dat hij in de gaten werd gehouden door Onbekenden, die hem bespioneerden en achtervolgden. Hij was er ook allang mee gestopt zijn vrienden uit te leggen waarom hij niemand meer kon vertrouwen. Ze dachten dat hij gek was, maar hij wist wel beter. De Onbekenden zaten achter hem aan omdat ze wisten dat hij bijna de diepste Vanza-geheimen had ontrafeld. Ze wachtten tot hij de magische kennis – die hij door middel van de oude taal had weten te ontcijferen – bekend zou maken. Als hij de sleutel had gevonden zouden ze binnenkomen en hem stelen.

Het feit dat een van hen gisteravond in huis was geweest betekende dat hij heel, heel dicht tot de grote ontknoping was genaderd.

Hij klemde het boek dat hij bij zich had met trillende handen tegen zijn borst toen hij de Onbekende hoorde binnenkomen en legde zijn oor tegen de muur. Gelukkig was hij in de geheime gang. Jaren geleden, kort na de dood van zijn vrouw, had hij die gang aangelegd. In die tijd was hij jonger en veel sterker geweest dan nu. Hij had natuurlijk alles zelf gedaan. Je kon timmerlieden en bouwvakkers nooit vertrouwen. Dat konden gemakkelijk allemaal spionnen van de Onbekenden zijn.

Al heel vroeg in zijn leven had hij gevoeld dat hij op een dag iets heel bijzonders zou ontdekken in de oude boeken en teksten van Vanza. Hij begreep dat het nodig was om zichzelf te beschermen. De Onbekenden waren toen al begonnen hem te bespieden. In het begin was dat heel sporadisch geweest. Maar naarmate de tijd verstreek voelde hij dat hij voortdurend in de gaten werd gehouden. Daarom had hij voorbereidingen getroffen. Vandaag zou blijken of ze werkten.

Hij bleef roerloos in de donkere gang staan en concentreerde zich op de Strategie van de Onzichtbaarheid. Hij was moederziel alleen in het oude, stenen huis. Tot voor kort mocht de huishoudster tweemaal per week komen schoonmaken, maar hij had haar voortdurend in het oog gehouden. Hij had er vooral op gelet dat ze niet stiekem naar de kelder zou gaan. Koken deed hij zelf. Dat was natuurlijk niets voor een heer, maar als je werd bespioneerd door Onbekenden kon je het je niet veroorloven de normen in acht te nemen. Dan moest men eenvoudig doen wat men kon. Het ontcijferen van de geheime Vanza-teksten was veel belangrijker dan zijn mannelijke trots.

De vloer aan de andere kant van de muur kraakte. De Onbekende had blijkbaar ontdekt dat er niemand thuis was, want hij was weliswaar zachtjes binnengekomen, maar nu maakte hij heel wat lawaai en dat was niets voor een Vanzaan.

Eaton Pitney grinnikte in zijn donkere verblijfplaats. Hij had hier en daar bij zijn buren laten doorschemeren dat hij een poosje naar zijn buitenhuis zou gaan, en dat praatje had blijkbaar de ronde gedaan. Hoewel... het had niet helemaal gewerkt zoals hij had bedoeld. Hij had gehoopt dat de Onbekenden ook naar zijn buitenhuis zouden gaan, en dat hij hier een beetje rust zou krijgen.

In plaats daarvan hadden ze er toch ééntje hierheen gestuurd om zijn huis te doorzoeken.

Hij hoorde een zachte bons. Er volgden nog een paar geluiden. Het duurde even voor hij erachter kwam dat de Onbekende naar boven was gegaan. Hij stond zichzelf een licht gevoel van voldoening toe. Dacht de indringer dat hij zo stom was om zijn notities te laten slingeren waar iedereen ze zomaar kon stelen?

De jongere generatie van Vanzanen kon nog het een en ander leren van hun oudere broeders.

Hij luisterde naar het geluid van laden die opengetrokken en weer dichtgeschoven werden. De vloer kraakte. Er klonken nog meer gedempte geluiden. Eaton stond rustig in de geheime gang en wachtte. Het was best moeilijk om de geest volkomen uit te schakelen, en dat was nou juist nodig voor de Strategie van de Onzichtbaarheid. Hij leefde al jaren onder een hevige spanning, en zijn zenuwen waren niet meer zo sterk als ze eens waren geweest.

Hij drukte zijn oor tegen de muur, en probeerde de bewegingen, alsmede de geluiden, op te vangen. Hij hoopte wel vurig dat de indringer het geheim van de kelder niet zou ontdekken.

Het leek een eeuwigheid te duren voor hij de Onbekende de trap af hoorde komen. Eaton hield zijn adem in toen hij de deur die naar de ruimte onder de begane grond leidde, opende. De indringer liep de voorraadkamers door en zwierf een tijdje beneden rond. Maar na een poosje kwam hij weer naar boven. Eaton sloot even zijn ogen en stond zichzelf een lichte zucht van opluchting toe. De schurk had de verborgen kamer niet ontdekt.

Na verloop van tijd werd het stil. Eaton wachtte nog een halfuur om er absoluut zeker van te zijn dat de Onbekende was verdwenen. Toen hij ervan overtuigd was dat hij weer alleen in huis was, rekte hij zich uit. Zijn spieren deden pijn omdat hij zo lang in dezelfde houding had gestaan.

Vervolgens liep hij naar een paneel in de muur dat dienst deed als geheime deur naar de verborgen gang. Voor hij het paneel opende luisterde hij gespannen.

Geen geluid te horen.

Hij schoof het muurdeel open en stapte de donkere hal in. Daar bleef hij opnieuw staan om te luisteren.

De stilte was even dik als de mist op straat.

Eaton liep naar een verborgen trap die naar de ruimte onder het huis voerde. Hij pakte een kaars, stak hem aan en liep de stenen treden af. Hij wilde er zeker van zijn dat alles in zijn geheime kamer in orde was.

Hij liep langs de oude voorraadkamers, schoof een paneel opzij en daalde opnieuw een trap af. Nu stond hij in een gang met aan weerskanten langvergeten kamers die in de oude tijd als kerkers hadden gediend. De gang was in tijden van oorlog als ontsnappingsroute gebruikt.

Jaren geleden had hij deze ondergrondse ruimte ontdekt. Hij had er niemand iets over verteld. In plaats daarvan was hij begonnen er het een en ander aan te veranderen. Helemaal aan het eind had hij een geheime studeerkamer gebouwd en een laboratorium waar hij zijn belangrijke onderzoek kon verrichten zonder verrast te worden door de Onbekenden. Het had veel tijd en moeite gekost om zijn verborgen kamer met Vanza-valstrikken te beveiligen.

Aan de voet van de laatste trap opende hij een geheime deur. Hij stond op het punt de gang die naar de meest verborgen kamer van het hele huis voerde, te betreden, toen hij een laars over de vloer hoorde schrapen. Hij dacht dat zijn hart stil bleef staan. Hij keerde zich zo snel om dat zijn pijnlijke been onder hem wegschoot. De kaars viel uit zijn hand toen hij zich wild aan de paneeldeur vastklemde. Schaduwen flikkerden langs de stenen muren.

'Dacht jij nou echt dat je je geheimen voor mij kon verbergen, ouwe dwaas? Ik wist dat ik alleen maar hoefde te wachten. Het eerste wat iedereen doet als er een indringer binnen is geweest, is kijken of zijn kostbaarheden nog veilig opgeborgen zijn. Dat is zo walgelijk voorspelbaar.'

Eaton kon het gezicht van de Onbekende niet onderscheiden, maar de kaars op de grond was niet uitgegaan. Het flikkerende licht viel op de loop van een pistool dat de indringer in zijn hand had, en op het gouden handvat van een wandelstok.

Terwijl Eaton vol doodsangst toekeek hief de Onbekende het pistool op en mikte met nauwkeurige precisie.

'Nee,' fluisterde Eaton. Hij deed wankelend een stap achteruit. Waarom had hij er niet aan gedacht zelf ook een pistool mee te nemen? Er lag er een in het bureau in zijn verborgen studeerkamer, maar dat zou net zo goed op de maan kunnen liggen, want hij had er op dat moment niets aan.

'Weet je wat het is,' zei de Onbekende. 'Ik heb jou nu helemaal niet meer nodig om me naar je geheimen te voeren. Je hebt zojuist de deur voor me geopend. Erg vriendelijk van je, sir.'

Eaton sprong achteruit toen hij instinctief voelde dat de Onbekende zijn vinger om de trekker spande. Door die onverhoedse beweging schoot er weer een golf van pijn door zijn slechte been, maar hij wist dat een snelle, onverwachte actie zijn enige hoop was.

Er was een lichtflits. De knal van het schot werd gedempt door de dikke, stenen muren. Eaton voelde dat de kogel hem raakte. Ik ben niet meer zo snel als vroeger, dacht Eaton. Door de klap tuimelde hij de geheime gang in.

De kaars op de grond sputterde even en ging toen uit. Het werd ondoordringbaar donker.

'Wel verdomme!' vloekte de Onbekende. Hij was kennelijk witheet omdat het ineens pikdonker om hem heen was.

Eaton was tot zijn stomme verbazing niet dood. Te hoog gemikt, dacht hij. De kogel had zijn schouder geraakt, niet zijn hart. Misschien had de Onbekende niet goed kunnen mikken omdat het licht zo flikkerde.

Hoe dan ook, hij had maar een paar seconden de tijd. Hij hoorde de Onbekende ongeduldig grommen terwijl hij probeerde een andere kaars aan te steken.

Eaton drukte zijn hand stevig tegen de wond om te voorkomen dat er bloeddruppels op de grond terecht zouden komen. De palm van zijn andere hand legde hij tegen de muur. De oppervlakte was koud en ongelijk. Met zijn hand langs de muur liep hij naar de eerste zijweg. Hij ging een hoek om en vertrouwde blindelings op de muur, die zijn gids was.

Achter hem verscheen een vaag lichtschijnsel. Hij keek niet om. Hij kon voor zich uit niets zien, maar hij voelde de muur onder zijn handpalm. Meer had hij niet nodig. Hij had dit doolhof ontworpen. Hij kende alle geheimen ervan.

'Jezus Mina, wat is dit nu weer?' De stem van de Onbekende werd gedempt door de stenen muren die van het plafond tot de vloer reikten en paden vormden van een ondergronds labyrint. 'Kom te voorschijn, Pitney. Ik zal je laten leven als je nu meteen te voorschijn komt. Hoor je me? Ik zal je laten leven. Ik wil alleen die verdomde sleutel hebben.'

Eaton negeerde het bevel. Hij drukte zijn hand nog steviger tegen de wond en bad dat het bloed door zijn kleding geabsorbeerd zou worden. Als het op de grond druppelde zou het een spoor vormen dat de Onbekende door het doolhof heen zou loodsen.

Hij moest zijn studeerkamer bereiken en het pistool pakken, dacht hij.

'Kom terug, stomme ouwe knar! Je hebt geen schijn van kans.'

Eaton negeerde hem. Hij drukte zijn hand tegen zijn wond en liep verder door het gangenstelsel.

Artemis stond met Zachary in de kleine, schemerige kamer. Ze keken uit het raam neer op het smalle straatje.

'Hier heeft hij zich verborgen gehouden.' Artemis liet zijn gehandschoende hand langs de krassen op de vensterbank glijden. 'Je kunt zien waar de haak van zijn touwladder heeft gezeten.'

Zachary schudde zijn hoofd. 'Wat een geluk dat u zag dat die kaars van die hoer uitging en dat u dat als een seintje beschouwde.'

'Weet je al hoe die vrouw heet?'

'Lucy Denton. Ze heeft de kamer hieronder een jaar geleden gehuurd en werkte hier regelmatig, tot vandaag.'

'Weet je waar ze nu is?'

'Nog niet. Ze is ondergedoken. Kleine John zegt dat een van de jongens vanmorgen iets heeft gehoord in een koffiehuis, maar niemand heeft haar tot dusver gezien.'

Artemis wierp tersluiks een blik op zijn metgezel. Zachary had zijn wenkbrauwen gefronst. Zijn smalle gezicht stond strak van spanning. Zijn luchtige, zelfverzekerde manier van doen had plaatsgemaakt voor een zorgelijke houding.

Zachary was een onwettig kind. Hij had een achternaam, maar

die gebruikte hij zelden, zoals bijna alle zwervers die op straat leefden. Hij was nu meer dan drie jaar in dienst bij Artemis. Ze hadden elkaar ontmoet op een avond toen een lid van Zachary's bende van straatschoffies had geprobeerd Artemis, vlak voor zijn club, van zijn horloge te beroven.

Die brutale roof was niet doorgegaan omdat Artemis het diefje in zijn kraag had gevat. Zachary had op de hoek van de straat staan kijken. In plaats van ervandoor te gaan en het knulletje aan zijn lot over te laten, was hij te voorschijn gekomen en had hemel en aarde bewogen om de kleine bandiet vrij te krijgen.

Hij was, zwaaiend met een mes, op Artemis af gestormd, en had gedreigd hem te vermoorden als hij de knaap niet losliet. Artemis had met een simpele beweging het mes uit Zachary's hand geslagen, maar de jongeman was hem te lijf gegaan in een wanhopige poging het jongetje te bevrijden.

Artemis was onder de indruk van de dappere pogingen waarmee Zachary de kleinere jongen te hulp schoot. Toen de zaak geregeld was had hij Zachary terzijde genomen. 'Jij bent een pientere, doortastende knaap,' had hij gezegd voor hij hem en zijn vriendje de vrijheid gaf. 'Ik kan wel iemand gebruiken die zo loyaal is als jij. Denk er maar eens over na of het je iets lijkt om op een fatsoenlijke manier een goed loon te verdienen. Als je dat wilt kom je het me maar vertellen.'

Drie dagen later stond Zachary buiten zijn club op hem te wachten. De jongen was een beetje achterdochtig, maar vastbesloten. Ze hadden een hele poos met elkaar gepraat en waren uiteindelijk tot een vergelijk gekomen.

De relatie tussen hem en Zachary was op koel zakelijke wijze begonnen, zoals gebruikelijk is tussen werknemer en werkgever. Maar geleidelijk aan was die veranderd in een vriendschap die was gebaseerd op wederzijdse loyaliteit en respect. Artemis vertrouwde Zachary meer dan hij ooit een van die lui uit de hoogste kringen had vertrouwd.

'Maak je niet dik, we vinden haar wel.' Artemis gaf hem een klapje op zijn schouder. 'We blijven zoeken tot we haar hebben.'

Zachary zag er niet opgelucht uit. Integendeel, hij leek nog bezorgder dan zoëven. 'Het was een Vanzaan, meneer Hunt.'

Artemis glimlachte. 'Dat ben ik ook.'

Zachary kreeg een kleur maar gaf geen krimp. 'Ja, en dat weet hij. Daardoor wordt hij nog gevaarlijker. Hij zal de volgende keer nog omzichtiger te werk gaan.'

'Ik weet dat jij denkt dat ik al stokoud ben, maar weet je, een gevorderde leeftijd heeft ook zijn voordelen. Ik heb namelijk inmiddels paar nieuwe trucjes geleerd.'

'Dat is mij bekend, sir. Maar weet u zeker dat ik u niet dag en nacht moet bewaken?'

'Ik heb je op straat nodig om informatie te verzamelen, Zachary, niet om mijn rug in de gaten te houden. Ik kan heel goed voor mezelf zorgen.'

Zachary klemde zijn lippen op elkaar en knikte kort. 'Jawel, sir.'

Artemis keek de kamer rond. 'Hij heeft Lucy blijkbaar rijkelijk beloond. Genoeg om onder te duiken zolang ze wil.'

Zachary schudde vertwijfeld zijn hoofd. 'We zullen haar wel vinden, maar dat kan best eens een tijdje duren. U kent de onderwereld, het is een onontwarbaar doolhof.'

'Haar geld zal op raken. Vroeg of laat komt ze te voorschijn om een paar klanten op te pikken. Dan is ze erbij.'

'Ja, maar dan kan het te laat zijn voor ons,' mompelde Zachary.

Artemis glimlachte. 'Daarom zetten wij ook niet al onze kaarten op Lucy. Er is een oud Vanzaans spreekwoord dat zegt: *Als je een antwoord zoekt, moet je kijken waar je het niet verwacht te vinden*. Er zijn nog plaatsen genoeg waar ze kan zitten.'

Zachary keek hem aan. 'Wij van de straat hebben ook oude spreekwoorden, sir. Bijvoorbeeld: *Ga geen donker steegje in tenzij je een pistool in je hand en een vriend in je rug hebt.*'

'Een prima advies,' knikte Artemis. 'Ik zal het onthouden.'

Madeline werd wakker en ontdekte dat ze dieper en langer had geslapen dan ze sinds tijden had gedaan. En het fijnste van alles was dat ze niet had gedroomd van brand en bloed, vergezeld door het gelach van een dode man.

Opgewekt duwde ze de dekens opzij. Toen ze naar buiten keek zag ze dat de stad weer verborgen lag onder een dikke, grijze mistdeken, maar dat had geen invloed op haar goede humeur. Ze voelde zich boordevol energie en meer dan bereid om verder te gaan met zoeken naar de oplossing van het mysterie van de geest van Renwick.

Toen herinnerde ze zich dat ze Artemis Hunt waarschijnlijk bij het ontbijt zou ontmoeten.

Haar enthousiasme voor de nieuwe dag daalde naar een nulpunt. Ze vond het op dit moment aantrekkelijker om oog in oog te staan met een geest dan met Artemis. Ze keek in de spiegel naar haar verkreukelde gezicht. Je kon een Droomkoopman best chanteren om je te helpen je ontvoerde dienstmeisje terug te krijgen, en hem vervolgens verzoeken je te assisteren om van de wrekende geest van je overleden echtgenoot af te komen. Maar het was iets heel anders om gezellig te babbelen terwijl je toast en gebakken eieren zat te eten aan de ontbijttafel nadat je diezelfde man de nacht tevoren had toegestaan je te verleiden.

Haar irritatie ergerde haar. Waarom vond ze het zo vervelend om Artemis vanmorgen onder ogen te komen? Ze had hem vannacht toch al uitgebreid voorgehouden dat er helemaal niets was veranderd. Ze was deze ochtend, net als gisteren, nog steeds de Verdorven Weduwe. Een vrouw kon moeilijk nog slechter worden in de ogen van een man alleen maar omdat hij had ontdekt dat ze een *maagdelijke* weduwe was.

Ze klemde haar handen om de rand van de waskom. Waarom leek alles nu ineens zo ingewikkeld?

Ze wierp onwillig een blik in de spiegel. Haar stemming werd er niet beter op toen ze zag dat ze hevig bloosde. Boos wees ze zichzelf terecht. Waarom zou ze zich ongemakkelijk voelen? Artemis had absoluut geen reden om arrogant of minachtend tegen haar te doen. Hij was tenslotte een heer die *zaken* deed!

Ze kreunde hardop en pakte de waterkan. Met een beetje geluk blijft hij uitslapen, dacht ze. Maar het kon ook zijn dat hij altijd vroeg opstond en vóór de rest van de familie ontbeet. Dat had haar vader altijd gedaan.

Ze goot koud water in de waskom en begon langdurig haar gezicht te wassen. Huiverend waste ze de rest van haar lichaam en daarna trok ze haar meest kleurloze kledingstuk aan: een zwarte wollen japon met grijze, satijnen bloemen aan de zoom.

Ze vermande zich, deed de deur open en liep de trap af naar de ontbijtkamer.

Het geluk was niet met haar. Artemis sliep niet uit. En hij had zelfs niet het fatsoen opgebracht om vroeg te ontbijten en discreet in zijn bibliotheek te verdwijnen. Nee, hij zat gewoon aan tafel, groter dan levensgroot, en babbelde gemoedelijk met Bernice, alsof er de nacht tevoren niets bijzonders was voorgevallen.

Maar dat was immers ook zo, bracht ze zichzelf in herinnering. *Er is niets veranderd.*

'Goedemorgen, lieverd.' De helderblauwe ogen van Bernice lichtten op toen ze Madeline zag. 'Jeetje, je ziet er zo fris uit als een bloemetje, schat. Ik zie dat mijn drankje goed heeft gewerkt. Ik zal je vanavond nog een flesje geven.'

Madeline zag een ondeugend glimmertje in Artemis' ogen. Ze keek hem ijzig aan en wendde zich tot haar tante.

'Goedemorgen,' zei ze beleefd.

Er verscheen een eigenaardige uitdrukking in de ogen van Bernice. Een moment later was hij weer verdwenen.

Madeline liep naar het buffet en deed alsof ze de inhoud van de zilveren schalen die daarop stonden uitgestald, bestudeerde.

Tot haar afschuw ging Bernice op onschuldige toon door met praten. 'Echt, schat, ik heb je in eeuwen niet zo uitgerust gezien. Vind je niet dat ze er fantastisch uitziet, Artemis?'

'Er gaat niets boven een goede nachtrust,' zei Artemis opgewekt.

Ondanks haar voornemen net te doen alsof er niets was veranderd, bad Madeline in stilte dat de vloer zich onder haar voeten zou openen en haar zou verzwelgen.

'Meneer Hunt heeft me zojuist alles over de afschuwelijke gebeurtenissen van de afgelopen nacht verteld,' zei Bernice.

'Heeft hij het *verteld*?' Madeline liet de lepel op de schotel vallen en keerde zich met een ruk om. Ze wierp Artemis een woedende blik toe. 'Heeft hij echt verteld wat er vannacht is gebeurd?'

'Ja, natuurlijk, lieverd.' Bernice maakte een sussend geluidje. 'Ik moet zeggen dat ik op mijn benen stond te trillen.'

Madeline slikte. 'Nou ja, ik kan uitleggen...' De woorden bleven hulpeloos in de lucht hangen.

Artemis' mond vertrok in een spottend lachje. 'Je tante is bezorgd, dat is heel normaal, toch?'

'Ik heb alle recht om bezorgd te zijn,' zei Bernice bruusk. 'Aangevallen op straat, net buiten je club, sir. Dat is vreselijk. Het wordt steeds erger met die straatrovers. Ik hoop dat je hem snel te pakken krijgt.'

Madeline werd duizelig van opluchting. Ze ging snel op de dichtstbijzijnde stoel zitten en keek met gefronste wenkbrauwen naar Artemis. 'Is er al nieuws, sir?

'Ik heb Zachary inderdaad vanmorgen al gesproken,' antwoordde Artemis. Ze verdacht hem ervan dat hij binnenpretjes had. 'We hebben de kamer ontdekt waar de Vanza-vechter zich had verstopt en hebben daar even rondgekeken. Helaas konden we niets bruikbaars vinden, maar Zachary's Ogen en Oren zijn hard aan het werk. Vroeg of laat brengt een van hen me iets waarmee we wat kunnen doen.'

Madeline was onthutst. Hij was dus al uren op. Hij had het huis verlaten, een gesprek met Zachary gehad, ze hadden het huis van die schurk doorzocht, en nu zat hij te ontbijten... En dat allemaal toen zij nog in bed lag.

Hij was bezig geweest met het werk waarvoor zij hem had ingehuurd. En toch werd ze zenuwachtig van de zakelijke manier waarop hij tegen haar sprak.

Hij deed gewoon alsof *er niets was veranderd*!

Een uur later kwam Bernice Madelines slaapkamer binnen. Ze viel meteen met de deur in huis.

'Jij bent verliefd aan het worden op Artemis Hunt, waar of niet?'

Madeline zat een paar aantekeningen te maken en liet prompt de pen uit haar handen vallen. 'Grote hemel, waar heeft u het over, tante Bernice?'

'O, jee! Het is nog erger dan ik dacht.' Bernice fronste bezorgd haar wenkbrauwen terwijl ze op het bed neerzeeg. 'Jullie zijn een affaire begonnen.'

'Tante Bernice!'

'Ik heb natuurlijk meteen vanaf het begin gezien dat er een bepaalde aantrekkingskracht tussen jullie bestond.'

Madeline keek haar met open mond aan. 'Hoe komt u daar nu bij?'

Bernice stak afwerend haar hand op en zei: 'Ten eerste: jij hebt hem gevraagd je te helpen met je probleem. Ten tweede: hij heeft daarin toegestemd.'

'En daaruit concludeert u dat wij ons tot elkaar aangetrokken voelen?'

'Ja.'

Madeline schudde haar hoofd. 'Dat is de meest belachelijke, absurde en kant-noch-walrakende conclusie die ik ooit heb gehoord. Hoe komt u daarbij met zo weinig en zulke nietszeggende feiten?'

'Heb ik het mis?'

'Ik heb gevraagd of hij ons wilde helpen, omdat wij een man nodig hebben die de gedachtengang van een Vanzaan kent. De heer Hunt heeft toegestemd omdat hij dolgraag in het bezit van papa's dossier wil komen. Het was gewoon een zakelijke overeenkomst, meer niet.'

'Zoals ik al dacht. Je hebt een affaire met hem.'

Madeline trommelde met haar vingers op haar schrijftafel. 'Het is niet zo eenvoudig als u schijnt te denken, tante Bernice.'

'Liefje, omdat jij weduwe bent, word je automatisch beschouwd als een vrouw van de wereld, of je dat nu leuk vindt of niet. Ik zal je niet lastigvallen met adviezen.'

'Ha! U weet heel goed dat u dat wel gaat doen.'

'Dat is zo. Ik wilde eigenlijk zeggen dat ik je niet zal lastigvallen met een heleboel adviezen, maar ik wil je graag één ding zeggen.'

Madeline kreeg het een beetje benauwd. 'En dat is?'

'Je zei dat hij op de overeenkomst inging omdat jij hem als tegenprestatie Wintons dossier hebt aangeboden.'

'Dat klopt.'

'Hij is een Vanza-meester.'

'Daarom heb ik hem ook in dienst genomen.'

Bernice keek haar medelijdend aan. 'Kom nou, Madeline. Je bent een intelligente vrouw. Hoe kun je dan zo dom zijn?'

'Wat is dom?'

'De heer Hunt hoeft helemaal niet voor jou te gaan werken om dat boek in zijn bezit te krijgen. Je hebt immers zelf gezegd dat hij het met zijn bekwaamheden zonder moeite te pakken kan krijgen.'

'Ha!' Madeline keek haar tante triomfantelijk aan. 'En daar gaat u de fout in. Ik heb er lang en diep over nagedacht en ik ben tot de conclusie gekomen dat het stelen van het dossier een ernstig risico voor hem zou inhouden.'

'Wat voor risico?'

'Nou, dat ik dan zou rondbazuinen dat hij de eigenaar van de Droompaviljoens is! Hij kan gewoon niet riskeren dat de gemeenschap erachter komt dat hij zakenman is. Snapt u? Hij had geen andere keus dan met mij een overeenkomst te sluiten.'

Bernice keek haar lange tijd zwijgend aan.

Madeline werd onrustig. 'Wat nou? Waar denkt u aan?'

'Je weet best dat hij wel een manier zou vinden om jou te beletten zijn geheimen rond te strooien.'

Madeline liet verbluft haar hoofd hangen. Er ging een ijskoude rilling door haar heen. Ze keek tersluiks naar het in rood kalfsleer gebonden boekje dat ze aan het bestuderen was. Ze kon niet meer helder denken.

Bernice had gelijk.

Na een poosje wist ze zich te vermannen. Ze hief haar hoofd op en keek in de bezorgde ogen van Bernice. 'Ik denk dat u gelijk heeft en dat hij ons niet helpt omdat hij dat boek in handen wil krijgen. Maar als dat zo is hebben we een nog groter probleem, nietwaar?'

Bernice keek haar onderzoekend aan. 'Wat bedoel je?'

'Als hij ons niet helpt om dat verdraaide boek, waarom dan wél?'

'Dat heb ik je net uitgelegd, schat. Hij vindt jou aantrekkelijk. Ik denk dat hij het leuk vindt om de held te spelen.'

'Het is best mogelijk dat hij zich tot mij aangetrokken voelt, maar daar gaat het niet om,' zei Madeline streng. 'Dat verklaart ook absoluut niet waarom hij ons wil helpen. Het is een bekend feit dat een Vanzaan – en zeker een meester – erin getraind is niet toe te geven aan lichamelijke verlangens.'

Bernice moest een glimlach inslikken. 'Weet je, lieverd, ik geloof dat die training niet altijd zonder meer succesvol is. Lichamelijke verlangens kunnen buitengewoon sterk zijn.'

Madeline schudde langzaam haar hoofd. 'Artemis zal nooit toestaan dat zijn gevoelens de overhand krijgen. Als hij ons niet helpt met het doel papa's boek in zijn bezit te krijgen, of om mij stil te houden, dan betekent dat dat hij een ander, misschien wel duister motief heeft om op onze overeenkomst in te gaan.'

'Maar wat zou dat dan kunnen zijn?'

Madeline trok een gezicht. 'Wie zal het zeggen? Hij is een Vanzaan!'

'O, schat...'

'Ik wil er verder niet meer over praten, tante Bernice.'

'Dan niet.' Bernice zweeg even. 'Is alles goed met jou, Madeline?'

'Ja, natuurlijk! Waarom zou het niet goed met mij zijn?'

'Ik wil niet indiscreet ziijn, maar toch denk ik dat je vannacht een heel nieuwe ervaring hebt opgedaan.'

'Het was niet helemaal wat ik verwachtte, maar verder is er niets aan de hand,' antwoordde Madeline kortaf.

'Niet helemaal wat jij verwachtte?' Bernice tuitte haar lippen. 'Dat verbaast me. Ik dacht dat de heer Hunt even ervaren was in het liefdesspel als hij in alle andere dingen schijnt te zijn.'

'Nou ja, tante Bernice, ik zei toch dat ik er verder niet meer over wil praten!'

'Natuurlijk, lieverd.'

'Als u het dan per se wilt weten,' mopperde Madeline, 'Artemis Hunt blijkt precies te zijn zoals ik hem aan het begin van onze samenwerking omschreef: op leeftijd maar nog fit.'

12

Hij werd gevolgd.

Artemis bleef in een portiek staan en luisterde. De voetstappen klonken licht en gedempt door de dikke mist, maar hij hoorde ze duidelijk.

Ze stopten.

Hij stapte het portiek uit en liep verder. Na een paar seconden hoorde hij een schoen over het plaveisel schuifelen. De voetstappen kwamen niet dichterbij en bleven ook niet achter. Als hij zou omkijken zou hij niets anders zien dan een vage schim in de grauwe nevel.

Op het eerste stuk van de weg was zo veel straatlawaai dat hij de voetstappen niet had gehoord. Maar hij had vanaf het begin geweten dat hij werd gevolgd.

Hij ging linksaf een hoek om. Aan de andere kant van de straat was een groot park. De bomen waren slechts vage contouren die opdoemden in de mist.

Er reed langzaam een rijtuig voorbij, het was alsof het voertuig op gevoel zijn weg zocht. Het hoefgetrappel had een holle, zweverige klank. Artemis maakte gebruik van het geratel van de wielen om weer een portiek in te duiken.

Daar wachtte hij.

Het rijtuig verdween in de verte en hij hoorde de voetstappen weer. Langzamer ditmaal. En erg onzeker. De achtervolger had inmiddels gemerkt dat zijn prooi van de aardbodem verdwenen was.

Na een paar onzekere passen ging zijn achtervolger zelfverzekerd verder. Hij bewoog zich nu snel. Het kon hem kennelijk niets meer schelen of iemand hem kon horen.

Vanuit zijn portiek zag Artemis een figuur, gehuld in een cape met capuchon, vlak voor hem langs gaan. De zoom van de mantel bolde op terwijl de onbekende persoon zich voorthaastte.

Artemis gleed onhoorbaar het portiek uit en ging vlak naast de duistere figuur lopen.

'Mooie namiddag voor een wandelingetje, nietwaar?' vroeg hij beleefd.

'Artemis!' Madelines stem klonk schril van schrik. Ze keerde zich met een ruk om en bleef staan. Haar ogen onder de kap van de cape waren heel groot. 'Grote hemel, sir, wil je me voortaan niet zo laten schrikken? Dat is slecht voor mijn zenuwen.'

'Wat doe jij hier? Ik heb duidelijk gezegd dat ik het huis van Pitney alléén ga doorzoeken.'

'En ik heb even duidelijk gezegd dat ik dat niet toesta. Het was mijn idee om een kijkje te gaan nemen in dat huis, als je je dat nog kunt herinneren.'

Hij nam haar vanuit zijn ooghoek scherp op. Ze was zeer geïrriteerd, maar hij vroeg zich af of die boosheid soms een poging was om andere, meer verwarrende emoties te onderdrukken. Hij bedacht dat ze dan wel een weduwe was en zeer waarschijnlijk ook een moordenares, maar dat ze, tot vannacht, ook nog maagd was. Hij zag weer voor zich hoe ze had gebloosd tijdens het ontbijt.

'Hoe voel je je vandaag?' vroeg hij vriendelijk.

'Ik verkeer in uitstekende gezondheid, sir, zoals gewoonlijk,' zei ze ongeduldig. 'En jij?'

'Overmand door schuldgevoelens. Maar bedankt voor je belangstelling.'

'Schuldgevoelens?' Ze bleef staan en keek hem strak aan. 'Waar ter wereld moet jij je schuldig over voelen, sir?'

Hij bleef ook staan. 'Ben jij de afgelopen nacht zo snel alweer vergeten? Het is zeer teleurstellend voor mij te merken dat ik zo weinig indruk heb gemaakt.'

Ze fronste haar wenkbrauwen en kneep haar ogen halfdicht. 'Ik ben niets vergeten. Maar ik verzeker je dat de gebeurtenissen die in jouw bibliotheek hebben plaatsgevonden absoluut geen reden voor jou hoeven te zijn om je te wentelen in schuldgevoelens.'

'Jij was een onschuldige maagd.'

'Flauwekul. Ik was inderdaad nog maagd, maar ik ben bepaald niet onschuldig.' Ze trok haar handschoenen wat hoger op. 'Ik verzeker je dat geen vrouw die meemaakt wat ik heb meegemaakt tijdens mijn huwelijk met Renwick Deveridge, onschuldig kan blijven.'

'Als jij het zegt.'

'Ik heb je gisteravond al verteld dat er niets veranderd is.'

'Hmmm.'

Ze schraapte haar keel. 'En verder kan ik je mededelen dat je geen lauwe indruk op mij hebt gemaakt.'

'Dank je. Je hebt er geen idee van wat je vriendelijke, maar helaas wat "lauwe" compliment betekent voor mijn mannelijke trots.'

Ze gromde. 'Bescheidenheid schijnt niet jouw grootste deugd te zijn, sir. Je kunt je de moeite dus maar beter besparen te proberen als zodanig over te komen.'

'Goed, omdat je zo aandringt.'

'Als je je per se ergens schuldig om wilt voelen, dan stel ik voor dat te doen om de achterbakse, slinkse manier waarop je zo-even het huis uit bent geslopen.'

Hij keek om zich heen. Er waren niet veel mensen op de been, en de paar die er waren liepen zo snel ze konden op hun doel af. Het was hoogstonwaarschijnlijk dat iemand notitie nam van Madeline. Als hij een paar voorzorgsmaatregelen in acht nam was ze redelijk veilig. Maar goed, hij had natuurlijk weinig keus, bedacht hij. Als hij weigerde haar mee te nemen zou ze gewoon achter hem aan lopen.

'Al goed.' Hij greep haar arm en trok haar mee. 'Kom dan maar. Maar zodra we binnen zijn moet je doen wat ik zeg. Accoord?'

Hij kon niet zien dat ze met haar ogen rolde omdat de kap van haar cape haar gezicht verborg, maar hij wist zeker dat ze dat deed.

'Jemig, sir, ik word doodziek van je. Het schijnt maar niet tot je door te dringen dat *jíj míjn* bevelen moet opvolgen en niet andersom. Jij bent hier alleen maar bij betrokken omdat jij en ik een zakelijke overeenkomst hebben gesloten. Als ik er niet was geweest, zou je niets af weten van de geest van Renwick.'

'Geloof me, madam, ik zal mezelf nooit toestaan ook maar één moment te vergeten dat dit allemaal *jóuw* schuld is!'

De hoge muur om de tuin rondom het huis van Eaton Pitney was voor Artemis natuurlijk geen beletsel om binnen te komen. Madeline hield de kleine, onaangestoken lantaarn die hij had meegenomen vast en keek ongeduldig toe toen hij de stenen barrière nam. Toen hij boven op de muur zat liet hij een stuk touw zakken, waarin hij een lus had gemaakt voor haar voet.

Ze greep het touw, zette de teen van haar laars in de lus en hield zich stevig vast toen Artemis haar omhoog trok. Even later stonden ze in de tuin.

'Tjee, wat heerlijk spannend!' zei ze verheugd.

'Ik was al bang dat je dat zou vinden.' Het klonk wat gereserveerd.

De mist was zo dik dat het grote huis alleen maar een vormeloze, grijze blokkendoos was. Nergens prikte een lichtje door de nevelsluiers. Artemis vond de keukendeur en probeerde of hij openging.

'Op slot,' zei hij teleurgesteld.

'Dat kun je verwachten als de eigenaar de stad uit is.' Madeline bestudeerde de luiken voor de ramen. 'Ik ben er zeker van dat jij wel raad weet met het slot.'

'Hoe kom je erbij te denken dat ik sloten kan openbreken?'

Ze schokschouderde. 'Je bent een Vanzaan. Ik ben ervan overtuigd dat mannen die getraind zijn in de oude leer der mystiek heel goed door gesloten deuren naar binnen kunnen komen.'

'Ja, ja, ik weet het, jij moet niets van dergelijke vaardigheden hebben,' zei hij. Hij haalde een ring met staafjes uit zijn zak.

Beelden van haar nachtmerrie trilden door haar geest. Ze zag zichzelf gehurkt voor de slaapkamerdeur zitten en met bevende handen proberen de sleutel, die steeds uit haar hand gleed, in het slot te steken.

'Ik moet toegeven dat dergelijke vaardigheden soms van pas kunnen komen,' antwoordde ze zacht. 'En ik kan er natuurlijk niets op tegen hebben dat jij die bezit. Mijn vader was er trouwens ook heel goed in. Hij heeft mij zelfs geleerd... nou ja, dat doet er niet toe. Dat is nu niet belangrijk.'

Artemis schoot een snelle, onderzoekende blik op haar af voor hij aan het werk ging, maar hij zei niets.

Madeline werd onrustig naarmate de tijd vorderde. 'Is er iets niet in orde?'

'Pitney was blijkbaar zo bang voor de zogenaamde Onbekenden die hem achtervolgden, dat hij speciale sloten heeft ontworpen.' Zijn gezicht stond strak van de concentratie. 'Dit zijn geen gewone sloten die je bij een slotenmaker kunt bestellen.'

Ze keek toe terwijl hij voorzichtig met de staafjes aan het werk was. 'Het zal je toch wel lukken?'

'Misschien.' Hij boog zich dichter naar het zware, ijzeren slot toe. 'Als jij tenminste ophoudt met me af te leiden.'

'Neem me niet kwalijk,' mompelde ze.

'Aha, we zijn er. Een slim ontwerp gebaseerd op een klassiek, Vanzaans patroon. Ik moet niet vergeten Pitney te vragen welke slotenmaker dat voor hem heeft gemaakt.'

De ongebreidelde interesse in zijn stem baarde haar zorgen. 'Doe niet zo raar. Je kunt dat niet aan Pitney vragen zonder toe te geven dat je bij hem hebt ingebroken.'

'Bedankt dat je me op dat kleine foutje wijst.' Hij stak de staafjes weer in zijn zak en duwde de deur open.

Madeline zag dat ze in een smalle, donkere gang stonden. Geen huishoudster of bediende kwam poolshoogte nemen en geen mens sloeg alarm.

Behoedzaam deed ze een stap naar voren. 'Het lijkt wel of het huis inderdaad leeg is. Ik vraag me af waar meneer Pitney naartoe is.'

'Met een beetje geluk vinden we binnen een aanwijzing over zijn verblijfplaats.' Artemis volgde haar en deed de deur dicht. Even bleef hij roerloos staan en keek rond in de duistere gang. 'Als we dat te weten komen stuur ik Leggett daarheen om een paar vragen te stellen. Ik zou weleens willen weten waarom Pitney de stad halsoverkop heeft verlaten.'

'Inderdaad, ik...' Madeline bleef in de deuropening naar de keuken staan en keek naar het stuk kaas en het halfopgegeten brood die op de keukentafel lagen.

'Wat is er?' Artemis dook achter haar op. Hij keek over haar hoofd en verstijfde. 'Ik zie het.'

Madeline liep naar de tafel en pakte het brood. 'Meneer Pitney moet in grote haast vertrokken zijn. En nog maar kort geleden. Het brood is nog vers.'

Artemis kneep zijn ogen halfdicht. 'Kom we moeten snel zijn. Ik wil hier niet meer tijd zoekbrengen dan nodig is.'

Hij keerde zich om en verdween in de hal. Madeline liep hem achterna. Ze had hem ingehaald toen hij bij een andere deur bleef stilstaan.

'De bibliotheek?' vroeg ze.

'Ja.' Artemis bewoog zich niet. Hij staarde ongelovig naar binnen. 'Of Pitney heeft dringend een huishoudster nodig, of iemand is ons voor geweest.'

'Wat bedoel je?' Ze ging op haar tenen staan om over zijn schouder te kijken en hield haar adem in toen ze de boeken en paperassen die over het tapijt verspreid lagen, in het oog kreeg. 'Grote hemel! Pitney heeft deze rommel vast niet gemaakt. Dit gaat verder dan excentriciteit. Trouwens, Vanza-excentriekelingen neigen eerder naar te veel orde en netheid, dan andersom. Ze hebben een gruwelijke hekel aan wanorde.'

'Wat een voortreffelijke beschrijving.' Artemis deed een stap achteruit en liep snel de hal in.

'Wacht even!' riep ze zacht. 'Ga je deze kamer niet doorzoeken?'

'Ik betwijfel of dat nog de moeite waard is. Degene die hier voor ons was heeft ongetwijfeld alles wat ook maar van het geringste belang was, meegenomen.'

'Artemis, misschien had meneer Pitney het toch bij het rechte eind. Misschien wordt hij echt door iemand achtervolgd.'

'Kan zijn.' Zijn stem klonk afwezig.

Ineens ging er een rilling door haar heen. 'Jij denkt dat het niet een Onbekende was, nietwaar? Het was de geest van Renwick.'

'Ik vind dat we moeten ophouden die man een geest te noemen. Dat maakt de zaak alleen maar ingewikkelder. Wie het ook is, het is een mens van vlees en bloed.'

'En een Vanzaan.'

Daar gaf hij geen commentaar op.

Ze haastte zich achter hem aan. Toen ze langs de openstaande deur van de zitkamer liepen wierpen ze een blik naar binnen. De meubelen waren voorzien van grijze beschermhoezen. De zware gordijnen voor de ramen waren gesloten.

'Het ziet er hier niet uit alsof Pitney veel visite kreeg,' zei Artemis droog.

'Het is een heel eigenaardige man,' knikte Madeline, 'maar ja, hij is dan ook...'

'Niet zeggen! Dit is niet het juiste tijdstip om jouw denkbeelden omtrent dit onderwerp kenbaar te maken.'

Ze deed haar mond dicht.

Samen liepen ze alle kamers op de bovenverdieping door. Overal heerste chaos. Kleren waren uit de kasten getrokken. Laden waren omgekeerd op de grond. Koffers waren opengebroken en leeggehaald.

'Waar was hij naar op zoek, denk je?' vroeg Madeline.

'Ongetwijfeld naar hetzelfde waarvoor hij Linslades bibliotheek wilde doorzoeken. Misschien wel naar het Boek der Geheimen, hoewel ik er niet bij kan dat iemand met normaal gezond verstand kan geloven dat zoiets werkelijk bestaat.'

Madeline zei bedachtzaam: 'Ik heb geloof ik al een keer gezegd dat Renwick Deveridge niet normaal was.'

'Ja, dat heb je zelfs meerdere keren gezegd.' Artemis keek naar de smalle trap aan het eind van de hal. 'We kunnen net zo goed daarlangs weggaan.'

'En de kelder dan? Daar zijn vast voorraadkamers en zo,' zei Madeline, terwijl ze achter hem aan de trap af liep. 'Misschien heeft de geest, ik bedoel de indringer, er niet aan gedacht om ook daar rond te snuffelen.'

'Ik denk dat hij bijzonder grondig te werk is gegaan, maar goed, het kan geen kwaad beneden ook even een kijkje te nemen.'

In de gang naast de keuken vond Artemis de deur die toegang gaf tot de trap naar de kelder. Hij stak zijn lantaarn aan en daalde af. Beneden vonden ze inderdaad een paar muffe voorraadkamers.

Madeline keek naar de afgesloten kisten en koffers. 'Het lijkt erop dat de indringer niet de moeite heeft genomen deze kamers te doorzoeken. Maar misschien heeft hij de kelder helemaal niet ontdekt.'

Artemis bleef staan en hield zijn lantaarn omhoog. 'Hij is hier wel geweest.'

Madeline botste bijna tegen hem op. 'Hoe weet je dat?'

'Kijk dan, voetstappen op de stoffige vloer. Twee paar.' Hij verschoof het licht. 'Het ene paar houdt hier bij de muur op. Het andere gaat terug naar de trap. Er zijn hier kortgeleden twee mannen afgedaald, maar er is er maar één teruggegaan.'

Madeline staarde naar de plek waar het eerste spoor eindigde. 'Het ziet ernaar uit dat een van hen door muren kan lopen.'

'Hmmm.' Artemis liep naar de stenen muur en bestudeerde hem aandachtig. Vervolgens liet hij zijn vingers langs een gleuf glijden en duwde krachtig. Er klonk een zacht, knarsend geluid.

Madeline haastte zich naar hem toe. 'Zit er een of ander mechaniekje in die muur?'

'Ja.'

Toen ze naast hem stond zag ze dat er een steen was verschoven waardoor een zwaar, ijzeren slot zichtbaar was geworden. Artemis zette zijn lantaarn neer en pakte zijn ring met staafjes.

'We hebben geluk dat Pitney klassieke, Vanzaanse modellen en instrumenten heeft gebruikt,' zei hij na een poosje. 'Er is beslist iets te zeggen voor tradities.'

Even later slaakte hij een zucht van voldoening. In het binnenste van de muur klonken geluiden van goedgeoliede scharnieren. Madeline keek vol verbazing toe toen een gedeelte van de muur opzij gleed.

'Weer een trap omlaag,' fluisterde ze. 'Er valt vast nog een kamer onder deze.'

'Dit gedeelte van het huis is heel oud.' Artemis verlichtte de oude stenen treden die omlaag leidden naar een ondoordringbare duisternis. 'Deze trap leidt waarschijnlijk naar hokken die vroeger als kerkers werden gebruikt. En misschien is er ook een vluchtroute. Die had je in vroeger tijden namelijk in de meeste kastelen en forten.'

Madeline staarde in de diepte. 'Het kan zijn dat Pitney die heeft gebruikt om aan zijn achtervolger te ontsnappen.'

Artemis keek bedenkelijk. 'Ik kom nog wel een keer terug om te zien waar deze trap op uit komt.'

'Nadat je mij hebt thuisgebracht, bedoel je zeker? Onzin.' Ze ontdekte een stapeltje kaarsen op de vloer. 'Kom op, we mogen geen tijd meer verliezen.'

Hij keek haar gemelijk aan. 'Madeline, ik merk dat ik deze keer streng moet optreden...'

'Spaar je adem, Artemis.' Ze pakte een van de kaarsen en stak hem aan. 'Als jij niet mee wilt naar beneden, ga ik alleen.'

Even dacht ze dat hij ruzie ging maken. Maar toen stak hij met een grimmig gezicht de lantaarn omhoog en begon de trap af te dalen.

'Heeft iemand jou wel eens verteld dat mannen koppigheid niet bepaald als een van de meest charmante eigenschappen van een vrouw beschouwen?' vroeg hij op barse toon.

Ze kromp in elkaar maar liet zich door zijn woorden niet van de wijs brengen. Toch voelde ze een prikje van onbehagen. 'Aangezien ik op dit moment niet in de markt ben voor een nieuwe echtgenoot, vind ik dat geen ernstig probleem. Maar hoe dan ook, als het op koppigheid aankomt geloof ik dat wij prima tegen elkaar zijn opgewassen, sir.'

'Mag ik daartegen protesteren? Die eer wil ik niet met je delen, die komt enkel en alleen jou toe.' Hij brak af. 'Wel, wel, wat hebben we hier?'

Hij bleef zo abrupt staan dat Madeline wankelde. Ze stond nog op de tree boven hem en keek over zijn schouder. Haar mond viel open van verbazing.

Het licht van de lantaarn viel op wat op het eerste gezicht een smalle gang leek, die was bekleed met platte, diamantvormige juwelen, gezet in een ingewikkeld patroon. Het duurde even voor ze begreep dat ze via een smalle doorgang in een gangetje keek dat aan alle kanten was betegeld.

'Waarom zou Pitney de tijd en moeite hebben genomen om zo'n ingewikkelde wandbekleding aan te brengen hier in de diepte?' vroeg ze. 'Hij moet wel heel erg gestoord zijn.'

'Ik denk dat we daar geen woord meer over hoeven vuil te maken.' Artemis stapte de laatste tree af en liep naar de betegelde gang. 'Maar... zoals jij me altijd zo vriendelijk voorhoudt: hij is een Vanzaan.'

Ze keek met stijgende verbazing om zich heen. Het licht van de lantaarn scheen op duizenden, glanzende tegeltjes die een eigenaardig patroon vormden, dat verwarrend en misleidend voor het oog was. Hier was bijvoorbeeld een eindeloos doorgaande reeks van kleine vierkantjes die in het niets schenen te verdwijnen. Rijen tegels, gezet in horizontale lijnen met verschillende dimensies bedekten de muren, gingen door langs het plafond en schoten aan de andere kant omlaag op een manier die Madeline duizelig maakte.

Voor een stukje muur waarop een warrig patroon van driehoeken in driehoeken te zien was bleef ze staan. Het lukte haar niet zich op de figuren te concentreren. Ze hief haar ogen op en zag dat ze naar een eindeloze zee van cirkels keek die steeds kleiner werden alsof ze een tunnel vormden waar je doorheen kon lopen. Het effect was zo echt dat ze haar hand uitstak om de opening te voelen. Maar haar vingertoppen raakten alleen kille tegels aan.

‘Het zijn Vanza-patronen,’ fluisterde ze. ‘Ik heb er een paar gezien in een van de oude boeken.’

‘Inderdaad.’ Artemis bestudeerde een ontwerp dat zo geraffineerd was dat het leek alsof je een ruime kamer inkeek, maar als je je hand uitstak voelde je een platte muur. ‘Dat zijn illustraties van de oude Strategie van de Illusie. Ik heb er een paar van gebruikt in een van de tableaus in de Droompaviljoens.’

Hij liep naar het einde van de betegelde gang, ging rechtsaf een flauwe bocht om, en was van de aardbodem verdwenen. Het was alsof hij gewoon door een van de muren heen was gestapt. Het geruststellende licht van de lantaarn was samen met hem verdwenen. Madeline stond ineens moederziel alleen, met haar ene kaarsje.

Ze had het gevoel dat er een onzichtbare sluier van dreiging over haar neerdaalde. En ineens streek er een koude luchtstroom langs haar heen.

‘Artemis?’

Hij verscheen aan het eind van de gang en het werd weer licht. ‘Het is een doolhof.’

Ze rimpelde haar neus. ‘Gemaakt van tegels die in een bepaald patroon op de muur zijn gemetseld?’

‘Blijkbaar wel, ja.’

‘Dat is bizar!’

‘Eigenlijk vind ik het razend knap om op die manier een geheime uitgang aan het oog te onttrekken. En misschien nog wel meer dingen.’

Ze keek hem aan toen ze begreep wat hij bedoelde. 'Denk je dat Pitney hier iets belangrijks heeft verborgen?'

'In elk geval iets wat voor een excentriekeling als Eaton Pitney bijzonder belangrijk was. Dat wil niet zeggen dat het voor andere mensen ook iets betekent,' zei Artemis voorzichtig.

'Oké, maar aangezien we boven geen verdere aanwijzingen hebben gevonden, lijkt het mij verstandig hier even rond te kijken.'

'Ja, daar ben ik het mee eens. We hebben een stuk touw nodig.'

'Touw? O ja, natuurlijk. Om onze route door het doolhof te markeren. Ik denk dat we in de keuken wel iets bruikbaars kunnen vinden.'

Artemis kwam door het smalle gangetje naar haar toe. Hij was nog maar een stap bij haar vandaan toen ze zijn blik langs haar heen zag gaan naar de donkere trap aan het begin van het doolhof.

'Godsgenade,' mompelde hij.

Hij doofde de lantaarn en blies haar kaars uit. Een ondoorzichtige, roetzwarte duisternis omgaf hen.

'Wat is er?' Madeline liet haar stem instinctief dalen.

'Er staat iemand in de schaduw halverwege de trap,' zei hij rustig.

'Pitney?'

'Weet ik niet. Ik kon zijn gezicht niet zien. Kom mee.'

Hij greep haar arm en trok haar verder het doolhof in. Ze begreep dat hij op gevoel voortliep. Ineens raakte ze in paniek. De gedachte te verdwalen in een onverlicht labyrint maakte een panische angst in haar los. Ze kon niet meer goed ademhalen. Ze hield zichzelf streng voor dat ze de lantaarn nog hadden.

Ze hoorde het suizen van een windvlaag en even daarna een doffe klap.

'Wat was dat?' vroeg ze.

'De smeerlap heeft de deur boven aan de trap dichtgesmeten, ' antwoordde Artemis rustig.

Vervolgens klonk er een geluid van ijzer dat over ijzer schuurde.

'En op slot gedaan,' voegde hij er vol afkeer aan toe. 'Dat is mijn verdiende loon omdat ik me door jou heb laten overhalen dit huis te doorzoeken.'

'Ik wed dat het Eaton Pitney is.' Madeline werd zo boos dat de ergste angstgevoelens wegzakten. 'Hij denkt waarschijnlijk dat hij een paar zogenaamde Onbekenden in zijn doolhof heeft opgesloten.'

'Dat is ook zo.' Artemis stak de lantaarn weer aan. 'Wij zijn een stelletje Onbekenden voor hem.'

'Misschien moeten we even roepen. Dan kunnen we uitleggen dat we geen kwaad in de zin hebben.'

'Ik betwijfel of hij ons door die dikke deur heen kan horen. En zelfs als dat lukt denk ik niet dat we hem ervan kunnen overtuigen dat we ongevaarlijk zijn. Hij heeft ons tenslotte op heterdaad betrapt in dit verdomde, ondergrondse gewelf.' Hij dacht ingespannen na. 'En dan is het natuurlijk ook nog mogelijk dat het niet Pitney is die ons hier heeft opgesloten.'

Ze zuchtte vertwijfeld. 'Denk jij dat het de inbreker is die het huis ondersteboven heeft gehaald voor wij aankwamen?' vroeg ze zacht.

'Kan zijn.' Artemis haalde een pistool uit zijn zak, controleerde het en begon vervolgens vol belangstelling het plafond boven zijn hoofd te bestuderen.

Of hij vond zijn eigen spiegelbeeld uitermate interessant, of hij bad om goddelijke bijstand, dacht Madeline. Maar dat bood geen van beide uitzicht op onmiddellijke hulp, voorzover zij het kon inschatten.

'Artemis, ik wil niet vervelend zijn, maar we kunnen hier niet eeuwig blijven staan.'

'Wat? Nee, natuurlijk niet. Onze kokkin zal zich zorgen gaan maken als we niet terug zijn voor het avondeten, en dan heb ik het nog niet eens over jouw tante. '

'Niet alleen jouw kokkin en mijn tante zullen zich zorgen gaan maken.' Ze keek schichtig om zich heen. 'Ik begin eerlijk gezegd zelf ook een tikje ongerust te worden. En ik wil je er bovendien even op wijzen dat we niet eens een drankje van tante Bernice bij ons hebben.'

'Ik moet niet vergeten een paar flesjes mee te nemen als we de volgende keer op avontuur uit gaan.'

Ze keek hem met vlammende ogen aan. 'Godallemachtig, sir, ik geloof dat jij plezier in de situatie begint te krijgen.'

'Het is toch niet meer dan eerlijk dat deze hele zaak mij een beetje plezier verschaft. Men moet plezier hebben in zijn werk, toch?' Hij bleef naar het plafond van het gangetje kijken. 'Jij hebt immers ook zelf gezegd dat je het heerlijk spannend vond om in te breken in het huis van Pitney.'

'Dit is geen spelletje, sir. Hoe lang zal de inbreker volgens jou bij die deur blijven zitten?'

'Daar heb ik geen flauw idee van.' Artemis was klaar met zijn studie van het plafond en lachte vrolijk tegen haar. 'En ik ben ook niet van plan daar het antwoord op te vinden. Kom, we gaan, anders zijn we te laat voor het eten.'

'Wat bedoel je? Waar gaan we heen?'

'Dit is een Vanza-doolhof.'

'Ja, dat weet ik. En?'

'Er moet een andere uitgang zijn.' Hij ging een hoek om en was verdwenen.

'Artemis, waag het niet kat-en-muis met mij te spelen.' Ze tilde haar rokken op en haastte zich achter hem aan. In de naastliggende, betegelde gang vond ze hem terug. 'Wat ben je van plan?'

'Ik wil die andere uitgang vinden. Wat zou ik nu anders van plan zijn?'

Ze trok een lelijk gezicht tegen zijn rug en liep samen met hem weer een hoek om. 'En zou je de goedheid kunnen opbrengen mij uit te leggen hoe je die andere uitgang denkt te vinden?'

'Gewoon, door het spoor te volgen, natuurlijk.'

'Welk spoor?' Ze probeerde niet naar de angstaanjagende, verwarrende patronen van de tegels rondom haar te kijken. 'Artemis, als jij soms een of ander bizar Vanza-spelletje aan het spelen bent wil ik je wel vertellen dat ik er niets aan vind.'

Hij wierp haar over zijn schouder een blik toe. Zijn vage glimlach was uitgesproken arrogant. 'Het pad door dit doolhof is duidelijk aangegeven. Iemand die ernaar zoekt kan het vinden.'

Ze keek om zich heen, maar zag niets anders dan felgekleurde, glimmende lijnen en strepen die in het niets oplosten, en een aantal valse openingen in de muur. 'Ik zie helemaal geen tekens.'

Hij wees naar het plafond. Ze keek waarheen hij wees. In het begin zag ze alleen een wirwar van piepkleine tegeltjes waarop het oog zich moeilijk liet concentreren. Toen ze scherper tuurde zag ze een vaag spoor van roet op het glimmende oppervlak van de lichtste tegels.

Ze begreep dat het roet was achtergelaten door de ontelbare kaarsen en olielampen die Eaton Pitney had gebruikt als hij zich door het doolhof naar de andere uitgang begaf. Ze was zo opgelucht dat ze Artemis bijna kon vergeven dat hij zo prat ging op zijn pienterheid.

'Heel slim van jou om die roetvlekjes te ontdekken,' zei ze onwillig.

'Wees alsjeblieft voorzichtig met je complimentjes en bewondering, lieve kind. Je weet maar nooit wat voor effect dat op mij kan hebben.' Hij ging weer een hoek om en liep een andere gang in die met een heel ander patroon was betegeld. 'Echt hoor, die gloedvolle woorden van jou brengen mijn hoofd op hol.'

Ze trok een gezicht, wat hij niet kon zien want hij had haar alweer zijn rug toegekeerd. Ze besloot van onderwerp te veranderen. 'Die arme meneer Pitney. Hij moet wel doodsbang zijn voor die geheimzinnige Onbekenden van hem. Anders had hij zich immers niet zo veel werk op de hals gehaald. En nu heeft hij óns in zijn dwaze doolhof opgesloten. Als we hier uit zijn zal ik eens met hem gaan praten.'

'Wat denk je daarmee te bereiken?'

'Ik heb heel wat ervaring met de verknipte leerlingen van mijn vader. Ik weet zeker dat meneer Pitney tot zijn verstand zal komen als ik een rustig gesprek met hem heb gevoerd.'

'Dat hoop ik dan maar, want ik heb zelf ook een paar leuke vragen voor hem.' Artemis bleef weer abrupt staan en staarde naar de grond.

Madeline volgde zijn blik en zag een paar opgedroogde, bruine spetters op de zachtgele vloer. Er ging een rilling langs haar ruggengraat. 'Bloed?'

Artemis hurkte neer om beter te kunnen zien. 'Ja. En nog maar pas opgedroogd. Een paar uur geleden is hier iets gebeurd, maar vraag me niet wat.' Hij kwam overeind en keek naar de grond waarover ze hadden gelopen. 'Daarginds was niets te zien. Het slachtoffer is op deze plek gewond geraakt, of ergens anders en heeft het bloeden weten te stelpen tot hier.'

Madeline was ontzet. 'Denk jij dat meneer Pitney iemand die zijn doolhof is binnengedrongen, heeft beschoten? Dat kan ik nauwelijks geloven. Hij staat bekend als een zonderling, maar ik heb hem een paar keer ontmoet en ik vond hem een vriendelijke, ongevaarlijke, oude man.'

'Misschien is hij vriendelijk, maar hij is zeer zeker niet ongevaarlijk, ook al is hij op leeftijd.'

'Over dat laatste hoef je niet steeds uit te wijden.'

'We weten niet eens of hij het slachtoffer of de aanvaller is,' zei Artemis. 'Blijf hier staan, dan ga ik op onderzoek uit.'

'Maar, Artemis...'

Hij keek haar gebiedend aan, en ze kon geen woord meer uitbrengen. Ze ontdekte dat dit de eerste keer was dat hij deze kant van zijn karakter toonde. Het was bijzonder intimiderend. Ze knipperde met haar ogen en hield zichzelf voor dat ze juist zijn hulp had gevraagd omdat hij die eigenschappen bezat. Ze moest hem gewoon zijn werk laten doen.

Ze knikte snel om aan te geven dat ze het begreep.

Artemis leek voldaan. Hij hief het pistool tot heuphoogte en liep met glijdende, geruisloze passen weg. Hij ging een hoek om en was uit het zicht verdwenen.

Met onvaste vingers stak ze haar kaars aan. Ze luisterde scherp naar de oorverdovende stilte om haar heen. Om rustig te worden haalde ze langzaam en diep adem, zoals ze altijd deed als ze mediteerde.

Ze wist niet precies wanneer ze voor het eerst de vluchtige, bijna ondefinieerbare geur rook. Ze snoof voorzichtig en bespeurde een vage, scherpzoete geur. *Wierook.* Ze kon nog niet onderscheiden welke kruiden erin zaten, maar ze wist bijna zeker dat ze dat mengsel al eens eerder had geroken.

De geur werd sterker. Ze herinnerde zich een ochtend, lang geleden... Ze stond in de deuropening van het laboratorium van Bernice en keek toe terwijl haar tante Vanzaanse kruiden fijnwreef in een vijzel.

'*Waar bent u vandaag mee bezig, tante Bernice?*'

Stukjes van het antwoord dwarrelden door haar hoofd.

'... *In kleine hoeveelheden kan dit mengsel hallucinaties en vreemde waandenkbeelden veroorzaken, maar in grotere doses is het een slaapmiddel dat zelfs de meest rusteloze...*'

Van schrik kon ze zich een paar seconden niet meer bewegen. Maar ze riep al haar wilskracht te hulp en wist ze zich op te richten. Zo snel ze kon kwam ze in beweging.

'Artemis! Waar zit je? Er is iets vreselijks aan de hand!'

'Hier,' riep Artemis grimmig. 'Kom maar hierheen. Gebruik de bloedvlekken als wegwijzer. Ze zijn heel goed te zien.'

Ze haastte zich door de bochtige gangen en volgde het walgelijke, bruine spoor op de tegels. Toen ze weer een hoek omging stond ze in een kamertje dat eruit zag als een miniatuur bibliotheek.

Het was er verrassend licht. Er stond een ouderwets, mahoniehouten bureau, dat vol lag met vellen papier en een notitieboek. Op de kale stenen lag een mooi tapijt. Achter de stoel stonden twee onaangestoken lampen. Drie boekenkasten met glazen deuren waren volgestouwd met boeken in leren banden. Ze stonden tegen een muur die betegeld was met ontelbare driehoeken binnen driehoeken.

De bibliotheek van een man, ingericht in het hart van een doolhof. Maar dat was eigenlijk helemaal niet zo gek, dacht ze, als je bedacht dat de man in kwestie een Vanzaan was. Voor Vanzanen was er immers niets vreemds op de wereld.

Ze zag dat Artemis achter het bureau hurkte. Ze liep om het massieve meubelstuk heen en hield haar adem in toen ze Eaton Pitney in het oog kreeg.

Hij lag op de vloer, half leunend tegen het bureau. Naast zijn slappe, bebloede vingers lag een klein pistool. Hij had onhandig geprobeerd de wond in zijn linkerschouder te verbinden met zijn halsdoek, en dat was gelukt.

'Meneer Pitney.' Ze knielde naast hem neer en pakte zijn pols. Hij bewoog niet en deed ook zijn ogen niet open, maar hij ademde nog wel. 'Goddank, hij leeft nog.'

'Nou, we hebben dus antwoord op een paar prangende vragen,' zei Artemis. 'Het is nu duidelijk dat Pitney ons niet heeft opgesloten.'

Madeline hief haar hoofd op. 'Ik heb zojuist wierook geroken. Ik geloof dat het spul is samengesteld uit kruiden die hallucinaties veroorzaken en na verloop van tijd val je in een diepe slaap. Iemand vergiftigt opzettelijk de lucht in dit vertrek.'

Artemis snoof diep en schudde toen zijn hoofd. 'Ik ruik niets ongewoons.'

'Ik verzeker je dat ik een uitstekend reukorgaan heb, sir, en ik ruik de slaapverwekkende geur wél. Mijn tante heeft er op een keer mee geëxperimenteerd. We moeten hier zo snel mogelijk weg.'

Hij keek haar doordringend aan. 'Goed, ik ga niet met je in discussie.'

'Dan moet je nu heel gauw de tweede uitgang zien te vinden.'

Hij keek omhoog. 'Die is hier in het middelpunt van het doolhof.'

'Hoe weet je dat?'

'Het roet op de tegels is hier het dikst en er gaat geen roetspoor een andere richting uit. Hoe dan ook, het is niet meer dan logisch dat Pitney zijn vluchtroute heeft gecreëerd in de buurt van zijn studeerkamer.'

Hij trok een mes uit een schede die hij onder zijn jas droeg en liep naar de dichtstbijzijnde muur. Vervolgens zette hij de punt van zijn mes in de dunne cementlaag tussen twee betegelde panelen. Alleen het puntje verdween. Hij liep naar het volgende paneel en probeerde het opnieuw. Hij kreeg het puntje maar een heel klein stukje naar binnen.

Madeline keek ongeduldig toe terwijl hij alle afscheidingen probeerde. Toen hij klaar was met de muren hurkte hij neer en begon de voegen tussen de vloertegels te bewerken. De wierooklucht werd sterker.

'Ik had het mes dat ik van mij vader heb gekregen ook mee moeten nemen.' Madeline keek bezorgd naar het verband van Pitney. 'Met z'n tweeën was dit karwei sneller geklaard. Volgende keer zal ik het niet vergeten.'

'Het doet me verdriet je te moeten vertellen, dat jouw vaardigheid met pistolen en messen en meer van die dingen voor eventuele huwelijkspartners nog afstotelijker is dan je eigengereidheid, Madeline.'

'Nou, dan zal ik, als ik ooit besluit weer een echtgenoot te nemen, moeten zoeken naar een man die wat vrijere opvattingen over dergelijke dingen heeft.'

'Ja, dat zal wel moeten. Maar als hij zo tolerant is als jij wilt, dan valt hij algauw in de categorie van excentriekeling, en jij hebt je mening omtrent dat soort mannen luid en duidelijk van de daken geschreeuwd.' Artemis haalde diep adem en fronste zijn wenkbrauwen. 'Je hebt gelijk wat die geur betreft. Ik ruik het nu ook.'

'Bind je halsdoek voor je neus en mond,' zei ze dringend. 'Dan adem je niet meteen al dat gif in.' Zelf bond ze haar wollen shawl voor haar gezicht. Ze rook de bittere kruiden nog wel door de doek heen, maar de geur was niet meer zo sterk.

Artemis volgde haar voorbeeld en ging snel verder met zijn werk. Hij tilde een hoek van het tapijt op en stak zijn mespunt tussen de smalle voegen. Madeline begon zich al af te vragen of zijn theorie betreffende een tweede uitgang wel gerechtvaardigd was. Maar ze zei niets, want ze wist zelf niets beters te verzinnen.

Ze staarde naar een van de patronen op de muur en dacht dat ze het zag bewegen. Ze knipperde met haar ogen en probeerde scherper te kijken. Het patroon bewoog opnieuw.

'Artemis, de hallucinerende invloed van de kruiden begint te werken. We hebben nog maar weinig tijd.'

Artemis tilde het tapijt nog verder op en zette zijn mes tussen twee stenen. Het lemmet zonk er tot aan het handvat in.

'Ik geloof dat we onze vluchtweg hebben gevonden,' zei Artemis terwijl hij het mes terugtrok. Hij gleed met zijn vingers over de spleet, vond een gat waar hij zijn vingers in kon steken en trok de steen omhoog. Madeline hoorde het geluid van draaiende scharnieren. Een gedeelte van de vloer kwam omhoog en er werd een donker gat zichtbaar. Er steeg een muffe, vochtige luchtstroom uit de opening op. Een paar papieren op het bureau fladderden op de grond.

Artemis keek haar aan. 'Ben je zover?'

'Ja, maar wat doen we met meneer Pitney? We kunnen hem moeilijk hier achterlaten.'

'Ik zal hem dragen.' Hij stond op en duwde de lantaarn in haar hand. 'Ga jij maar voorop, dan kun je me bijlichten.'

Ze pakte de lantaarn en liep de donkere trap af. Artemis tilde Pitney van het bebloede tapijt en legde hem over zijn schouder. Hij volgde Madeline de donkere, stenen tunnel in. Hij bleef nog even staan om het paneel achter zich dicht te trekken.

13

'De wond is schoon.' Bernice had de magere schouder van Eaton Pitney opnieuw verbonden. 'Ik heb geen spoor van infectie kunnen ontdekken, sir. U heeft ontzettend veel geluk gehad.'

'Heel erg bedankt, madam.' Eatons smalle gezicht was vertrokken van pijn, maar hij keek haar vol dankbaarheid aan toen hij terugzonk in de kussens. 'Ik had een paar genezende kruiden in de la van mijn bureau en die heb ik er nog net op kunnen leggen voor ik bewusteloos raakte.'

'Wat een gelukkige bijkomstigheid dat u ze bij de hand had,' zei Madeline vanaf het voeteneinde van het bed.

'Ik heb altijd een behoorlijke voorraad in mijn studeerkamer,' zei Pitney. 'En ook extra munitie voor mijn pistool, en voedsel, water en dat soort dingen. Ik heb er altijd rekening mee gehouden dat ik op een dag misschien naar mijn doolhof zou moeten vluchten. De Onbekenden zouden vroeg of laat komen opdagen, dat wist ik.'

De oude man mocht dan zo gek als een deur zijn, dacht Artemis, hij was ook dapper en doortastend genoeg om degene die op hem had geschoten en die hem tot in het doolhof had achtervolgd, te slim af te zijn.

Hij keek vanuit zijn ooghoeken naar Madeline. Over dapper en doortastend gesproken, dacht hij. Ze leek absoluut niet geschokt te zijn door de gebeurtenissen in het doolhof en de tunnel die hen naar buiten had geleid. Hij voelde zich warm worden van bewondering en trots.

Ze was in bad geweest en had een lichtgrijze, wollen japon aangetrokken. Haar haren waren weer netjes gekapt met een middenscheiding en gracieuze golven aan beide kanten van haar hoofd. Langs haar oren hingen losse, dunne pijpenkrulletjes. Afgezien van de bezorgde uitdrukking op haar gezicht zou je kunnen denken dat ze niets vermoeienders had gedaan dan een bezoekje brengen aan een oude vriend.

De beheerste manier waarop ze het avontuur van deze dag had doorstaan zei heel wat over wat ze het afgelopen jaar het hoofd had moeten bieden.

De verborgen uitgang onder de vloer van het kamertje had hen via een vochtige, muffe, stenen tunnel naar een verlaten opslagruimte gevoerd. Het was niet meegevallen om een huurrijtuig te pakken te krijgen, want ze zagen er niet bepaald vertrouwenwekkend uit in hun stoffige kleren en met een bewusteloze Pitney over Artemis' schouder. Maar uiteindelijk waren ze toch thuisgekomen.

Terwijl ze haastig een verwarde uitleg gaven had Bernice zich over Pitney ontfermd. Onder haar bekwame handen was hij algauw bij kennis gekomen. Onthutst had hij om zich heen gekeken, maar hij had haar ogenblikkelijk herkend.

'Kunt u ons vertellen wat er is gebeurd?' vroeg Artemis.

'Ik ben bang dat ik niet meer zo fit ben als vroeger,' zei Pitney. 'De Onbekende heeft me verrast. Dat zou in mijn jonge jaren niet zijn gebeurd.'

Madeline zuchtte. Artemis kon het haar niet kwalijk nemen. Het zou moeilijk worden om een zinnig woord uit de oude man te krijgen, begreep hij. Pitney gaf de denkbeeldige figuren die hij had verzonnen nog steeds de schuld van alles.

Madeline keek Pitney aan. 'Kent u de identiteit van de... eh... Onbekende die op u heeft geschoten, sir?'

'Nee. Hij had zijn halsdoek bij wijze van masker voor zijn gezicht gebonden en zijn hoed was over zijn ogen getrokken.'

'Herinnert u zich misschien nog iets bijzonders over hem?' drong Madeline aan. 'Zodat we naar hem kunnen uitkijken?'

Pitney fronste zijn wenkbrauwen. 'Hij bewoog zich als een jonge vent. Hij had geen last van reumatiek of stijve gewrichten, of zo. En hij had een wandelstok met een gouden handvat bij zich.'

Artemis zag dat de handen van Madeline om de bedspijl klemden.

'Een wandelstok?' herhaalde ze.

'Ja. Ik weet nog dat ik dat een beetje raar vond. Dat is niet iets wat een Vanzaan bij een dergelijke missie zou meenemen.' Hij zweeg even. 'Maar aan de andere kant is het wel zo dat hij over straat moest om mijn huis te bereiken en hij wilde natuurlijk de indruk wekken dat hij een keurige heer was. Een wandelstok maakte zijn vermomming waarschijnlijk compleet. En toch vind ik het nog steeds vreemd.'

Madeline wisselde een blik van verstandhouding met Artemis.

Toen keek ze Pitney weer aan. 'Is er misschien nog iets wat u is opgevallen, sir?'

'Ik geloof het niet... Ik heb zijn stem niet herkend en ik heb een speciaal talent om stemmen uit elkaar te houden. Zoals ik al zei: het was een Onbekende.'

Artemis deed een stap naar het bed toe. 'Heeft hij tegen u gesproken? Wat heeft hij precies gezegd?'

Pitney's ogen werden groot van schrik toen hij de scherpe klank van Artemis' stem hoorde. Madeline wierp Artemis een waarschuwende blik toe, schudde snel even haar hoofd, en keerde zich vervolgens met een geruststellende glimlach naar Eaton.

'Meneer Hunt wil deze Onbekende zo snel mogelijk identificeren, sir. Er hadden vreselijke dingen kunnen gebeuren als hij erin was geslaagd ons bewusteloos te maken met zijn wierook. De geringste kleinigheid zou kunnen helpen hem op te sporen.'

Pitney knikte ernstig. 'Ik kan me zijn woorden niet precies meer herinneren. Hij wilde toegang krijgen tot mijn geheimen, beweerde hij. Hij eiste de sleutel van mijn bureau of zoiets op. Ik wist natuurlijk meteen waar hij op uit was.'

'En dat is?' vroeg Artemis.

'Mijn aantekeningen natuurlijk.' Pitney keek wantrouwig naar de deur alsof hij bang was dat er in de gang iemand stond te luisteren. 'Ik heb er jarenlang aan gewerkt. En nu zit ik heel dicht bij de ontknoping van de geheimen. Dat *weten* ze.'

'Geheimen?' Artemis keek Madeline aan. 'Heeft u het over het Vanzaanse Boek der Geheimen? Het boek dat volgens zeggen vorig jaar uit de Tuin Tempels is gestolen?'

'Nee, nee, nee.' Pitney's gezicht vertrok van afschuw. 'Het Boek der Geheimen is alleen maar een stapel oude recepten voor het maken van alchemistische elixers en drankjes. Klinkklare nonsens. Mijn onderzoek leidt naar het hart van Vanza. Ik ben op zoek naar de grote wetenschappelijke geheimen uit de oudheid die eeuwen geleden verloren zijn gegaan.'

Artemis probeerde niet hardop te kreunen. Het was hopeloos iets zinnigs uit die man los te krijgen.

Pitney keek Madeline aan. 'Jammer van je huwelijk, liefje. Ik moet eerlijk toegeven dat ik zeer opgelucht was toen ik hoorde dat Deveridge bij die brand om het leven is gekomen. Uitstekende oplossing voor een zeer onaangenaam probleem.'

Artemis fronste zijn wenkbrauwen. 'Kende u Renwick Deveridge?'

'Ik heb de man nooit ontmoet, maar niet lang voor zijn dood zijn mij bepaalde geruchten ter ore gekomen.' Pitney knikte een paar maal. 'Ik weet bijna zeker dat die man een Onbekende was. Ze zijn ontzettend goed in vermommingen, zie je.'

Artemis wist met grote moeite zijn ongeduld te bedwingen. 'Wat voor geruchten waren dat, sir?'

Pitney keek schichtig naar Madeline. 'Kort voor hij stierf heeft je vader zijn oudste vrienden een brief geschreven om hen te waarschuwen. Deveridge zou ons weleens een bezoek kunnen brengen om vragen te stellen over de klassieke Vanzaanse teksten. Winton waarschuwde ons dat we ons dan niet moesten laten misleiden door de charmante maniertjes van zijn schoonzoon. Ik begreep meteen dat Reed zijn dochter had uitgehuwelijkt aan een Onbekende.'

Artemis aarzelde even en besloot het erop te wagen. 'Linslade denkt dat de geest van Deveridge hem gisteravond in zijn bibliotheek heeft bezocht.'

Pitney snoof. 'Schei toch uit, Linslade praat voortdurend met geesten. Die man is getikt. Dat weet iedereen.'

Artemis vroeg zich af of een psychische afwijking eerder werd ontdekt door iemand die zelf rijp was voor een gesticht. 'Denkt u dat het mogelijk is dat Deveridge de brand heeft overleefd en is teruggekomen als een eh... Onbekende om de oude geheimen van Vanza op te sporen?'

Pitney gromde. 'Dat betwijfel ik. Madeline is de dochter van haar vader. Deze dame is niet gek.'

'Wat bedoelt u daarmee?' vroeg Artemis.

Pitney lachte minzaam tegen Madeline. 'Laten we zeggen dat ik er zeker van ben dat zij genoeg gezond verstand bezit om zich ervan te overtuigen dat Deveridge morsdood was voor het vuur het huis in de as legde. Heb ik gelijk of niet, liefje?'

Er verscheen een uitdrukking van schrik en verbijstering in Madelines ogen. 'Maar sir, wat zegt u nu? Ik had nooit kunnen bevroeden dat u ook maar enig geloof hechtte aan de gemene geruchten dat ik mijn echtgenoot heb vermoord.'

Bernice maakte een afkeurend geluid. 'Grote hemel, Pitney, hoe kun jij dergelijke kwaadsprekerij geloven?'

'Inderdaad, het was alleen maar een schandaalroddel van het ergste soort.' Pitney gaf Artemis een vette knipoog. 'Daar moet je natuurlijk nooit aandacht aan schenken. Wat u, sir?'

Artemis voelde dat Madeline hem vol spanning aankeek. Hij

dacht aan de eindeloze stroom van geruchten en informatie die elke ochtend op zijn bureau werd gedeponeerd, dankzij de Ogen en Oren van Zachary.

'Ik vind doodgewone roddel niet de moeite waard,' zei hij.

Hij werd beloond met een blik van opluchting die het gezicht van Madeline verhelderde.

Hij had niet gelogen, verzekerde hij zichzelf. Alleen *ongewone* roddel kon zijn belangstelling wekken.

Henry Leggett sloot zijn notitieboek en stond op om weg te gaan. 'Jullie tweetjes hebben een spannend avontuur beleefd.'

'Dat is één manier om het te beschrijven,' zei Artemis.

'Eaton Pitney heeft geluk gehad. Hij had kunnen doodbloeden, zelfs nadat hij de indringer te vlug af was geweest.'

'Pitney is een taaie.'

'Dat is waar. Maar toch was het een dubbeltje op zijn kant. En als zij er niet was geweest...' Henry zweeg even. 'Ik moet zeggen, het is een zeer bijzondere vrouw.'

Artemis schonk nog een kop koffie in en liep ermee naar het raam. Hij keek de tuin in en riep zich de gestalte van Madeline voor de geest. Dat was niet zo moeilijk.

'Ja,' zei hij. 'Heel bijzonder.'

'En indrukwekkend intelligent.'

'Inderdaad.'

'Heel zelfverzekerd ook. Ik heb een zeer stimulerend gesprek met haar gehad.'

'Ja, ze kan erg... stimulerend zijn.'

'Ik heb vandaag een hele tijd met haar gesproken. Het moet me van het hart dat men een dergelijke vrouw niet elke dag tegenkomt.'

'Klopt.'

Henry keek naar de deur. 'Ik moet gaan. Het spijt me dat ik tot dusver nog geen inlichtingen over Renwick Deveridge heb kunnen bemachtigen, maar ik ga gewoon door met mijn onderzoek. Vanmiddag ga ik naar een paar winkels waar ze bijzondere handgrepen voor wandelstokken maken. Daar kom ik misschien iets te weten over de stok die die schurk van jou altijd bij zich heeft.'

'Bedankt, Henry. Wat je ook ontdekt, laat het me meteen weten.'

'Natuurlijk.' Henry deed de deur open.

Artemis keerde zich naar hem toe. 'Henry?'

'Ja?'

'Het doet me plezier dat je mevrouw Deveridge in een meer positief licht begint te zien. Ik weet dat je wat bedenkingen tegen haar had in verband met die ongelukkige kletspraatjes.'

Henry keek hem een paar seconden onthutst aan. Toen klaarde zijn gezicht op. 'Ik had het niet over mevrouw Deveridge. Ik had het over haar tante, miss Reed.'

Hij liep snel de gang in en deed de deur achter zich dicht.

Artemis zat te werken toen Bernice een uur later de bibliotheek binnenkwam. Hij stond op om haar te begroeten en zag dat ze een vastberaden blik in haar ogen had.

'Kan ik iets voor u doen, madam?'

'Ja, ik wil even met je praten over een nogal delicate aangelegenheid.'

Artemis onderdrukte een kreun. 'Gaat u zitten.'

Ze nam aan de andere kant van zijn bureau plaats en keek hem strak aan. 'Ik weet zeker dat je weet waarover het gaat, sir.'

Hij probeerde een manier te vinden om het gesprek dat volgens hem bepaald ongemakkelijk zou worden, te vermijden, en wierp een blik op de deur. 'Waar is Madeline?'

'Boven, bij meneer Pitney. Ik geloof dat ze zijn mening wil horen over een vreemd boekje dat een van Wintons oude collega's haar kortgeleden uit Spanje heeft toegestuurd.'

Alle hoop om door Madeline gered te worden was vervlogen.

'O.' Artemis ging ook zitten. 'Over Pitney gesproken... Ik wilde u nog zeggen dat ik zeer onder de indruk ben van uw kwaliteiten op het gebied van medicatie, miss Reed. Madeline heeft gelijk, u weet ongelooflijk veel van geneeskrachtige kruiden af.'

'Dank je. Een paar jaar geleden heeft Winton een paar boeken meegebracht over kruiden en planten die op het eiland Vanzagara groeien. Ik heb die boeken lange tijd bestudeerd. Maar daar wil ik het op dit moment niet met je over hebben.'

'Daar was ik al bang voor.' Hij pakte het horlogekettingplaatje dat op zijn bureau lag en liet het gedachteloos door zijn vingers glijden. 'Het gaat over Madeline, nietwaar?'

'Ja.'

Hij keek even naar het plaatje in zijn hand. Toen hief hij zijn hoofd op. 'U maakt zich ongerust over mijn bedoelingen.'

Bernice trok haar wenkbrauwen op. 'Je valt meteen met de deur in huis, sir.'

'Ik heb er zelf een hele tijd over nagedacht.'

De sprekende, blauwe ogen van Bernice werden donker van boosheid. 'Dat mag ik geloven, sir. Als een heer een dame verleidt, dan is het...'

Hij stak afwerend zijn had op. 'Heeft ze gezegd dat ik haar verleid heb?'

Bernice schoof de vraag met een korte handbeweging terzijde. 'Dat was niet nodig. Zodra ik jullie vanmorgen bij het ontbijt zag wist ik dat er iets was gebeurd. Ik weet heel goed dat bepaalde mannen vinden dat weduwen zonder scrupules gebruikt kunnen worden voor hun persoonlijke pleziertjes, maar het is geen seconde bij me opgekomen dat je mijn nichtje ook op die manier zag. Ze mag dan weduwe zijn, maar ze heeft bitter weinig ervaring met mannen.'

'Dat weet ik,' zei hij met opeengeklemde kiezen.

Ze keek hem forsend aan. 'Ongetwijfeld.'

'Wacht even, madam.' Artemis smeet het plaatje van zich af en boog zich naar voren. Hij vouwde zijn handen en legde ze voor zich op zijn bureaublad. 'Ik ben niet degene tegen wie u zo streng tekeer moet gaan. Uw nichtje weigert ten enenmale om de situatie die nu is ontstaan ernstig op te vatten. Vanmiddag, voor we het huis van Pitney betraden, heb ik nog geprobeerd er met haar over te praten, maar ze wil er niets van weten.'

'Als jouw bedoelingen eerzaam zijn is het jouw plicht de leiding te nemen.'

'Mijn bedoelingen?' Hij keek haar onthutst aan. 'Zij blijft erop hameren dat er helemaal niets is veranderd na hetgeen er tussen ons is voorgevallen.'

'Onzin. Alles is veranderd. Jullie hebben nu een affaire.'

'Ze vindt dat dat er absoluut niet toe doet. Ze weet dat ze voor het oog van de wereld nog steeds de Verdorven Weduwe is, althans, dat beweerde ze gisteren.'

'Ja, ja, dat probeert ze mij ook wijs te maken, maar dat is natuurlijk belachelijk. In onze familie wordt totaal geen aandacht geschonken aan de mening van de buitenwereld. Wij houden ons strikt aan de feiten.' Bernice keek hem streng aan. 'En het is een vaststaand feit dat mijn nichtje gisteren nog een onschuldige maagd was. Vandaag is dat niet meer het geval. En dat is jouw schuld.'

'Weet u wat, vertelt ú haar dat maar eens, miss Reed. Ze weigert te luisteren als ik dat onderwerp aansnij.' Hij keek haar met halfdichtgeknepen ogen aan. 'Ik begin zelfs te geloven dat zij mij voor haar eigen doeleinden gebruikt.'

Bernice zette grote ogen op. 'Dat zij jóu gebruikt?'

'Inderdaad. Om dat stomme spook op te sporen dat haar voortdurend achtervolgt. Ze behandelt me als een werknemer, niet als een minnaar.'

'O, ik begrijp wat je bedoelt.' Bernice tuitte haar lippen. 'Ja, we moeten die kwestie van de geest van Renwick nog oplossen, nietwaar?'

Hij wachtte even, maar Bernice deed geen poging zijn conclusie af te zwakken. Hij stond op en liep naar het raam. 'Ik denk niet dat ze zal toegeven dat ze ook maar een spoortje warme gevoelens voor mij koestert.'

'Heb je weleens vragen in die richting gesteld?'

'Dat hoefde helemaal niet,' zei hij rustig. 'Uw nichtje heeft mij meer dan duidelijk gemaakt dat ze een diepe afschuw heeft van elke man die iets met de Vanza-filosofie te maken heeft. En we kunnen er niet omheen dat ik een Vanzaan ben.'

Er viel een korte, diepe stilte. Na een poosje keerde hij zich om en keek Bernice aan. Tot zijn verbazing zag hij dat ze hem met een nadenkende blik zat op te nemen. Ze begon met één vinger op de stoelleuning te tikken.

Hij knarste onhoorbaar met zijn tanden.

'Ik geloof dat je de situatie niet helemaal begrijpt, sir,' zei Bernice even later.

'O, nee? En wat begrijp ik dan voor de donder niet, madam ?'

'Madeline heeft geen hekel aan Vanza-filosofen.'

'Juist wel. Ze grijpt elke gelegenheid aan om de tekortkomingen van degenen die connecties met die leer hebben naar voren te brengen. Volgens haar zijn leden van het Vanzaanse Genootschap op zijn minst excentriekelingen zoals Linslade en Pitney, en op zijn ergst gevaarlijke krankzinnigen.'

'Luister, sir. Madeline neemt het zichzelf enorm kwalijk dat ze zich helemaal heeft laten inpakken door die Renwick Deveridge. Ze is ervan overtuigd dat haar vader nog in leven zou zijn als ze niet door de knieën was gegaan voor zijn geraffineerde hofmakerij.'

Artemis zweeg verbluft.

'Ze staat niet wantrouwig tegenover Vanza-mannen.' Ze zweeg veelbetekenend. 'Ze vertrouwt alleen haar eigen intuïtie en vrouwelijke gevoelens niet meer.'

14

Oswynn liep op onvaste benen met zijn nieuwe metgezel het rokerige speellokaal uit. Hij probeerde zijn ogen te richten op het huurrijtuig dat in de straat stond te wachten.Om de een of andere reden lukte dat niet, hoewel hij het geschraap van paardenhoeven en het gerinkel van teugels hoorde. Hij kneep zijn ogen halfdicht, maar de contouren van het rijtuig wiegden lichtelijk heen en weer. Hij had heel wat gedronken vanavond, maar niet meer dan gewoonlijk. Hoe dan ook, zelfs als hij stomdronken was kon hij nog goed zien, en hij had heel wat ervaring met dronkenschap. Misschien kwam het door de lichte mist dat alles om hem heen wazig was.

Hij schudde zijn hoofd om helder te worden en greep de schouder van zijn nieuwe kennis beet. De blonde man had verteld dat hij dichter was. Zijn soepele, gracieuze bewegingen en het knappe gezicht pasten wel bij een dichter, vond Oswynn.

De man was ook zeer modieus gekleed. Zijn halsdoek was op de nieuwste, zeer ingewikkelde wijze, geknoopt. Zijn donkere mantel was van een uitstekend snit. En zijn wandelstok was heel ongewoon. Het gouden handvat had de vorm van de kop van een grimmige roofvogel.

De dichter keek met arrogantie en geamuseerde minachting op zijn medemensen neer en was niet het type dat zijn tijd verspilde met lieden die hem verveelden. Het feit dat die blonde man wel belangstelling voor hem, Oswynn, had, betekende dan ook dat hij hem beschouwde als een wereldwijze aristocraat, die zich regelmatig overgaf aan de meest exotische geneugten.

'Ik heb vanavond mijn buik vol van wijn en kaarten,' kondigde hij aan. 'Ik denk dat ik me een poosje ga amuseren in een bepaalde gelegenheid in Rose Lane. Heb je zin om mee te gaan?' Hij gaf de dichter een vette knipoog. 'Ik heb gehoord dat het oude wijf dat daar de leiding heeft beslag heeft weten te leggen op gloednieuwe handelswaar, afkomstig van het platteland. Vanavond wordt er een veiling gehouden.'

De dichter wierp hem een snelle, verveelde blik toe. 'Een stelletje melkmeisjes met stopverfgezichten, neem ik aan.'

Oswynn schokschouderde. 'En ongetwijfeld ook een paar melkjóngens.' Hij bulkte van de lach om zijn knappe woordspeling. 'Madam Bird gaat er prat op dat ze voor elk wat wils heeft.'

De dichter bleef staan. Eén blonde wenkbrauw ging geamuseerd omhoog. 'Het verbaast me dat een man van jouw kaliber zo snel tevreden is met dergelijke aanbiedingen. Wat is er nu voor lol aan om naar bed te gaan met een bleke boerendochter die bijna bewusteloos is door de slaapmiddelen die haar zijn toegediend?'

'Nou...'

'En de jongens komen uit de krottenbuurten, waar ze hebben geleerd hoe ze je beurs moeten stelen terwijl jij nog ligt bij te komen van de inspanningen.'

Oswynn vond de minachtende toon van zijn nieuwe kennis irritant, maar hij bedacht dat hij blijkbaar een heer was met verfijnde wensen. Iedereen wist dat dergelijke lieden slechts genoegen namen met de meest exquise excessen. Dat had waarschijnlijk te maken met het feit dat hij schrijver was, vermoedde Oswynn. De geruchten over Byrons escapades in de rosse buurten waren legendarisch.

Oswynn vond toch dat hij zijn eigen smaak kenbaar moest maken. 'Ik geef de voorkeur aan jonge meisjes, en madam Bird heeft altijd heel jonge deerntjes in huis.'

'Nou, ik geef de voorkeur aan meisjes die wakker zijn en goed geschoold.'

Oswynn knipperde met zijn ogen om beter zicht te krijgen. 'Geschoold?'

De dichter liep verder. 'Ik kan je verzekeren dat er een enorm verschil is tussen een meisje dat is onderwezen in de erotische kunst en zo'n melkmeisje dat achter op een groentekar naar de stad is gekomen.'

Oswynn zag dat zijn blonde metgezel naar het wachtende rijtuig liep. 'Onderwezen, zeg je.'

'Inderdaad. Ik kies er meestal een die is opgeleid in de Chinese methodes. Maar soms, als ik zin heb in iets anders, neem ik er een die de Egyptische technieken meester is.'

Oswynn haastte zich achter de man aan. 'En zijn die meisjes ook nog tamelijk jong?'

'Natuurlijk.' De dichter trok het portier open en maakte glimlachend een hoofdbeweging naar Oswynn om in te stappen. 'Voor een bepaalde prijs kun je een levendig, onderhoudend meisje krijgen dat niet alleen uitstekend is opgeleid in de meest exotische kunstgrepen, maar dat ook nog maagd is. Volgens mij gaat er niets boven een goedgeschoolde, ongerepte maagd.'

Oswynn was diep onder de indruk en legde zijn hand op de zijkant van het portier. 'Leiden ze *maagden* op in buitenlandse methodes?'

De ogen van de dichter glansden in het licht van de lantaarns van het voertuig. 'Je wilt me toch niet wijsmaken dat je nog nooit hebt kennisgemaakt met de geneugten die de Tempel van Eros je kan verschaffen?'

'Ik ben er nog nooit geweest.'

'Mag ik je dan uitnodigen vanavond met mij mee te gaan?' De dichter wipte met soepele bewegingen het rijtuig in en nam plaats op de donkerblauwe kussens. 'Het zal mij een eer zijn je aan de eigenaresse voor te stellen. Ze laat alleen nieuwe klanten toe als die door een vaste bezoeker van haar etablissement worden geïntroduceerd.'

'Dat is heel vriendelijk van u, sir.' Oswynn klauterde moeizaam het rijtuig in en plofte met een smak op de bank neer. Heel even draaide het interieur van de wagen om hem heen.

De dichter, die tegenover hem zat, nam hem vol belangstelling op. 'Voel je je wel goed, man?'

'Ja, ja.' Oswynn wreef over zijn voorhoofd. 'Ik geloof dat ik iets meer dan gewoonlijk heb gedronken. Ik heb alleen wat frisse lucht nodig, dan ben ik zo weer de oude.'

'Prachtig. Ik wil niet dat je ook maar iets mist van de zeer speciale ervaringen waarvan ik je vanavond wil laten genieten. Er zijn maar weinig mannen die in staat zijn het exotische en het zeldzame in de wereld op prijs te stellen.'

'Ik ben daar altijd zeer op gesteld geweest.'

'Echt waar?' In de stem van de dichter klonk beleefde twijfel door.

Oswynn leunde met zijn hoofd tegen de kusssens en sloot zijn ogen om de draaiende omgeving buiten te sluiten. Hij probeerde een indrukwekkende gebeurtenis uit zijn verleden op te rakelen om de dichter te imponeren, maar hij had moeite zich te concentreren. Het was nog tamelijk vroeg, maar om de een of andere reden was hij doodmoe. 'Een paar jaar geleden hebben een paar kameraden en ik een club opgericht van mannen die uitsluitend de meest ongewone, erotische genoegens op prijs stelden.'

'Ik heb wel eens over zo'n club horen praten. Daar hoorden, buiten jou, Glenthorpe en Flood toe, nietwaar? Jullie noemden die club *De Drie Ruiters*, geloof ik.'

Oswynn had het onzalige gevoel dat er een ijskoude vinger langs zijn ruggengraat streek. Hij sperde zijn ogen wijd open. 'Waar heb jij over De Ruiters horen praten?' Hij hoorde zelf dat hij sliste.

'Ach, je pikt hier en daar weleens wat op.' De dichter glimlachte. 'Waarom hebben jullie die club opgeheven?'

Weer ging er een huivering door Oswynn heen. Hij had al razend spijt dat hij over die verdomde club was begonnen. Na de gebeurtenissen van die nacht, vijf jaar geleden, hadden ze allemaal gezworen dat ze er nooit meer over zouden praten. De dood van die actrice had hen alle drie angstig gemaakt.

Hij dacht eigenlijk dat hij de bedreiging van die vrouw – dat haar minnaar haar op een dag zou komen wreken en hen totaal zou vernietigen – allang vergeten was. Na dat incident had hij een jaar lang de meest afschuwelijke nachtmerries gehad en was hij dikwijls badend in het zweet wakker geworden. Maar na verloop van tijd waren zijn zenuwen tot rust gekomen.

Hij had zichzelf verzekerd dat hij veilig was. Maar drie maanden geleden had hij een brief ontvangen met een maar al te vertrouwd gouden plaatje erin. De nachtelijke angstaanvallen waren teruggekeerd. Wekenlang had hij voortdurend over zijn schouder gekeken als hij de straat op ging.

Er was echter niets gebeurd en hij was tot de conclusie gekomen dat de brief met het plaatje een bizar grapje van Flood of Glenthorpe was geweest. Het getuigde niet van veel gezond verstand als je geloofde dat die mysterieuze minnaar inderdaad was teruggekomen om wraak te nemen. Dat kind was niets anders dan een onbeduidend toneelspeelstertje geweest, een onbenullig wezen zonder familie. De minnaar, als die al bestond, was ongetwijfeld een zorgeloze flierefluiter die waarschijnlijk niet eens meer wist hoe ze heette. Geen heer van goede komaf zou een tweede gedachte wijden aan een dom hoertje dat slecht aan haar eind was gekomen.

'De Drie Ruiters-club was niet leuk meer.' Oswynn probeerde een wegwerpende beweging met zijn hand te maken, maar hij kon zijn vingers niet meer goed bewegen. 'Ik wilde leukere dingen gaan doen. Je weet hoe dat gaat.'

'O, ja!' De dichter glimlachte. 'Dat is het beroerde met diegenen onder ons die de meer verfijnde gevoelens bezitten die vereist zijn om het zeldzame en het exotische naar behoren te appreciëren. Wij zijn altijd op zoek naar nieuwe prikkels.'

'Presjiesj... ik bedoel: ja.' Het werd steeds moeilijker om zijn gedachten bij elkaar te houden, merkte Oswynn. Het gewiebel van het rijtuig scheen een hypnotiserende uitwerking op hem te hebben. Hij wilde eigenlijk alleen maar slapen. Vanonder zijn halfgesloten oogleden keek hij naar de dichter. 'Waar sjei...zei je ook alweer dat we naartoe gingen?'

Dat vond de dichter blijkbaar een heel grappige vraag. Zijn lach bulderde door het voertuig. Het lichtschijnsel uit de lantaarn deed zijn haren glanzen als goud.

'Nou, naar de hel natuurlijk,' antwoordde hij.

Het publiek hield zijn adem in toen de lange, magere, zilverharige man op het podium zich tot de jongedame wendde die op een stoel zat.

'Wanneer word je wakker, Lucinda?' vroeg hij op autoritaire toon.

'Als de bel luidt.' Lucinda sprak met een eigenaardige, toonloze stem.

Zachary stond vlak bij Beth achter in de zaal en fluisterde in haar oor: 'Dit is het beste deel. Moet je kijken wat er nu gebeurt.'

Beth was helemaal in de ban van de voorstelling, maar toch glimlachte ze even tegen Zachary.

De hypnotiseur op het toneel bewoog zijn handen voor het roerloze gezicht van Lucinda. 'Zul je je straks herinneren dat je een gedeelte uit *Hamlet* hebt opgezegd terwijl je in trance was?'

'Nee.'

De hypnotiseur pakte een belletje. Hij liet het even rinkelen. Lucinda schrok en deed haar ogen open. Met grote, angstige ogen keek ze om zich heen.

'W... waar ben ik? Hoe kom ik op dit podium?' vroeg ze met trillende stem. Ze leek oprecht verbaasd dat ze zich op een podium, tegenover het publiek waarvan ze kort geleden zelf deel uitmaakte, bevond.

Het publiek liet kreten van verbazing horen en begon luid te klappen.

Lucinda kreeg een kleur en keek hulpeloos naar de hypnotiseur.

De man glimlachte geruststellend. 'Vertel eens, Lucinda, lees je veel van Shakespeare?'

'Nee, sir, sinds ik van school af ben niet meer. Ik lees liever de gedichten van Lord Byron.'

Het publiek moest lachen. Dat was een meisje naar zijn hart, dacht Zachary. Hij was halverwege *The Corsair,* dat hij van meneer Hunt had gekregen. Echt een boek waar hij van hield, vol opwindende actie en gedurfde avonturen.

'Heb je ooit gedeeltes van *Hamlet* uit je hoofd geleerd, Lucinda?' wilde de hypnotiseur weten.

'Op school moest dat wel eens, maar dat is al heel lang geleden. Ik weet er niets meer van.'

De toeschouwers begonnen te mompelen.

'Dat is heel interessant, want je hebt ons zojuist getrakteerd op een uitstekende voordracht van een passage uit de eerste scène van de tweede akte,' verkondigde de hypnotiseur met luide stem.

Linda's ogen werden groot. 'Nee toch? Dat is onmogelijk. Daar weet ik geen woord meer van, dat zweer ik.'

Het publiek begon luid te klappen en te joelen. De hypnotiseur boog diep.

'Dat was ongelooflijk,' fluisterde Beth tegen Zachary.

Hij grinnikte verheugd om haar reactie. 'Als jij dit leuk vond, wil ik je nog wel iets anders laten zien.' Hij pakte haar arm en leidde haar het Zilverpaviljoen uit.

Het was al laat en het werd koud buiten. De bezoekers die de hele avond in het amusementspark hadden rondgelopen zochten de uitgangen op. Het was bijna sluitingstijd.

'Ik denk dat ik nu naar huis moet,' zei Beth. 'Ik heb een heerlijke avond gehad.'

'Wil je het Spookhuis nog even zien voor we weggaan?'

Beth keek vanonder de rand van haar kokette hoedje naar hem op. 'Ik dacht dat die attractie nog niet opengesteld was voor het publiek.'

Zachary grinnikte. 'Ik heb zo mijn connecties. Ik kan zorgen dat we erin kunnen.' Hij zweeg veelbetekenend. 'Maar ik moet je wel waarschuwen dat je misschien een paar vreemde en griezelige dingen zult zien.'

Beth zette grote ogen op. 'Zijn er echt spoken in dat huis?'

'Je hoeft niet bang te zijn, hoor,' zei hij sussend. 'Ik bescherm je wel.'

Ze giechelde. Zachary greep haar arm wat steviger beet. Hij vond het leuk als ze giechelde. Haar grappige strohoedje paste uitstekend bij haar blauwe ogen, vond hij. Beth droeg altijd de meest modieuze hoedjes en mutsen. Dat kwam natuurlijk omdat ze in een hoedenwinkel werkte.

Hij wist dat ze hem graag mocht. Dit was de derde keer dat hij haar had uitgenodigd voor een avondje in het amusementspark en ze had gretig ja gezegd. Een van de voordeeltjes van zíjn werk was dat hij zijn vriendin gratis mocht meenemen naar het park.

Hij voelde zich vanavond heel optimistisch. Met een beetje geluk en een beetje voorbereiding hoopte hij Beth te verleiden tot een kus. Met behulp van het spook dat hij die middag in het Spookhuis had geïnstalleerd zou het moeten lukken. Als het plan naar behoren werkte zou Beth gaan gillen en zich in zijn armen werpen.

'Ik vond de voorstelling van de hypnotiseur fantastisch,' zei Beth terwijl ze wachtte tot Zachary het hek dat toegang gaf tot het afgesloten gedeelte van het park, had geopend. 'Zou jij je als vrijwilliger opgeven om je in trance te laten brengen?'

'Geen enkele hypnotiseur krijgt mij in trance.' Zachary liet haar even los om het hek te sluiten en een lantaarn aan te steken. 'Mijn geest is daarvoor veel te sterk.'

'Te sterk? Echt waar?'

'Ja.' Hij hield de lantaarn omhoog om het donkere pad te verlichten. 'Ik bestudeer momenteel een geheime filosofie die de geest van een mens grote concentratie kan verschaffen.'

'Een geheime filosofie. Wat opwindend.'

Haar reactie deed hem goed. 'Je moet er ook lichamelijke oefeningen bij doen. Ik leer zodoende allerlei slimme trucjes om mezelf en jou te beschermen tegen straatrovers en boeven.'

'Goh, wat goed allemaal. Ik weet nu zeker dat je veel te sterk bent om in trance gebracht te worden. Maar toch moet je toegeven dat de demonstratie van vanavond zeer indrukwekkend was. Stel je voor dat je een lange tekst opzegt van een toneelstuk waarvan je je niets herinnert en dat je dat naderhand niet eens weet.'

'Het was inderdaad wonderbaarlijk,' gaf hij toe. Volgens hem had die hypnotiseur Lucinda een aardig bedragje betaald om die passage uit *Hamlet* uit haar hoofd te leren. Maar dat was zijn zaak niet. Hij had trouwens veel bewondering voor een knap in elkaar gezet toneelstukje. Bovendien wist hij dat meneer Hunt zeer ingenomen was met het publiek dat in groten getale kwam opdagen om de voorstellingen van de hypnotiseur bij te wonen.

Hij leidde Beth een hoek om en hield haar staande. Vervolgens hief hij de lantaarn op zodat ze het Spookhuis in volle glorie voor zich zag oprijzen.

Haar mond zakte open van angstige opwinding. 'Jeetje, wat een griezelig huis. Het lijkt sprekend op het kasteel in het nieuwste boek van mevrouw York.'

'Bedoel je *De Ruïne*?'

'Ja. Een prachtig verhaal. Heb je het gelezen?'

'Ik geef de voorkeur aan Byron.'

Hij trok haar de trap op en bleef voor de zware voordeur staan. Er klonk een knerpend geluid van roestige scharnieren toen hij de deur open duwde. Langzaam werd de opening groter en met zenuwslopende traagheid werd zichtbaar wat erachter verborgen was.

Beth aarzelde op de drempel en tuurde de roetzwarte duisternis in. 'Weet je zeker dat het veilig is om naar binnen te gaan?'

'Je hoeft je nergens zorgen over te maken.' Hij hield de lantaarn zo dat er een klein streepje licht op de grond viel. 'Ik ben immers bij je.'

'Gelukkig wel.' Beth stapte met voorzichtige pasjes naar binnen.

Zachary bereidde zich voor op haar gegil. Hij bleef vlak achter haar, gereed om haar in zijn armen op te vangen zodra ze het spook in het oog kreeg.

Beth bleef staan. Haar mond ging open, maar er kwam geen damesachtig gilletje uit. Ze begon moord en brand te schreeuwen. Haar hoge, schrille angstkreten weergalmden door het hele huis. Zachary zette de lantaarn neer en sloeg zijn handen voor zijn oren.

'Lieve hemel, waarom ga je zo tekeer?' Hij kromp in elkaar. 'Het is niet eens een echt spook.'

Beth luisterde niet. Ze keerde zich met een ruk om. In het schemerlicht was de doodsangst in haar ogen duidelijk zichtbaar. Ze wierp zich niet in zijn armen zoals hij zich had voorgesteld, maar duwde hem met opmerkelijke kracht opzij en vloog naar de deur. Hij greep haar arm om haar tegen te houden.

'Beth, wacht even! Het is alleen maar een oud laken!'

'Uit de weg!'

'Het ding kan je geen kwaad doen.' Hij probeerde haar te kalmeren, maar ze klauwde met beide handen naar hem.

'Het is weerzinwekkend! Hoe kun je me dit aandoen? Laat me eruit!' Ze vocht verwoed om vrij te komen. *'Laat me eruit!'*

Zachary wist niet meer wat hij doen moest en liet haar los. 'Beth, in vredesnaam, je hoeft je niet zo hysterisch te gedragen. Ik zweer je, het is alleen maar een laken.'

Maar Beth was al bij de deur en rende de trap af naar het pad.

Ze verdween om de bocht naar het weggetje dat naar het verlichte deel van het park leidde.

Nou, dat was dan mijn leuke plannetje, dacht Zachary verslagen. Hij vroeg zich af of hij eens met meneer Hunt moest praten over het onderwerp vrouwen. Hij had blijkbaar een hoop goede raad nodig. De afgelopen drie jaar was hij de mening van meneer Hunt bij tal van belangrijke zaken zeer op prijs gaan stellen.

Hij keerde zich om en wilde weleens zien waarom het spook niet op de juiste manier zijn werk had gedaan. En toen pas zag hij wat Beth had gezien toen ze binnenkwam.

Het zogenaamde spook dat hij aan de balken had bevestigd, fladderde met het juiste effect in de luchtstroom die door de deur naar binnen kwam. Maar het waren niet de lege, ronde gaten die hij in het oude laken had geknipt, die hem vanuit de nis naast de trap met nietsziende ogen aanstaarden. Het bloed was bedrieglijk echt. Maar hij wist zeker dat hij zijn oude laken nergens mee ingesmeerd had.

15

De gloed van het vuur achter in de gang werd helderder. Een afschuwelijk gekraak en geloei begeleidde de vlammen. Het was alsof er een groot beest bezig was zijn prooi te verorberen. Ze had bijna geen tijd meer. Ze raapte de bloederige sleutel op en probeerde hem in het slot van de slaapkamerdeur te steken.

Ze zag iets goudachtigs glinsteren. Toen ze scherper keek ontdekte ze dat Renwicks wandelstok op het tapijt naast zijn lichaam lag. Ze dwong zichzelf zich te concentreren op de sleutel die in het slot moest.

Tot haar afschuw glipte hij uit haar trillende vingers. Ze dacht dat ze Renwick hoorde lachen toen ze zich bukte om hem te pakken, maar toen ze een blik op hem wierp zag ze dat hij nog steeds dood was. Ze greep de sleutel en probeerde hem opnieuw in het slot te steken.

Voor de tweede keer gleed hij uit haar vingers. Ze keek erop neer terwijl er een verstikkende golf van ontzetting en frustratie door haar heen schoot. Ze moest die deur open doen. Uit haar ooghoek zag ze dat de hand van Renwick bewoog. Terwijl ze versteend van angst toekeek reikten zijn dode vingers naar de sleutel...

Madeline werd, zoals altijd na haar nachtmerrie, met een schok en badend in het zweet, wakker.

Het bekende gevoel van desoriëntatie hield haar gevangen. Ze duwde de dekens weg, stak een kaars aan en keek op de klok. Het was kwart over één in de nacht.Voor de tweede keer sinds ze in het huis van Artemis logeerde had ze twee volle uren geslapen voor de nachtmerrie haar te pakken kreeg. Ze haalde hier in elk geval een beetje slaap in en dat had ze bitter nodig.

Maar ze wist dat het absoluut geen zin had om te proberen verder te slapen. Ze zou alleen maar liggen woelen tot zonsopgang. Terwijl ze haar peignoir aantrok viel haar oog op het kleine boekje dat op haar schrijftafel lag. Ze voelde dat ze onrustig werd. Ze had het aan Eaton Pitney laten zien in de hoop dat hij haar gerust zou stellen. Hij had het vol belangstelling doorgebladerd, maar uiteindelijk had hij gezegd dat hij er helemaal niets mee kon doen.

Maar hij had haar wel gerustgesteld omtrent een knagende vraag waarmee ze had geworsteld.

'Ik weet dat u het amusant vindt dat ik hiermee bezig ben, sir,' had ze gezegd. 'Maar u bent een expert op het gebied van de wetenschappelijke aspecten van Vanza, daarom wil ik toch graag uw mening vragen. Is er enige grond om te veronderstellen dat dit boekje het Boek der Geheimen is? Het boekje dat zogenaamd gestolen was en een paar maanden geleden tijdens een brand verloren is gegaan?'

'Absoluut niet,' had hij vol overtuiging gezegd. 'Het Boek der Geheimen, aannemende dat het ooit heeft bestaan, is volgens de overlevering helemaal in de oude Vanzaanse taal geschreven en niet in een ratjetoe van Grieks en Egyptische hiërogliefen. Er wordt trouwens ook beweerd dat het een groot en dik boek is, en niet een klein, dun boekje zoals dit.'

Ze was enorm opgelucht, maar om de een of andere reden was ze niet helemaal overtuigd.

Ze trok een paar slippers aan, pakte een kaars en liep met resolute stappen naar de deur. Als ze de rest van de nacht niet meer zou slapen kon ze net zo goed iets te eten uit de keuken halen. Een stukje kaas of een paar cakejes zouden vast helpen om de naweeën van haar nachtmerrie te verdrijven.

Haar vingers raakten de sleutel die in het slot stak even aan toen ze de deurknop omdraaide. Ze aarzelde toen ze het koude metaal voelde, en zag opnieuw de bebloede sleutel uit haar nachtmerrie op de grond liggen.

Ze schoof dat beeld vastberaden terzijde, haalde diep adem, en liep snel de gang in. Bijna geruisloos liep ze de trap af en zocht ze haar weg naar de donkere keuken. Daar aangekomen zette ze haar kaars op de tafel en ging op onderzoek uit.

Ze voelde zijn aanwezigheid in de deuropening achter haar op het moment dat ze een stuk appeltaart uit de kast haalde. Verschrikt liet ze het bord met de taart en al op tafel vallen. Met een ruk keerde ze zich om.

Artemis stond in de schaduw met zijn handen in de zakken van zijn zwartzijden kamerjas gepropt. Zijn donkere haar zat op een heel aantrekkelijke manier in de war.

'Is er genoeg voor twee?' vroeg hij.

Het was duidelijk dat hij uit bed kwam. Er gloeide een warme, slaperige blik in zijn ogen die haar duidelijk maakte dat hij precies hetzelfde over haar dacht. De herinnering aan de hartstochtelijke gebeurtenis in zijn bibliotheek kwam in volle hevigheid terug. Deze man kende haar zoals geen enkele andere man haar kende. De sensuele sfeer die ineens in het vertrek hing deed haar verstijven.

Ze schraapte haar keel. 'Ja, natuurlijk.' Ze moest zichzelf uit alle macht dwingen om een mes op te pakken.

'Kun je niet slapen door wat er in het doolhof van Pitney is gebeurd?' vroeg hij terwijl hij rustig aan de keukentafel plaatsnam.

'Nee. Ik werd wakker door een droom. Ik heb diezelfde droom heel vaak sinds...' Ze brak af. 'Hij komt regelmatig terug.'

Hij keek haar onderzoekend aan terwijl ze twee stukken appeltaart afsneed en op bordjes legde. 'Jouw tante heeft me vanmiddag in mijn bibliotheek streng onderhouden.'

'Grote hemel.' Met gefronste wenkbrauwen overhandigde ze hem een vork en vervolgens ging ze tegenover hem zitten. 'Hoe kwam ze daar nu bij?'

Artemis zette zijn vork in een dik stuk taart. 'Ze maakte mij duidelijk dat ze op de hoogte is van het feit dat ik erop uit ben om jouw onschuld in gevaar te brengen.'

Madeline schrok zo dat ze zich prompt verslikte in de hap taart die ze net in haar mond had gestoken.

'Mijn onschuld?' vroeg ze met een piepstemmetje toen ze uitgehoest was.

'Ja. Ik heb haar duidelijk gemaakt dat jij van mening bent dat er helemaal niets is veranderd. Ik heb verteld dat jij vindt dat je nog steeds de Verdorven Weduwe bent en dat die reputatie dus niet is veranderd, enzovoort, enzovoort. Maar ze wilde helemaal niet meegaan in die redenering.'

'Grote hemel.' Madeline begon weer te hoesten, haalde een paar keer diep adem en staarde Artemis met grote ogen aan omdat ze geen zinnig woord kon verzinnen om te zeggen. 'Grote hemel.'

'Ze is natuurlijk bang dat ik misbruik heb gemaakt van de gelegenheid.'

'Dat is dus helemaal niet het geval, sir.' Ze prikte met haar vork in de taart. 'Ik ben per slot van rekening geen naïef schoolmeisje meer dat regelrecht van de schoolbanken komt. Voor het oog van de wereld is er dus niets...'

Hij stak bezwerend zijn hand omhoog. 'Zou je dat alsjeblieft niet meer willen zeggen. Die woorden heb ik vandaag al vaak genoeg gehoord.'

'Maar het is de waarheid, zoals jij en ik heel goed beseffen. *Er is niets veranderd.*'

Er glansde een eigenaardig lichtje in zijn ogen. 'Spreek voor jezelf, madam. Maak niet de fout te denken dat ik er ook zo over denk.'

Ze keek hem onderzoekend aan. 'Je bent me aan het plagen, nietwaar?'

'Nee, Madeline, ik ben je niet aan het plagen.' Hij nam nog een hap van zijn taart. 'Voor mij is er wel degelijk het een en ander veranderd.'

'Nee toch?' Haar ogen werden groot. 'Je wilt toch niet beweren dat je gebukt gaat onder schuldgevoelens, wel? Je vindt dat je het aan je eer verplicht bent mij deze dingen te vertellen, omdat je hebt ontdekt dat ik nog maagd was. Ik verzeker je dat je je nergens bezorgd om hoeft te maken, sir.'

'Het is niet aan jou om de fijne details van mijn eer te bepalen.'

'Lieve hemel, sir, als jij er soms over denkt om mij ten huwelijk te vragen of zoiets, alleen maar omdat wij... omdat er iets is voorgevallen op die bank, dan moet je dat maar gauw uit je hoofd zetten.' Ze was onthutst toen ze hoorde dat ze bijna stond te schreeuwen als een viswijs, maar ze was niet meer te houden. 'Ik ben één keer getrouwd met een man die dacht dat hij mij voor zijn duistere doeleinden kon gebruiken. En ik ben absoluut niet van plan dat voor een tweede keer, om precies dezelfde redenen, te doen.'

Hij liet heel langzaam zijn vork zakken en keek haar met gevaarlijk glinsterende ogen aan. 'Denk jij echt dat een huwelijk met mij net zo zal zijn als je eerste huwelijk? Dat de ene Vanza-echtgenoot precies hetzelfde is als de andere? Geloof jij dat echt?'

Ze had een lief ding willen geven om gewoon door de grond te zakken. In plaats daarvan kreeg ze een hoogrode kleur omdat ze besefte dat hij haar woorden verkeerd had opgevat. 'Welnee, natuurlijk niet. Er is geen sprake van enige overeenkomst tussen jou en Renwick Deveridge. Dat bedoelde ik ook helemaal niet en ik denk dat je dat best weet.'

'Wat bedoel je dan wel, madam?'

Ze klemde de vork in haar hand en viel opnieuw op de taart aan. 'Ik bedoel dat ik niet wil trouwen om tegemoet te komen aan de een of andere dwaze erecode van jou.'

'Dus jij vindt een erezaak geen reden om in het huwelijk te treden?'

'Onder bepaalde omstandigheden natuurlijk wel,' zei ze geïrriteerd. 'Maar niet in ons geval. Ik heb het geloof ik al een paar keer gezegd, er is niets...'

'Als je het uitspreekt sta ik niet in voor mijn handelingen.'

Ze keek hem ondeugend vanonder haar wimpers aan.

Zijn blik werd zachter. 'Misschien moeten we maar van onderwerp veranderen. Vertel eens over die droom waardoor je vannacht wakker bent geworden.'

Er ging een huivering door haar heen. Het laatste waar ze over wilde praten was over haar steeds terugkerende nachtmerrie. Maar aan de andere kant was dat toch een beter onderwerp dan een eventueel huwelijk.

'Ik heb een paar keer geprobeerd die droom aan Bernice te beschrijven, maar ik ontdekte dat het alleen maar erger werd als ik erover sprak,' zei ze langzaam.

'Hoe lang heb je al last van die droom?'

Ze aarzelde en besloot toen hem een gedeelte van de waarheid te vertellen. 'Sinds kort na het overlijden van mijn echtgenoot.'

'O. Komt je vader in die droom voor?'

Die vraag verraste haar. Ze hief met een ruk haar hoofd op. 'Nee, alleen mijn...'

'... man,' maakte hij haar zin af.

'Ja.'

'Je zegt dat die droom het afgelopen jaar regelmatig is teruggekomen.. Wordt hij wat minder duidelijk naarmate de tijd verstrijkt?'

Ze legde haar vork neer en keek hem recht in zijn ogen. 'Nee.'

'Dan is er toch ook niets op tegen mij er alles van te vertellen?'

'Waarom wil jij een gedetailleerde beschrijving horen van een bijzonder onplezierige nachtmerrie?'

'Omdat wij een mysterie proberen op te lossen en die droom van jou zou weleens een aanknopingspunt kunnen bevatten.'

Ze staarde hem sprakeloos aan. 'Ik zou niet weten hoe dat mogelijk kan zijn.'

'Dromen bevatten vaak verborgen boodschappen,' zei hij rustig. 'Misschien kunnen we iets dergelijks in die van jou ontdekken. Tenslotte zijn we op zoek naar een man die vermomd is als de geest van Renwick Deveridge, en Deveridge is degene die voorkomt in jouw nachtmerrie. Misschien levert het iets op om enkele details nader te onderzoeken.'

Ze aarzelde. 'Ik weet dat de Vanza-filosofie leert dat dromen belangrijk kunnen zijn. Maar ik ben van mening dat dromen nooit volledig verklaard kunnen worden.'

Hij haalde zijn schouders op. 'Je moet ook niet proberen alles uit te leggen. Beschrijf hem gewoon maar. Vertel me stap voor stap wat er allemaal gebeurt als jij begint te dromen.'

Ze schoof het taartbordje weg en leunde met gevouwen armen op het tafelblad. Zouden er aanwijzingen in haar nachtmerries verborgen zijn? Het was waar dat ze er nooit intensief over nagedacht had. Het enige wat ze wilde was hem zo snel mogelijk vergeten. Het was nooit bij haar opgekomen om de afschuwelijke details weer op te roepen.

'Het begint altijd op dezelfde plek,' zei ze langzaam. 'Ik zit gehurkt voor de slaapkamerdeur. Ik weet dat er brand is in huis. Ik weet ook dat ik die kamer in moet, maar de deur zit op slot. Ik heb geen sleutel, daarom gebruik ik een haarspeld.

'Ga door,' zei hij zacht.

Ze haalde diep adem. 'Ik zie het lichaam van Renwick op het kleed liggen. De sleutel van de slaapkamerdeur ligt naast hem. Ik pak de sleutel en probeer hem in het slot te steken. Maar de sleutel is nat. Hij glijdt uit mijn vingers.'

'Waarom is de sleutel nat?'

Ze keek hem aan. 'Hij is nat van het bloed.'

Hij zweeg even, maar zijn ogen lieten de hare niet los. 'Ga door.'

'Telkens wanneer ik de sleutel in het slot wil steken hoor ik Renwick lachen.'

'O, Jezus!'

'Daar word ik heel... zenuwachtig van. De sleutel glijdt uit mijn hand. Ik kijk om naar Renwick maar die is nog steeds morsdood. Ik buk me, pak de sleutel weer op en probeer hem opnieuw in het slot te steken.'

'Is dat het eind van de nachtmerrie?'

'Ja. Zo gaat het altijd.' Ineens schoot haar te binnen dat het de laatste keer niet helemaal zo gegaan was. Renwick had zijn hand uitgestoken naar de sleutel. Dat was nieuw.

'Vertel eens wat je allemaal in de gang om je heen ziet.' Artemis schoof zijn bordje opzij en reikte over de tafel naar haar handen. 'Noem alles op, zelfs de kleinste kleinigheid.'

'Ik zei al dat ik Renwicks lichaam zie liggen.'

'Wat heeft hij aan?'

Ze fronste haar voorhoofd. 'Dat weet ik niet... nee, wacht eens, ik geloof dat ik me iets herinner. Hij heeft een wit hemd aan, dat rood van het bloed is. Een broek, laarzen. Zijn hemd staat waarschijnlijk gedeeltelijk open, want ik kan de Bloem van Vanza, die op zijn borst is getatoeëerd, zien.'

'Wat zie je nog meer?'

Ze dwong zichzelf de taferelen uit haar droom voor de geest te halen. 'Zijn wandelstok. Hij ligt op de grond naast hem. Ik zie het gouden handvat.'

'Draagt hij een jas of een halsdoek?'

'Nee.'

'Geen jas en geen halsdoek, maar wel zijn wandelstok.'

'Ik heb toch verteld dat die heel belangrijk voor hem was omdat hij hem van zijn vader had gekregen.'

'Ja.' Artemis keek bedenkelijk. 'Zie je meubelen in de gang?'

'Meubelen?'

'Een tafeltje, of een stoel, of een kandelaar? Houders voor muurtoortsen of zo?'

Waarom wilde hij dergelijke nietszeggende details weten? vroeg ze zich af. 'Er is een wandtafeltje waarop een paar zilveren kandelaars staan die ik op mijn trouwdag van Bernice heb gekregen.'

'Interessant. Zie je nog...?'

Hij brak af toen er hard op de keukendeur werd geklopt.

Madeline kreeg een schok van schrik door het onverwachte geluid. Ze keek snel naar de gesloten deur.

'Een melkmeisje of een visverkoper,' zei Artemis rustig.

'Daarvoor is het nog veel te vroeg,' fluisterde ze. 'De zon komt nog lang niet op.'

'Een inbreker of een dief die langs de bewaker en de hond heeft weten te glippen, klopt natuurlijk niet aan.' Artemis stond op en liep naar de deur. Hij legde zijn hand op de sleutel en riep: 'Wie is daar?'

'Ik ben het, Zachary, sir.' Zijn gedempte stem klonk schor van spanning. 'Ik heb u iets te melden, het is dringend.'

Madeline keek toe toen Artemis de sleutel omdraaide en de zware grendel voor de deur wegschoof. Zachary stond met een bleek en grimmig gezicht op de stoep.

'Goddank, u bent thuis, sir. Ik was bang dat u in een van uw clubs zou zijn en dat ik veel tijd zou verliezen met zoeken.'

'Wat is er aan de hand?' vroeg Artemis.

'Er ligt een lijk, sir. In het Spookhuis.'

'Zachary, als dit weer een van jouw uitgewerkte grapjes is, moet ik je waarschuwen dat ik daar absoluut niet voor in de stemming ben.'

'Dit is geen grapje, sir.' Zachary wiste met de mouw van zijn jas het zweet van zijn voorhoofd. 'Ik zweer het u, sir, er ligt een lijk in het Spookhuis. En er is nog iets.'

'Wat?'

'Er is een briefje bij, sir. Het is aan u geadresseerd.'

De Droompaviljoens waren kort na middernacht dichtgegaan. Dat was normaal in de weekends als er geen speciaal feest of een gemaskerd bal werd gegeven. Artemis keek op zijn horloge toen hij langs de donkere paden naar het Spookhuis liep. In het licht van de lantaarn die Zachary omhooghield zag hij dat het bijna twee uur in de ochtend was.

'Weet je zeker dat de man dood is? Is hij niet alleen stomdronken of ziek?'

Zachary huiverde. 'Geloof me, sir, die man is morsdood. Ik ben me lam geschrokken, dat mag u best weten. Ik dacht eerst dat het een spook was.'

'En het briefje? Waar is dat?'

'Dat is aan zijn jas gespeld. Ik heb het niet aangeraakt.'

Het amusementspark zag er na sluitingstijd heel anders uit. Zonder de sprankelende lichtjes van de honderden gekleurde lantaarns die de paden verlichtten, was de plek ondergedompeld in diepe schaduwen. De lichte mistflarden die ronddreven verhoogden vanavond de griezelige sfeer. De paviljoens doken donker en onherkenbaar uit de nevels op.

Artemis bleef bij de afscheiding voor het halfvoltooide huis staan. Zachary hield de lantaarn hoger zodat Artemis de poort kon openen.

Toen ze aan de andere kant waren liepen ze snel het bochtige pad af dat naar de voordeur leidde. Daar aarzelde Zachary.

'Geef mij de lantaarn maar.' Artemis pakte hem aan. 'We hoeven niet allebei naar binnen te gaan.'

'Ik ben niet bang voor dode mannen,' zei Zachary. 'Ik heb hem tenslotte al gezien.'

'Dat weet ik, maar ik heb liever dat je hier blijft en de wacht houdt.'

Zachary keek opgelucht. 'Natuulijk, sir, dat zal ik doen.'

Artemis keek hem aan. 'Wat zal Beth hiervan zeggen, denk je?'

'Beth is ontzettend geschrokken en ze is erg boos op mij, maar ze denkt dat het een onderdeel van de nieuwe attractie is. Ik heb haar niet verteld dat het lijk echt was.'

'Heel goed.' Artemis deed de deur open en liep naar binnen. Een paar draden van een nepspinnenweb streken over zijn arm. Het doodshoofd op een voetstuk grijnsde.

Hij liep naar de nis waar Zachary een nepskelet had willen ophangen. En toen zag hij het lijk. Het lag languit op de grond met zijn gezicht naar de muur. In het vage licht kon hij een dure pantalon een en donkere jas onderscheiden.

De voorkant van het witte hemd was besmeurd met bloed, maar er lag geen bloed op de grond. Artemis begreep dat de man niet op deze plek was doodgeschoten. Hij was ergens anders vermoord, en de moordenaar had de moeite genomen het lijk hierheen te brengen.

Hij boog zich over de dode man heen en scheen met de lantaarn op het gezicht.

Oswynn.

Artemis voelde dat hij razend van woede werd. Zijn hand die de lantaarn vasthield balde zich tot een vuist.

Het bebloede briefje was op Oswynns jas gespeld, zoals Zachary had gezegd. Ernaast lag een horlogekettingplaatje waarop het hoofd van een hengst was gegraveerd.

Artemis maakte het briefje los zonder het opgedroogde bloed aan te raken en vouwde het open. Snel las hij de boodschap.

Je kunt dit als een gunst én als een waarschuwing beschouwen, sir.

Bemoei je niet met mijn zaken, dan zal ik me niet met de jouwe bemoeien.

En o ja, doe je de groeten aan mijn echtgenote?

16

Even voor zonsopgang hoorde ze hem thuiskomen. Er klonken schuifelende geluiden op de trap. Ze kon de gedempte stemmen van twee knechten onderscheiden en toen werd het stil.

Ze wachtte zolang ze het kon uithouden en toen glipte ze de gang in. Daar bleef ze even staan om te luisteren. Vanuit de keuken klonken geen tekenen van leven. De bedienden sliepen nog, behalve de twee knechten, die weer naar beneden waren gegaan.

Ze sloop naar het eind van de gang en klopte op de deur van Artemis' slaapkamer. Er kwam geen antwoord. De man had tenslotte ook recht op een beetje slaap, bedacht ze. Hij was vast uitgeput.

Teleurgesteld keerde ze zich om. Ze zou tot morgenochtend moeten wachten om antwoord op haar vragen te krijgen.

Ineens vloog de deur open. Artemis stond voor haar, met drijfnat, pasgewassen haar. Hij was gekleed in zijn zwarte kamerjas. Ze begreep dat de knechten zoëven een teil heet water naar boven hadden gesjouwd, zodat hun meester een bad kon nemen.

Hij was weggeroepen in verband met het lijk van een man, hield ze zichzelf voor. Geen wonder dat hij zich op dit onzalige uur wilde wassen.

'Ik dacht wel dat jij het was, Madeline.'

Ondanks haar nieuwsgierigheid keek ze toch even over haar schouder de gang in. Dit was een ongewone huishouding, maar dat wilde niet zeggen dat de bedienden hun mond zouden houden als ze haar de slaapkamer van Artemis binnen zagen gaan.

Er was niemand te zien en ze stapte snel over de drempel. De tobbe waarin hij had gebaad stond voor de haard en was gedeeltelijk aan het zicht onttrokken door een kamerscherm. Er hingen vochtige handdoeken over de rand. Op tafel stond een dienblad met een pot thee, een kop en schotel, en een schaal met brood en kaas. Het voedsel was nog niet aangeraakt.

Ze bleef staan toen ze op een laag tafeltje een brandende, amberkleurige kaars zag staan. Ze herkende hem meteen als een Vanza-kaars. Het smeltende kaarsvet had een vage, maar heel aparte geur die voortkwam uit een uniek mengsel van Vanzaanse kruiden. Artemis was een Vanzaanse meester. Elke meester stelde zijn eigen persoonlijke kruidenmengsel samen, waardoor zijn kaarsen altijd te onderscheiden waren van die van andere meesters.

Ze hoorde de deur achter zich dichtgaan. Snel keerde ze zich om. Het vage gevoel van onrust werd sterker.

Het gezicht van Artemis was gesloten en stond afwerend, zijn ogen hadden een harde gloed. Ze wist meteen dat hij de dode man had gekend. Maar de blik in zijn ogen duidde niet op verdriet. Madeline zag dat hij zijn uiterste best deed om zijn woede te verbergen.

Hij had er nog nooit zo gevaarlijk uitgezien als nu, vond ze. Het werd haar met een schok duidelijk dat ze een heleboel nog niet wist over deze man, ondanks het feit dat ze op zeer intieme wijze met hem was samen geweest.

'Het spijt me dat ik je stoor tijdens de meditatie, sir.' Ze deed een stap terug naar de deur. 'Ik zal je alleen laten. We praten later wel.'

'Hier blijven.' Het klonk als een bevel. 'Of je het nu leuk vindt of niet, toen we die overeenkomst sloten ben je ook automatisch bij míjn zaken betrokken geraakt. Ik moet je het een en ander vertellen.'

'Maar je meditatie...'

'Dat is alleen maar een gewoonte.'

Hij liep de slaapkamer door, bukte zich en blies de kaars uit.

Ze vouwde haar handen en keek hem aan. 'Wie was het, Artemis?'

'Een zekere Charles Oswynn.' Artemis volgde met zijn ogen het dunne sliertje rook dat van het uitgedoofde vlammetje opsteeg. 'Hij was een van de drie mannen die Catherine Jensen de dood hebben ingejaagd. Ze hebben haar op een avond ontvoerd met het doel haar te misbruiken. Ze hebben haar verkracht. Toen ze probeerde te vluchten is ze van een rots gestort. Drie dagen later heeft een boer, die op zoek was naar een verdwaald schaap, haar gevonden.'

Zijn stem klonk toonloos en dat versterkte de indruk die zijn woorden maakten.

Madeline bewoog zich niet. 'Was ze een vriendin van je?'

'Meer dan dat. We hadden zoveel gemeen, zie je. We stonden allebei alleen in de wereld. De moeder van Catherine is gestorven toen ze nog heel klein was. Ze is opgevoed door verre familieleden die haar als onbetaalde dienstbode gebruikten. Uiteindelijk is ze weggelopen en bij één toneelgezelschap terechtgekomen. Op een avond, na een voorstelling in Bath, hebben we elkaar ontmoet. Een tijdlang hebben we samen van een betere toekomst gedroomd.'

'Waren jullie geliefden?'

'Een tijdje.' Zijn ogen bleven op de uitgedoofde kaars gericht. 'Maar ik bezat destijds geen cent. Ik kon haar de veilige geborgenheid waarnaar ze hunkerde niet geven.'

'Wat is er gebeurd?'

'Ik leerde een Vanza-meester kennen. Dat was mijn grote geluk. Hij vatte belangstelling voor me op en heeft ervoor gezorgd dat ik in de Tuin Tempels op het eiland Vanzagara kon gaan studeren. Ik was opgetogen en wilde er dolgraag naartoe.Voor ik vertrok beloofde ik Catherine dat ik mijn studie zo snel mogelijk zou voltooien. Daarna zou ik geld gaan verdienen en dan zouden we trouwen. Elke zomer ging ik naar Engeland om haar te zien. Maar toen ik de laatste keer hier aankwam kreeg ik te horen dat ze dood was.'

'Hoe ben je de namen van de mannen die verantwoordelijk voor haar dood waren te weten gekomen?'

'Ik ben de boer die haar lichaam had gevonden gaan opzoeken. Hij heeft me geholpen de hele omgeving af te zoeken. Zodoende ontdekte ik de grot waarheen ze haar hadden gebracht.' Hij hield even op en liep naar een kleine schrijftafel. 'Dit vond ik op de vloer van de grot. Ik denk dat Catherine het te pakken kreeg toen ze met de drie mannen worstelde om los te komen. Ik ben ermee naar een winkel in Bond Street gegaan.'

Madeline liep naar hem toe. Ze pakte het gouden plaatje dat hij haar toestak aan en bekeek het paardenhoofd dat erin was gegraveerd. 'Wist de winkelier wie dit had gekocht?'

'Hij zei dat hij opdracht had gehad drie van die plaatjes te maken voor drie toonaangevende mannen: Glenthorpe, Oswynn en Flood. Ik heb informatie ingewonnen en kwam erachter dat dat drietal dik bevriend was en dat ze een clubje hadden gevormd om, zoals zij het omschreven: te genieten van de verfijnde geneugten van ongebreidelde liederlijkheid.'

Ze keek op. 'En jij hebt gezworen wraak te nemen.'

'In het begin wilde ik ze gewoon vermoorden.'

Ze slikte. 'Alle drie?'

'Ja. Maar ik kwam tot de conclusie dat dat te gemakkelijk was. In plaats daarvan besloot ik ze sociaal en financieel te ruïneren. Ik wilde genieten van de "verfijnde geneugten" van hun diepe val naar de armoede. Ik wilde hen laten voelen hoe het was om te worden uitgestoten door hun eigen kringen, om nergens meer hulp en bescherming te kunnen krijgen, omdat ze geen aanzien meer hadden en geen rooie cent bezaten. Ik wilde ze laten voelen hoe het was om in Catherines positie te verkeren.'

'En daarna, als je je doel had bereikt, wat wilde je dan gaan doen?'

Hij zei niets. Dat hoefde ook niet. Ze wist het antwoord.

Er ging een golf van angst door haar heen. Voorzichtig legde ze het horlogekettingplaatje op het tafeltje naast de kaars.

'Daarom wil je geheimhouden dat jij de eigenaar van de Droompaviljoens bent. Niet omdat je bang bent voor de opinie van de society. Want je bent helemaal niet op zoek naar een gefortuneerde vrouw.'

'Nee.'

'Je hebt het geheimgehouden omdat je je wilt bewegen in de wereld waar Oswynn en de anderen rondhangen. Anders kun je je wraakplannen niet uitvoeren.'

'Het werkte tot nu toe heel goed. Mijn inkomen van het park maakte het mogelijk om Oswynn en de anderen op hun eigen terrein te ontmoeten. Ik heb maandenlang gewerkt aan een financieel plan om hen te ruïneren.' Artemis pakte theekopje en draaide het rond in zijn handen. 'Ik was mijn doel zo dicht genaderd. Zo ontzettend dicht. En nu heeft *hij* me van één van mijn doelen beroofd.'

Ze deed een stap naar voren en stak haar hand uit. 'Artemis...'

'Die vuile rotzak. Hoe durft hij zich met mijn zaken te bemoeien!' Zonder waarschuwing smeet hij het kopje tegen de muur. 'Ik heb vijf lange jaren gewerkt om een waterdicht plan te verzinnen. Vijf verdomde jaren.'

Madeline kromp ineen toen het fijne porselein in duizend stukjes uit elkaar spatte. Het was niet de klap die haar deed schrikken. Het was de schok omdat Artemis zo geëmotioneerd was.

Vanaf het moment dat ze hem had leren kennen was hij gelijkmatig en beheerst geweest. Zelfs toen ze vrijden had hij een ijzeren zelfbeheersing getoond.

Hij keek naar de scherven alsof hij in de mond van de hel keek. 'Vijf jaren.'

Ze kon zijn pijn niet langer verdragen. Die leek te veel op haar eigen innerlijke hartzeer. Ze snelde naar hem toe, sloeg haar armen om zijn middel en drukte haar gezicht tegen zijn schouder.

'Je geeft jezelf de schuld van haar dood,' fluisterde ze.

'Ik heb haar alleen gelaten.' Hij stond stokstijf en gespannen, en bleef koud als steen. 'Er was niemand die haar beschermde toen ik weg was. Ze wilde me laten geloven dat ze een vrouw van de wereld was, dat ze voor zichzelf kon zorgen. Maar uiteindelijk...'

'Ik begrijp het.' Ze omhelsde hem met al haar kracht en probeerde wat van haar eigen lichaamswarmte naar hem over te hevelen. 'Ik weet hoe het voelt om te moeten leven met de wetenschap dat jouw daden een ander de dood hebben ingejaagd. Lieve God, dat begrijp ik zo goed.'

'Madeline.' Hij keerde zich met een ruk om. Zijn handen omklemden haar hoofd.

'Er waren momenten dat ik dacht dat ik gek werd.' Ze begroef haar gezicht in zijn zwartzijden kamerjas. 'Echt waar, als Bernice er niet was geweest zou ik allang zijn opgenomen in een krankzinnigengesticht.'

'Wij zijn een mooi stel,' mompelde hij in haar haren. 'Ik heb alleen maar geleefd om mijn wraakplannen te vervolmaken en jij hebt jezelf vervloekt om de dood van je vader.'

'En nu heb ik ook nog een kwaadaardige geest in jouw leven gebracht, die datgene wat jij het meest koestert, namelijk je wraakplannen, in de war dreigt te sturen.' Ze vocht om haar tranen tegen te houden. 'Het spijt me zo heel erg, Artemis.'

'Stil, niet zeggen.' Hij legde zijn wijsvinger onder haar kin en duwde met zachte dwang haar hoofd omhoog zodat ze hem moest aankijken. 'Ik zweer je dat ik jou niet de schuld geef voor wat er vannacht is gebeurd.'

'Maar het ís wel mijn schuld. Als ik je niet had gevraagd mij te helpen, was dit allemaal niet gebeurd.'

'Ik heb zelf besloten of ik wel of niet met jou in zee wilde gaan.'

'Dat is niet waar. Het is allemaal begonnen op die avond dat ik je min of meer heb gechanteerd om mijn Nellie op te sporen.'

'Hou op.' Hij drukte zijn lippen op haar mond en legde haar met een diepe, lange kus het zwijgen op.

Haar hart brak toen ze voelde hoezeer hij haar nodig had. Instinctief wilde ze hem haar troost aanbieden, maar daarvoor kreeg ze niet de gelegenheid. Zijn begeerte was onverwacht fel en overheersend. Ze verdronk in een golf van hartstocht.

Hij droeg haar naar het bed. Ze zonk weg in de zachte dekens en klemde zich aan hem vast toen zijn mond over haar lippen streek. Toen begon hij haar hals te kussen. Haar peignoir viel open en zijn handen liefkoosden haar borsten.

Zijn ongebreidelde passie maakte een reactie diep in haar binnenste los. Ze stak haar handen onder de koele zijde van zijn kamerjas en zocht de gespierde, harde contouren van zijn lichaam. Hij mompelde iets onverstaanbaars toen ze zijn rug streelde. Haar heupen zochten automatisch zijn vurige warmte. Ze voelde zijn hand omhoogkruipen naar de binnenkant van haar dij, onder haar nachthemd. Haar adem stokte toen zijn handpalm haar omsloot.

Ze gaf zich aan zijn begeerte over en eiste wat ze zelf bereid was te geven. Ze voelde dat ze klam en warm werd en dat ze werd meegevoerd in een spiraal van gevoelens. Haar handen gleden koortsachtig over zijn lichaam. Hij duwde zijn gezwollen lid in haar hand. Ze streelde hem zachtjes en leerde hoe hij aanvoelde.

Artemis kreunde, rolde op zijn rug en trok haar boven op zich. De zijkanten van haar peignoir waaierden wijd uit. Ze slaakte een kreet uit toen zijn handen langs haar benen gleden.

Met stokkende adem keek ze op hem neer. Hij bestudeerde met hunkerende ogen haar gezicht. Woorden waren overbodig. Op dit moment was het enige belangrijke in de wereld dat ze de donkere nood die ze in zijn ogen ontdekte, zou lenigen.

Ze voelde zijn handen om haar heupen sluiten om haar te helpen de juiste plek te vinden. Toen hij bij haar binnendrong voelde ze dat ze verstijfde. Alles was nog gevoelig van de vorige keer.

'Langzaam,' beloofde hij met hese stem. 'We doen het deze keer heel langzaam.'

Voorzichtig ging hij verder. Hij hield telkens even op om haar te laten wennen aan de vreemde indringer. Ze ademde diep in en langzaam weer uit. Ze vond het niet echt prettig, maar het deed deze keer geen pijn, en ze voelde dat haar verwachtingen stegen.

Hij raakte haar gevoelige plekje aan. Ze zoog haar adem door opeengeklemde tanden heen naar binnen. Zijn vingers waren warm en veroorzaakten een ondraaglijke hunkering.

'Artemis.' Ze zette haar nagels in zijn schouders.

'Ja.' Zijn ogen glansden in het schemerige kaarslicht. 'Zo moet het.'

Hij begon te bewegen. Een enorme spanning maakte zich van haar meester. Ze schudde haar hoofd, klemde zich aan hem vast, zocht een uitweg voor de dringende eisen van haar lichaam.

Hij weigerde aan haar verlangen te voldoen. Ze kon wel schreeuwen van frustratie. Hij bleef zich langzaam, haast plagend bewegen.

Ze greep zijn schouders, nam het initiatief over en dicteerde haar eigen ritme. Ze wist niet waar ze zo wanhopig naar zocht, maar ze vermoedde dat er iets was, en dat het alleen maar sluimerde tot zij het zou wekken.

Artemis glimlachte tegen haar en ineens begreep ze dat hij had gewacht tot zij het initiatief zou nemen. Het kon haar niets schelen. Alles wat ze wilde was een eind maken aan deze bitterzoete marteling, meer niet.

Zonder waarschuwing barstte de dam van binnen. Golf na golf van genot sidderde door haar heen. Artemis trok haar hoofd omlaag en bedekte haar mond met de zijne, opdat ze niet hardop zou schreeuwen.

Een paar seconden kon hij het nog volhouden, maar toen borrelde er een hese kreun op uit zijn keel en worstelend genoten ze van elkaar tot ze allebei uitgeput waren.

Een poosje later kwam hij onwillig weer tot zichzelf. De kille woede die de afgelopen uren door zijn aderen had gewoed was verdwenen, in elk geval op dit moment. En daar had Madeline voor gezorgd, dacht hij. Haar hartstocht had als balsem gewerkt op de oude wond die in hem was opengereten. Hij wist nu dat die nooit was geheeld.

Naast hem bewoog iets. Madeline ging rechtop zitten en knipperde met haar ogen alsof ze niet wist waar ze was. Toen ontspande haar gezicht. Ze keek hem strak aan.

'Wat heb jij veel van haar gehouden' fluisterde ze.

'Ik mocht haar graag. Ik voelde me verantwoordelijk voor haar. We waren minnaars. Ik weet niet of dat liefde was. Ik weet niet hoe liefde aanvoelt. Maar ik weet dat hetgeen ik voor haar voelde heel belangrijk was.'

'Ja,' zei ze.

Zijn ogen lieten de hare niet los en hij pijnigde zijn hersens om de juiste woorden te vinden om het uit te leggen. 'Wat Catherine en ik met elkaar hadden is in de vijf jaar na haar dood verbleekt. Ik word niet voortdurend achtervolgd door mijn herinneringen aan haar, maar wel door het besef dat ik haar teleurgesteld heb. Ik heb haar geest gezworen dat ik haar zou wreken. Dat was het enige wat ik nog voor haar kon doen.'

Madeline glimlachte weemoedig. 'Dat kan ik begrijpen. Je hebt daarna alleen nog maar voor je wraakplannen geleefd, en nu, door mij te helpen, zijn die in gevaar gebracht. Dat spijt me zo, Artemis.'

'Madeline...'

'O, hemel, kijk eens naar de tijd.' Ze zocht de band van haar peignoir. 'Ik moet snel terug naar mijn slaapkamer. Er kan ieder moment iemand binnenkomen.'

'Er komt niemand binnen zonder mijn toestemming.'

'Een van de dienstmeisjes, of zo?' Ze stapte uit bed en bond haar peignoir dicht. 'Dat zou heel gênant voor ons zijn.'

'Madeline, we moeten praten.'

'Ja, dat weet ik. Misschien na het ontbijt.' Ze deed een stap achteruit en kwam met een bons tegen de wastafel terecht. Snel stak ze een hand uit om haar evenwicht te bewaren. Hij zag dat haar vingers langs het briefje dat hij van Oswynns jas had afgehaald, gleden. Ze wierp een snelle blik op wat ze had aangeraakt.

'Je mag het wel lezen.' Hij ging op de rand van het bed zitten.

Fronsend keek ze hem aan. 'Het is aan jou geadresseerd.'

'De moordenaar heeft het achtergelaten.'

Haar ogen werden groot van schrik. 'Heeft die schurk een brief aan jou geschreven?'

'Een waarschuwing om me niet meer met zijn zaken te bemoeien.' Hij stond op, liep naar de wastafel en pakte het briefje op. Zonder een woord te zeggen vouwde hij het open en gaf het aan haar.

Haar ogen vlogen over de regels en hij kon zien dat ze bij de laatste zin was aangeland. Het briefje begon te trillen in haar vingers toen ze hardop las: 'En o ja, doe je de groeten aan mijn echtgenote?' Ze hief haar hoofd op. In haar ogen stond naakte afschuw te lezen. 'Lieve God, het is waar. Renwick leeft nog.'

'Nee.' Hij trok het briefje uit haar handen en sloeg zijn armen om haar heen. 'Dat weten we niet zeker.'

'Maar hij noemt mij.' Haar stem was schor van nauwelijks te onderdrukken afgrijzen. 'Doe je de groeten aan mijn echtegenote...'

'Denk na, Madeline. Het is veel aannemelijker dat iemand ons wil laten gelóven dat die man nog in leven is,' zei Artemis.

'Waarom?'

'Omdat hij op die manier zijn doel wil bereiken.'

'Ik weet niet meer wat ik ervan moet denken.' Ze drukte haar handen tegen haar slapen. 'Wat gebeurt er toch allemaal? Waar gaat het om?'

'Dat weet ik nog niet. Maar ik beloof je dat we de waarheid zullen ontdekken.'

Ze schudde vertwijfeld haar hoofd. Maar toen nam ze een besluit. 'Ik betreur alles wat ik heb gedaan om jou in deze zaak te betrekken, sir. Bernice en ik zullen vandaag je huis verlaten.'

Hij trok zijn wenkbrauwen op. 'Ik hoop dat je me niet wilt dwingen wachtposten neer te zetten om jullie te beletten weg te gaan. Dat komt me op dit moment bijzonder slecht uit.'

'Het is te ver gegaan, Artemis. Dat briefje is een waarschuwing. Wie weet wat zijn volgende zet zal zijn?'

'Ik betwijfel of hij het zal klaarspelen nog twee bekende mannen in korte tijd de wereld uit te helpen.'

'Hij heeft er toch al één vermoord!'

'Oswynn was een makkelijke prooi omdat hij weinig familieleden heeft die zich druk zullen maken over zijn dood. Mede door zijn reputatie zal het niemand verbazen dat hij na een bezoek aan een van de bordelen, op weg naar huis is overvallen door een straatrover. Maar de moord op Flood en Glenthorpe zal veel meer risico's meebrengen. Ik denk dat onze geheimzinnige schurk slim genoeg is om dat te beseffen.'

'Maar het lijk van Oswynn is op het grondgebied van de Droompaviljoens gevonden. Daardoor word jij natuurlijk in een groot schandaal verwikkeld.'

'Nee,' zei Artemis rustig, 'Oswynns lijk wordt pas gevonden als het opduikt in de Theems. Daar hebben Zachary en ik een uur geleden voor gezorgd.'

'O.' Ze dacht over die mededeling na en fronste haar wenkbrauwen. 'Maar daarmee is ons probleem niet uit de wereld. Die schurk is blijkbaar op de hoogte van jouw betrekkingen met de Droompaviljoens. Daarom heeft hij het lijk van Oswynn daar gedeponeerd.'

'Inderdaad.'

'Hij is kennelijk ook op de hoogte van jouw wraakplannen.'

'Klopt.'

Ze keek hem bezorgd aan. 'Hij kan jou een heleboel vervelende problemen bezorgen.'

'Als dat gebeurt zal ik ook daarmee afrekenen.'

'Maar, Artemis...'

Hij legde zijn handen op haar schouders. 'Luister, Madeline. Wat er ook gebeurt, we zullen het samen het hoofd bieden. Het is voor elk van ons te laat om er nu nog mee te stoppen.'

Ze keek hem een paar seconden strak aan. Toen sloeg ze zonder een woord te spreken haar armen om hem heen en legde haar hoofd op zijn schouder. Hij drukte haar dicht tegen zich aan. Buiten werden de eerste tekenen van een nevelige zonsopgang zichtbaar.

17

'Ik ben zo blij dat we er vanmorgen even uit kunnen. Ik dacht dat ik gek werd in dat huis.' Bernice keek door het rijtuigvenster naar buiten. 'Vergis je niet, ik stel zijn bezorgdheid om jouw veiligheid enorm op prijs hoor, maar ik begon me een beetje als een gevangene te voelen.'

'Onze vrijheid is maar een illusie, tantetje,' zei Madeline wrang.

Latimer zat op de bok, maar hij was niet alleen. Zachary zat naast hem, gewapend met een pistool. Hij was toevallig in huis toen Madeline en Bernice om het rijtuig hadden gevraagd. Zachary had erop gestaan hen te vergezellen.

'Ja. Het lijkt wel of we met een gewapende escorte reizen, nietwaar?' zei Bernice. 'Hoe dan ook, het is heerlijk om weer even buiten te zijn, zelfs met deze mist.'

'Ja.'

'Wat jammer dat meneer Leggett er niet was toen we weggingen,' zei Bernice langs haar neus weg. 'Want dan had ik gevraagd of hij met ons mee wilde gaan.'

Madeline knipperde met haar ogen. 'Had u meneer Leggett mee willen hebben?'

'Hij en ik hebben een heel interessant gesprek gehad toen jij en meneer Hunt dat avontuur beleefden in het doolhof van Pitney. We hebben elkaar heel wat beter leren kennen, mag ik wel zeggen. Hij is een zeer bereisd man.'

'Echt waar?'

'Hij is tijdens de oorlog een tijdje in het buitenland geweest, zie je.'

Madeline was onthutst door de wending die het gesprek nam. 'O, dat wist ik niet. Wat deed hij daar?'

'Daar deed hij een beetje vaag over, maar ik kreeg de indruk dat hij inlichtingen heeft verzameld over het systeem dat Napoleon gebruikte om zijn troepen te bevoorraden. Zijn notities waren zeer waardevol voor Wellington.'

'Goeie hemel, heeft meneer Leggett tijdens de oorlog voor ons land gespioneerd?'

'Nou ja, dat heeft hij niet met zoveel woorden toegegeven, maar dat was ook niet te verwachten, nietwaar? Heren laten zich over dergelijke zaken niet uit. Het is een bijzonder charmante man, vind je niet?'

Madeline kende haar tante al haar hele leven, maar ze had nog nooit zo'n diepe glans in haar ogen gezien als nu. Ze kuchte even om haar verbazing te verbergen. 'Eh... ja, inderdaad, heel charmant.'

'En in een uitstekende conditie voor zijn leeftijd, toch?'

Madeline giechelde. 'Op leeftijd, maar nog wel fit, dat bedoelt u toch?'

Madeline maakte een grapje, maar tot haar stomme verbazing kreeg Bernice een vuurode kleur en antwoordde verlegen: 'Inderdaad.'

Het rijtuig kwam tot stilstand waardoor Madeline een verdere uiteenzetting omtrent de vele charmes en deugden van de heer Leggett bespaard bleef. Het portier ging open. Zachary hielp eerst Bernice en vervolgens Madeline met uitstappen. Er lag een bezorgde uitdrukking op zijn magere gezicht.

Onwillig begeleidde hij hen naar de deur van een kleine winkel.

'We zijn zo klaar,' stelde Bernice hem gerust. 'Wacht hier maar even.'

'Ja, ma'am. Ik blijf vlak voor de deur staan.'

Madeline liep achter Bernice de schemerige apotheek van Augusta Moss binnen.

Het winkeltje was in al die jaren dat ze het kende maar weinig veranderd. De exotische geuren van wierook en vreemde kruiden deden haar aan haar jeugd denken. Haar vader was hier vaste klant geweest, zoals veel andere Vanzaanse onderzoekers. Augusta Moss was een van de zeer weinigen die Vanzaanse kruiden verkocht.

'Miss Reed, mevrouw Deveridge, wat leuk dat jullie mij met een bezoekje vereren.' Augusta Moss was een grote, statige vrouw, gekleed in een gebloemd schort dat bijna haar hele japon bedekte. Ze stond in het achterste deel van de winkel, waar de geuren het sterkst waren. 'Fijn jullie weer eens te zien,' zei ze terwijl ze naar voren liep. 'Dat is een hele tijd geleden, nietwaar?'

'Inderdaad,' zei Bernice opgewekt. 'Ik heb een paar bijzondere kruiden nodig, daarom zijn we hier.'

Mevrouw Moss knikte. 'Prachtig. Wat wilt u hebben?'

'Madeline heeft de laatste tijd slaapproblemen.'

'Ach, wat vervelend.' Mevrouw Moss maakte een klakkend geluid met haar tong waarmee ze haar medeleven en begrip wilde tonen. 'Een gezonde nachtrust is zo belangrijk voor een goede gezondheid en sterke zenuwen.'

'Absoluut,' knikte Bernice enthousiast nu haar lievelingsonderwerp ter sprake was gebracht. 'Ik heb haar de gebruikelijke drankjes gegeven, maar die werken niet. Nu wil ik een paar Vanzaanse kruiden gaan gebruiken waarmee ik een paar jaar geleden heb geëxperimenteerd. Je moet ze laten smeulen, als wierook, waardoor er rustgevende dampen vrijkomen die slaapverwekkend zijn. Heeft u die in voorraad?'

'Ik weet precies wat u bedoelt. Zeer zeldzame kruiden. Ik kan ze maar twee- of driemaal per jaar inkopen. En helaas ben ik er op dit moment helemaal doorheen.'

'O jee!' mompelde Bernice. 'Wat jammer nou. Er zijn maar zo weinig apothekers die Vanzaanse kruiden verkopen. We zijn al bij de anderen geweest, en geen van hen heeft de afgelopen maanden kunnen inslaan.'

'Het is heel vervelend dat u niet twee weken eerder bij me bent gekomen. Toen had ik namelijk nog volop in huis.' De ogen van Augusta ging met een spijtige blik naar een lege pot aan het eind van een plank. 'Een lid van het Vanzaanse Genootschap heeft alles meegenomen wat ik bezat.'

Madeline hield haar adem in en waakte ervoor niet naar Bernice te kijken.

Bernice trok haar wenkbrauwen op. 'Bedoelt u dat die klant uw hele voorraad heeft opgekocht? Dan moet die arme man, wie hij dan ook mag zijn, wel erg veel slaapproblemen hebben.'

Mevrouw Moss schudde haar hoofd. 'Eerlijk gezegd geloof ik niet dat hij slaapproblemen had. Ik denk eerder dat hij ze wilde gebruiken om te experimenteren. Hij zei dat hij belangstelling had voor het opwekken van waanbeelden en hallucinaties, ziet u.'

'Ik vraag me af of die man bereid is mij een klein beetje van zijn kruiden af te staan,' zei Bernice bedachtzaam. 'Als ik hem vertel dat Madeline ze echt dringend nodig heeft is hij misschien zo vriendelijk mij wat van zijn voorraadje te geven.'

Mevrouw Moss haalde haar schouders op. 'Vragen kan geen kwaad, denk ik. Ik heb het spul verkocht aan Lord Clay.'

Madeline haastte zich achter haar tante aan Artemis' huis binnen.

Ze keek de huishoudster vragend aan. 'Ik meneer Hunt al thuis? Ik moet hem dringend spreken.'

'Dan hoef je niet lang te wachten.' Artemis stond halverwege de trap. 'Hier ben ik. Het werd trouwens hoog tijd dat jullie thuiskwamen. Waar hebben jullie in vredesnaam gezeten?'

Zijn stem klonk ingehouden van boosheid. Het was alsof er storm op komst was, maar uitgesproken dreigend was hij nog niet.

Madeline keek met een ruk omhoog. Ze zag meteen dat hij zijn stem nog wel onder controle had, maar dat zijn ogen donker van heftige emoties waren.

'Fijn dat u er bent, sir.'

Bernice keek hem stralend aan. 'We hebben een zeer bewogen dag gehad. Madeline heeft heel wat te vertellen, sir.'

'O, is dat zo?' Artemis' ogen bleven op Madeline gericht toen hij naar beneden liep. 'Kom even mee naar mijn bibliotheek, mevrouw Deveridge. Ik ben heel benieuwd naar die *zeer bewogen dag* van jou.'

Mevrouw Deveridge. Ik heb het goed gezien, dacht Madeline toen ze hem volgde. Hij heeft de pest in.

'Je hoeft niet zo tegen mij te snauwen, hoor.' Ze keerde zich naar hem toe toen ze de deur achter zich had dichtgedaan. 'Daar hou ik helemaal niet van. Als de spanning van de afgelopen dagen jou begint op te breken moet je maar een drankje aan mijn tante vragen.'

'Ik denk dat ik me maar aan mijn cognac zal houden.' Hij bleef achter zijn bureau staan.

'Sir, ik kan uitleggen...'

'Alles?' Zijn wenkbrauwen schoten omhoog. 'Dat hoop ik dan maar, want ik heb een heleboel vragen. Laten we met de meest dringende beginnen. Hoe waag jij het mijn huis te verlaten zonder mij te zeggen waar je heen gaat?'

Ze liet zich niet intimideren. 'Sir, je toon bevalt mij niet. Ik ben bereid geduldig en begripvol te zijn, omdat ik besef dat de recente gebeurtenissen de zenuwen van ons allemaal zwaar op de proef hebben gesteld. Maar als jij je blijft gedragen alsof je...' Ze brak af.

'Alsof ik wat, madam? Alsof ik ongerust ben?' Hij legde zijn handpalmen plat op zijn bureaublad. Er fonkelde een harde uitdrukking in zijn ogen. 'Alsof ik alle reden heb om me zorgen te maken? Alsof jij je op een eigengereide, koppige, uiterst onverantwoordelijke manier hebt gedragen?'

Dat was de druppel die de emmer deed overlopen. Ze werd witheet. 'Ik wilde zeggen: alsof je mijn echtgenoot bent!'

Er viel een diepe stilte. Zelfs de klok scheen even stil te staan. Madeline zou er een lief ding voor willen geven om de woorden terug te halen, maar dat was onmogelijk.

'Jouw echtgenoot,' herhaalde Artemis op vlakke toon.

Ze verstijfde en concentreerde zich op het uittrekken van haar handschoenen. 'Neem me niet kwalijk, sir, ik gooide er zomaar wat uit. Dat komt omdat ik vandaag een paar bijzonder belangrijke feiten heb ontdekt. We kunnen helemaal geen tijd verspillen aan bekvechten.'

Hij negeerde haar woorden en vroeg met ijzige nieuwsgierigheid: 'Gedraag ik me echt net als jouw echtgenoot? Ik dacht dat je hem had beschreven als een moordzuchtige schoft van de eerste orde.'

Ze kreeg op slag bittere wroeging. 'Doe niet zo belachelijk, sir. Natuurlijk vergeleek ik je niet met Renwick. Dat was inderdaad een moordzuchtige schoft, die geen greintje eergevoel in zijn lijf had. Totaal het tegenovergestelde van jou dus.'

'Bedankt voor het compliment,' zei hij met op elkaar geklemde kiezen.

Ze fronste haar wenkbrauwen toen ze haar rechter handschoen uittrok. 'Je weet best dat ik geen mooie herinneren aan mijn huwelijk heb. Het kan zijn dat ik zoëven te ver ging, maar dat kwam omdat jij tegen mij begon te schreeuwen.'

'Ik schreeuwde helemaal niet.'

'Nee.' Ze begon haar linker handschoen uit te trekken. 'Je hebt gelijk. Ik zeg het verkeerd. Je schreeuwde niet. Ik betwijfel of jij ooit je stem verheft, Artemis. Dat is waarschijnlijk ook niet nodig. Jij bent perfect in staat om een persoon ter plekke de grond in te boren met slechts één, ijzig woord.'

'Ik weet niets van het de grond in boren van personen, maar ik wil je wel vertellen dat de mededeling dat jij het huis had verlaten, mij in een ijsblok veranderde toen ik een poosje geleden thuiskwam.'

Ze keek hem nietbegrijpend aan. 'Heeft de huishoudster je dan niet verteld dat we Latimer en Zachary hebben meegenomen?'

'Ja, en dat is de enige reden dat ik de Ogen en Oren er niet op uit heb gestuurd om jullie te zoeken.'

Ze liet een van haar handschoenen op de grond vallen. Met nietsziende blik staarde ze ernaar. Toen hief ze langzaam haar hoofd op en keek Artemis recht in zijn ogen. Ze probeerde de emoties die ze in die donkere poelen zag glanzen te doorgronden.

Dat viel niet mee. Hij was een persoon die lang geleden had geleerd zich af te sluiten voor de wereld. Hij leefde diep in zichzelf, verborgen achter gesloten poorten, dichte luiken, en hoge, stenen muren. Maar zijn ziel was gefundeerd op een stevige bodem van eer en integriteit. Hij was geen mooi, hol standbeeld dat alleen aan zichzelf dacht, zoals Renwick. Artemis wist wat het woord verantwoordelijkheid inhield. Ze hoefde alleen maar naar Zachary, Henry Leggett en alle anderen die hem met genegenheid en onvoorwaardelijke toewijding dienden, te kijken om dat te beseffen.

En hij kende de marteling van schuldgevoelens en mislukking even goed als zijzelf.

'Wil je me alsjeblieft vergeven, Artemis.' Ze deed impulsief een stap naar het bureau toe. 'Ik werd boos. Echtgenoten zijn een pijnlijke aangelegenheid voor mij.'

'Dat heb je me heel duidelijk gemaakt.'

'Latimer en Zachary waren allebei gewapend, en ik had mijn pistool en mijn mes bij me. Ik ben niet gek, hoor.'

Hij keek haar lange tijd zwijgend aan. 'Nee, je bent zeker niet gek. Je bent een intelligente, vastberaden vrouw, die gewend is haar eigen beslissingen te nemen.' Hij ging rechtop staan en keerde zich met een ruk naar het raam. 'Waarschijnlijk ben ík degene die buiten zijn boekje is gegaan.'

'Artemis...'

'We schieten er niets mee op om nog langer over dit onderwerp te redetwisten.' Hij klemde zijn handen achter zijn rug in elkaar en staarde de tuin in. 'Laten we maar een nuttiger onderwerp aansnijden. Vertel me eens wat er zo belangrijk was dat je per se het huis uit moest.'

Hij was vast de meest koppige man op de hele wereld. Ze sloeg haar ogen ten hemel, maar uit die regionen hoefde ze ook geen inspiratie te verwachten.

'Ja,' begon ze bruusk, 'laten we alsjeblieft een minder verhit onderwerp aansnijden. Er gaat niets boven een gezellig babbeltje over moord en duistere intriges, om het humeur op te peppen, zeg ik altijd.'

Hij wierp haar over zijn schouder een blik toe. 'Mag ik je nog één goede raad geven, madam? Zorg dat je niet te ver gaat. Je mag dan gewend zijn je eigen gang te gaan, ik moet je er wel op wijzen dat ik gewend ben het in deze woning, als heer des huizes, voor het zeggen te hebben.' Hij zweeg en keek haar doordringend aan om zijn woorden goed tot haar te laten doordringen. 'En op dit moment woon jij in deze woning.'

Ze schraapte haar keel. 'Je boodschap is luid en duidelijk overgekomen, sir. Jij hebt alle recht van de wereld om in dit huis de lakens uit te delen. Ik beloof je plechtig dat ik nooit meer de deur uit zal gaan zonder dat ik je persoonlijk, en tot in de kleinste details, op de hoogte breng van mijn doel.'

'Ik denk dat ik daarmee tevreden moet zijn. En vertel me nu dan maar wat voor avonturen je vandaag allemaal hebt beleefd.'

'Ja. Nou, om kort te gaan, het schoot me te binnen dat er maar weinig apotheken in Londen zijn waar Vanzaanse kruiden worden verkocht, en nog minder hebben daarvan een flinke voorraad in huis. Degene die die kruiden in het doolhof van Pitney heeft aangestoken, in de hoop ons daarmee bewusteloos te maken, moet een behoorlijk flinke hoeveelheid in zijn bezit hebben gehad.'

Hij dacht even over haar beweringen na. 'Dus ben jij de straat op gegaan om uit te zoeken waar hij die kruiden had gekocht?'

Ze was blij dat hij zo snel begreep wat ze had gedaan. 'Eerlijk gezegd wist ik precies waar ik zijn moest. Mijn tante en ik hebben vanmorgen alle apotheken bezocht die volgens ons Vanzaanse slaapkruiden verkochten.'

Hij keerde zich helemaal om en keek haar aan. Eindelijk had ze zijn volle aandacht.

'Ga verder,' zei hij.

'Ik zei al dat maar weinig apothekers dergelijke kruiden inkopen. Een paar maanden geleden is een van hen neergeslagen in zijn winkel.'

'Ik heb van die moord gehoord, ja.' Artemis kneep zijn ogen halfdicht. 'Er werd gefluisterd dat het met het Boek der Geheimen te maken had.'

'Ja. Maar die praatjes hielden op nadat Ignatius Lorring zelfmoord had gepleegd.'

'Ik vroeg me destijds af of er verband bestond tussen de zelfmoord van Lorring en de geruchten over het Boek der Geheimen,' zei Artemis bedachtzaam. 'Hij was namelijk een van de zeer weinigen in Europa die dat boek eventueel zouden hebben kunnen ontcijferen.'

Ze haalde haar schouders op. 'Als we Lord Linslade mogen geloven zijn er opnieuw praatjes over dat verdraaide boek opgedoken. Hoe dan ook, Bernice en ik besloten ook even aan te gaan bij de winkel van mevrouw Moss om naar de slaapkruiden te informeren.'

Hij wreef de achterkant van zijn nek. 'Ik ken de apotheek van mevrouw Moss. Ik heb alle kruiden die ik nodig had voor het samenstellen van mijn meditatiekaarsen bij haar gekocht.'

'Veel Vanza-wetenschappers zijn al vele jaren vaste klant bij haar. Zij heeft ons op een keer verteld dat ook Lorring zijn kruiden bij haar kocht. Nou ja, zij vertelde ons dat ze altijd wel wat slaapkruiden in voorraad heeft, maar nu niet omdat ze kortgeleden haar hele voorraad aan een lid van het Vanzaanse Genootschap heeft verkocht.'

Artemis was nu onmiskenbaar geboeid. Hij liep de kamer door en ging achter zijn bureau zitten. 'Hoe heet die man?' wilde hij weten.

'Lord Clay.'

Artemis schrok zichtbaar. Toen fronste hij ongeduldig zijn wenkbrauwen. 'Die ken ik, ik heb hem een paar keer ontmoet. Hij is niet onaardig, maar een tikje vaag. Om jouw woorden te gebruiken: hij is waarschijnlijk zo'n Vanzaanse zonderling. Voor zover ik me herinner heeft hij nog nooit interesse voor de oude, Vanzaanse taal gehad. Ik kan me dan ook nauwelijks voorstellen dat hij zoiets mysterieus als het Boek der Geheimen in handen probeert te krijgen.'

'Hoe dan ook, hij is nu wel in het bezit van de enige grote hoeveelheid Vanzaanse slaapkruiden die op dit moment in Londen beschikbaar is.'

Artemis pakte een briefopener van zijn bureau en tikte er afwezig mee tegen zijn vloeiblad. 'Daar kunnen we niet veel mee beginnen.'

'Weet jij iets waarmee we wel iets kunnen beginnen?' vroeg ze bruusk.

Hij smeet de briefopener van zich af. 'Nee. Goed dan, we zullen jouw spoor gaan volgen.'

'Hoe? We kunnen moeilijk zijn huis gaan doorzoeken. Het is niet leeg, zoals dat van Pitney. Integendeel, er zijn natuurlijk van de vroege morgen tot de late avond bedienden aanwezig.'

Artemis glimlachte fijntjes. 'Een oud, wijs, Vanzaans spreekwoord zegt dat een dichtbevolkt fort even kwetsbaar is als een leeg.'

Ze fronste haar wenkbrauwen. 'Dat spreekwoord heb ik nog nooit gehoord.'

'Dat komt waarschijnlijk omdat ik het net heb verzonnen.'

Ze staarde zo lang in de vlammen tot ze niets anders meer zag. De geur van de kaars, delicaat en vol, bezwangerde haar slaapkamer.

Een paar minuten geleden had ze de zware gordijnen dichtgetrokken en de deur op slot gedraaid om er zeker van te zijn dat ze niet gestoord zou worden. De slaapkamer was donker, op het schijnsel uit de haard en het licht van de kaars na. De gedempte geluiden van de straat en in het huis stierven langzaam weg.

Haar vader had haar vele jaren geleden de Vanzaanse meditatiemethode geleerd, en Bernice had de kruiden uitgekozen voor de speciale kaarsen. Het aroma was licht en had een kalmerende werking op de zintuigen. Net als de kruiden in de winkel van mevrouw Moss wekte ook deze geur lang vergeten herinneringen uit haar jeugd op. Flarden van beelden dwaalden door haar geest: haar vader die zich naar haar toe boog om haar te helpen bij een bijzonder lastig stuk in een oude tekst.

Er waren geen beelden van haar moeder, die een jaar na haar geboorte was overleden, maar wel veel van Bernice.

Bernice was na de dood van Elizabeth Reed bij hen ingetrokken om voor haar rouwende broer en zijn dochtertje te zorgen. Ze was een levenslustige en opgewekte vrouw die door de jaren heen de spil geworden was om wie de huishouding draaide. Bernice had Madeline in haar hart gesloten en haar de liefde en aandacht van een moeder geschonken. Ze had de rommelige huishouding met vaste hand weer op de rails gezet, en haar zielsongelukkige broer geholpen uit de diepe put te klauteren waarin hij na de dood van zijn vrouw terechtgekomen was.

Het was uiteindelijk niet de levenslange studie van het Vanza geweest die het gezin in tijden van nood had gered, dacht Madeline. Het was Bernice geweest.

Ze liet de beelden uit het verleden rustig verschijnen. Ook die van de steeds terugkerende nachtmerrie. Ze wilde haar droom helemaal niet nogmaals bestuderen, maar ze had geen keus. De laatste keer was er iets veranderd, en ze moest gewoon weten wat dat was.

De tijd ging voorbij. Ze zonk dieper weg in de beelden die haar geest vervulden, zo diep dat ze ineens het geloei van de vlammen hoorde en het metaal van de sleutel in haar hand voelde. Ze ving een glimp op van iets goudkleurigs op het tapijt.

Ze voelde dat ze het koud kreeg, wat ook gebeurde als ze droomde. Haar vingers begonnen te trillen, maar ze wilde de beelden niet verstoren.

De vragen van Artemis hadden haar erop attent gemaakt dat ze om zich heen moest kijken als ze die nachtmerrie beleefde. De vorige nacht was haar beschrijving verstoord door de komst van Zachary. De hele dag had ze het ongemakkelijke gevoel gehad dat ze Artemis iets belangrijks had moeten vertellen over haar droom.

Hij was erg nieuwsgierig geweest naar de wandelstok van Renwick, maar dat ding was altijd aanwezig in haar nachtmerrie en ze had geen zin daar scherper naar te kijken. Die elegante stok was totaal onbelangrijk. Dat was alleen maar een bewijs van uiterlijk vertoon voor Renwicks ijdelheid.

Vandaag zat de sleutel haar dwars. Na de brand had ze die afschuwelijke nachtmerrie ontelbare keren gehad. Zo nu en dan was de situatie een beetje anders, maar het kwam er altijd op neer dat ze doodsbang was dat ze de slaapkamerdeur niet op tijd open zou krijgen.

Maar ze herinnerde zich niet dat ze ooit had gezien dat de dode hand van Renwick naar de sleutel, die telkens op de grond viel, had gegrepen.

Ze probeerde niet om de scènes op te roepen. Met behulp van de kaars en door zich sterk te concentreren verschenen ze snel genoeg. De vlammen, het holle gelach van Renwick, de geur van de rook... het zat allemaal in haar hoofd.

De sleutel viel uit haar hand. Ze boog zich voorover om hem op te rapen.

Renwick begon te lachen. Ze draaide haar hoofd om en keek naar hem.

Zijn dode vingers grepen naar de sleutel...

Er klonk een bloedstollende gil door de slaapkamer. De vlam van de kaars flikkerde en doofde uit. De kamer was ineens in diepe duisternis gehuld.

Ze had nauwelijks de tijd om zich te realiseren dat zij degene was die had geschreeuwd en de kaars had omgestoten, toen ze het geluid van zware voetstappen op de trap hoorde. Even later bonkte een vuist tegen de deur.

'Madeline! Doe open, gauw!'

Ademloos en klam van het koude zweet krabbelde ze overeind. Ze haastte zich om de deur van het slot te doen. Ze trok hem open en werd bijna onder de voet gelopen door Artemis, die naar binnen stormde.

'Wat is er voor de duivel...?' Hij bleef net over de drempel staan en liet zijn ogen door de kamer dwalen.

'Er is niets aan de hand,' zei ze snel. 'Het spijt me van die schreeuw.'

Hij wierp een snelle blik op haar en beende vervolgens met grote stappen naar het raam, trok de gordijnen open en controleerde de luiken. Toen draaide hij zich om en keek naar de gedoofde kaars.

'Ik was aan het mediteren,' legde ze uit. 'Ik probeerde beelden op te roepen van mijn nachtmerrie.'

Bernice verscheen in de deuropening. Haar gezicht was bleek van schrik. 'Wat is er hier in vredesnaam aan de hand?'

'Is er iets gebeurd?' Eaton Pitney, met zijn arm in een witte mitella, dook op achter Bernice. Zijn dikke wenkbrauwen waren zorgelijk gefronst. 'Was het de Onbekende?'

'Nee, nee, nee,' zei Madeline. Ze kreunde toen ze zag dat Nellie en de huishoudster ook in de deuropening verschenen. 'Ik was aan het mediteren. En toen schrok ik ergens van. Alsjeblieft, er is echt niets aan de hand, niemand hoeft zich zorgen te maken.'

'Ik zorg hier verder wel voor, mevrouw Jones,' zei Artemis tegen zijn huishoudster. 'Wilt u tegen het personeel zeggen dat alles in orde is?'

'Natuurlijk, sir.' Mevrouw Jones keerde zich opgelucht om en verdween met Nellie in haar kielzog.

Artemis wachtte tot ze de trap af waren gegaan. Toen keek hij Madeline aan. 'Wat is er gebeurd?'

'Mijn nachtmerrie.' Ze wierp een snelle blik op Eaton Pitney. 'Dat is een lang verhaal, sir, maar ziet u, ik heb de laatste tijd een nachtmerrie die telkens terugkeert. De laatste keer was er iets dat niet helemaal hetzelfde was. Er is een sleutel bij betrokken, ziet u.'

'Een sleutel?' Pitney hield zijn hoofd schuin. 'Voor een deur, bedoel je?'

Artemis keek haar aan. 'Wat is er met die sleutel?'

'Die komt altijd in mijn droom voor, en ik laat hem altijd vallen, gisteravond ook, maar in plaats van hem op te rapen, zoals ik altijd doe...' Ze brak af en wendde zich weer tot Pitney. 'Sir, gisteren vertelde u mij dat u niet geloofde dat het kleine boekje dat ik u liet zien het Boek der Geheimen is.'

'Klopt, want dat is onmogelijk. Het boekje is niet eens in de juiste taal geschreven.'

'Maar we hadden het er toen over dat het misschien in een soort code kon zijn.'

'Ja, en?

Ze haalde diep adem. 'Lord Linslade heeft een gesprek gehad met een insluiper. Hij was ervan overtuigd dat die insluiper de geest van mijn dode echtgenoot was. Linslade zei dat hij en die geest over het Boek der Geheimen hadden gesproken. Renwicks geest beweerde dat men iets nodig had om het boek, als het ooit werd gevonden, te vertalen, want er zijn maar weinig Vanzaanse wetenschappers die de oude taal kunnen lezen.'

'Dat klopt helemaal,' zei Pitney.

'En u heeft verteld dat de Onbekende die u in uw doolhof heeft verrast, een *sleutel* van u wilde hebben.'

'Waar wil je naartoe, Madeline?' vroeg Artemis.

'Stel dat het Boek der Geheimen niet door de vlammen is vernietigd,' zei Madeline met vaste stem. 'Stel dat iemand het in zijn bezit heeft en dat die persoon nu op zoek is naar de code die hij nodig heeft om de geheimen uit dat boek te ontrafelen? En stel nu eens dat dat kleine, eigenaardige boekje, dat ik al een hele tijd zit te bestuderen, de *sleutel* van het Boek der Geheimen is!'

18

Hij wachtte in het donker achter het kamerscherm en gluurde door de kleine gaatjes die in het borduurpatroon waren verwerkt. De twee mannen kwamen even na elkaar de elegant ingerichte eetkamer binnen. Ze schrokken toen ze elkaar zagen, hoewel ze dat snel probeerden te verbergen door een enthousiaste begroeting. Maar geen van tweeën ging dat goed af. Ze ontweken elkaars blik en keken schichtig om zich heen.

De tafel was gedekt voor vier personen. Kaarslicht glinsterde op het zilver en het kristal. Zware veloursgordijnen ontnamen het zicht op het in nevelen gehulde amusementspark buiten het grote venster. Geroezemoes van het publiek en flarden muziek klonken gedempt en veraf. De voetstappen van de heren waren nauwelijks hoorbaar op het dikke tapijt. Er liepen geen kelners rond.

Er heerste diepe stilte in de privé-eetkamer.

Glenthorpe was de eerste die die stilte verbrak. 'Ik verwachtte jou hier niet. Moet ik aannemen dat jij ook aandeelhouder in deze onderneming bent?'

'Bedoel je het mijnproject?' Flood schonk een drankje in uit de fles die klaarstond op tafel. Hij bracht het glas naar zijn mond en vroeg niet of Glenthorpe ook iets wilde drinken. 'Ik ben er meteen vanaf het begin ingestapt. En het ziet ernaar uit dat ik al snel mijn winst kan opstrijken.'

'Er werd mij verteld dat er maar een handvol mensen kon deelnemen aan die transactie.'

'Ja. Dat klopt. Uitsluitend via introductie.' Flood schonk zich nogmaals een flinke hoeveelheid in en gluurde over de rand van zijn glas naar Glenthorpe. 'Zo, zo. Jij was dus een van de weinigen die vanaf het begin mee mochten doen.'

'Je kent me, Flood.' Glenthorpes lach klonk hol in de kleine kamer. 'Ik heb altijd gepakt wat ik pakken kon als ik daar beter van kon worden.'

'Ja, ik ken je,' zei Flood rustig. 'En jij kent mij. En wij hebben allebei Oswynn gekend. Dat is best interessant, vind je niet?'

Glenthorpe hief met een ruk zijn hoofd op. 'Heb je het nieuws gehoord?'

'Dat ze zijn lijk vanmorgen uit de rivier opgevist hebben? Ja, dat heb ik gehoord.'

'Een straatrover heeft hem te pakken gekregen,' zei Glenthorpe. Zijn stem klonk hoopvol en wanhopig tegelijk. 'Je weet toch dat Oswynn een heethoofd was. Wild en roekeloos. Hij was er altijd als de kippen bij om iets ongewoons te gaan doen. Hij was ook altijd in de gevaarlijkste buurten van de stad te vinden. Het is een wonder dat hij niet al veel eerder zijn nek heeft gebroken of doodgeschoten is door de een of andere schurk.'

'Ja,' zei Flood. 'Een wonder. Maar nu is hij er niet meer, hè? Er zijn nu nog maar twee leden van ons clubje over.'

'Godsamme, Flood, wil je ophouden met dat gezeur over Oswynn?'

'Er zijn er nog twee van ons clubje over, en door een eigenaardig toeval zijn die twee hier vanavond om het hoofd van onze winstgevende onderneming te ontmoeten en te horen hoeveel winst we hebben gemaakt.'

Glenthorpe liep naar de haard om zich te warmen. 'Jij bent stomdronken, weet je dat? Misschien is het beter dat je helemaal niets meer drinkt tot we onze zaakjes hebben afgehandeld.'

'Onze zaakjes,' herhaalde Flood bedachtzaam. 'O ja, onze zaakjes. Vind jij het niet vreemd dat er hier verder niemand aanwezig is?'

Glenthorpe gromde. Toen trok hij zijn horloge te voorschijn en klikte het dekseltje open. 'Het is nog maar kwart over tien.'

'Op de uitnodiging stond: tien uur.'

'Nou, én?' Glenthorpe het horloge weer in zijn zak glijden. 'Het is vanavond bijzonder druk buiten. De andere beleggers zijn daardoor wat verlaat, denk ik.'

Flood keek naar de vier couverts op de tafel. 'Zoveel zijn het er nu ook weer niet.'

Glenthorpe volgde zijn blik. Zijn handen fladderden nerveus door de lucht. 'Er moeten er in elk geval nog twee komen.'

Floods ogen bleven op de gedekte tafel gericht. 'Laten we aannemen dat er een plaats is gereserveerd voor de hoofdaandeelhouder, dan kan er nog maar één belegger bij ons aanschuiven. Waarschijnlijk waren er maar drie mensen die hun geluk in deze investering mochten beproeven.'

'Dat begrijp ik niet.' Glenthrope speelde met de plaatjes die aan zijn horlogeketting hingen. 'Welke kerel komt er nu te laat als er over zijn winstuitkering wordt gesproken?'

Artemis kwam achter het kamerscherm vandaan en liep naar hen toe.

'Een dode kerel,' zei hij rustig.

Flood en Glenthorpe keerden zich met een ruk om en keken hem aan.

'Hunt,' mompelde Flood.

'Wat is hier voor de duivel aan de hand?' Glenthorpes gezichtsuitdrukking veranderde van naakte angst in stomme verbijstering. 'Waarom heb jij je achter dat scherm verstopt? Je had je bekend moeten maken toen wij binnenkwamen. Dit is niet het juiste moment voor spelletjes.'

'Dat ben ik helemaal met je eens,' zei Artemis. 'Er worden geen spelletjes meer gespeeld.'

'Wat bedoelde je met die opmerking over een dode kerel?' vroeg Glenthorpe op bruuske toon.

'Wat ben jij een stomkop, Glenthorpe.' Floods ogen bleven op het gezicht van Artemis gericht. 'Dat ben je trouwens altijd geweest.'

Glenthorpe keek hem woedend aan. 'Wel verdomme, hoe durf je mij een stomkop te noemen, sir? Je hebt het recht niet mij te beledigen.'

'Hunt is de derde aandeelhouder niet,' zei Flood vermoeid. 'Hij staat aan het hoofd van dat mijnproject. Heb ik gelijk of niet, sir?'

Artemis knikte. 'Je hebt gelijk.'

'Aan het hoofd...?' Glenthorpe keek naar de vier plaatsen en richtte zijn blik toen weer op Artemis. 'En wie is dan de derde aandeelhouder?'

De mond van Flood vertrok in een lelijke grijns. 'Ik vermoed dat Oswynn de derde man is die ertoe is verleid om zijn hele fortuin in deze onderneming te steken.'

Artemis zorgde ervoor dat hij in de schaduw bleef. 'Je hebt alweer gelijk. Maar jij was altijd al de slimste van de drie, nietwaar?'

Flood klemde zijn kiezen op elkaar. 'Wil je ons nu, alleen maar uit een soort nieuwsgierigheid, even vertellen hoeveel we zijn kwijtgeraakt,' siste hij.

Artemis liep naar de tafel, pakte de karaf en schonk zichzelf een glas wijn in. Vervolgens keek hij de twee mannen aan.

'Jullie zijn allebei álles kwijt,' zei hij rustig.

'Vuilc rotzak,' fluisterde Flood.

Glenthorpes mond viel open, hij kon geen woord uitbrengen. Even later piepte hij: 'Alles? Maar dat is onmogelijk. En onze winst dan? Wij zouden een gigantische winst maken, is ons beloofd.'

'Ik vrees dat jullie winst, tezamen met het geld dat jullie hebben geïnvesteerd, is verdwenen in de diepe schacht van een denkbeeldige goudmijn in de Stille Zuidzee,' zei Artemis langzaam en duidelijk.

'Wil je daarmee zeggen dat er nooit een mijn is geweest?'

'Ja, Glenthorpe. Dat is precies wat ik jullie duidelijk wil maken.'

'Maar... maar ik heb hypotheken op mijn bezittingen opgenomen om het geld dat ik wilde investeren bij elkaar te krijgen.' Glenthorpe greep de leuning van een stoel om zich staande te houden. 'Ik ben geruïneerd.'

'We hebben er alle drie veel meer ingestoken dan we ons konden veroorloven.' Flood keek Artemis met priemende ogen aan. 'We hebben ons laten bedonderen. We werden verblind door een illusie. En Hunt hier was de tovenaar achter dat hele zaakje.'

Glenthorpe wankelde. Zijn gezicht was vertrokken van afgrijzen. Hij legde een hand op zijn borst, haalde een paar keer diep adem en ging toen langzaam rechtop staan. 'Waarom? Waar gaat het allemaal om?'

Artemis keek hem recht in zijn ogen. 'Het gaat om Catherine Jensen.'

Glenthorpe werd spierwit. Hij trok een stoel naar zich toe en liet zich erop neervallen. 'Godallemachtig, dus jij hebt ons een paar maanden geleden dat plaatje gestuurd!'

'Ik wilde dat jullie zouden terugdenken aan jullie verleden, voor ik de volgende stap nam,' zei Artemis.

'Jij bent een door-en-door slecht mens, Hunt,' zei Flood op zachte toon. 'Dat had ik allang kunnen weten.'

'Nee.' Glenthorpe wreef met de achterkant van zijn hand over zijn neus. 'Nee, het is onmogelijk. Hoe kan dat nou? Het is vijf jaar geleden gebeurd.'

Artemis wierp hem een snelle blik toe. Degene die hij in de gaten moest houden was Flood, dat was de gevaarlijkste van de twee. 'Er bestaat geen verjaringstermijn voor moord.'

'Het was een ongeluk.' De stem van Glenthorpe schoot de hoogte in. 'Ze begon heibel te maken. Wie zou ooit hebben gedacht dat zo'n kleine lichtekooi zo kon vechten? Ze wist zich los te rukken. Er was die avond geen maan. Het was stikdonker, je kon geen hand voor ogen zien zonder lantaarn. Het is niet onze schuld dat ze van die rots af pletterde.'

'Dat vind ik wel,' zei Artemis met gevaarlijk zachte stem. 'Ik vind dat het jouw en Oswynns en Floods schuld is dat Catherine een dodelijk val heeft gemaakt.'

'Nou,' zei Flood rustig, 'en ga jij ons nu op dezelfde manier van kant maken als je Oswynn hebt gedaan?'

Glenthorpes mond viel open. 'Heb jij Oswynn vermoord?' Er ging een huivering door hem heen en hij greep zich aan de tafel vast. 'Dus hij is niet te grazen genomen door een straatrover?'

'Natuurlijk heeft Hunt Oswynn vermoord,' zei Flood. 'Wie anders?'

'Toevallig,' zei Artemis, 'heb ik Oswynn níet om het leven gebracht.'

'Je denkt toch niet dat ik jou geloof?' zei Flood verbitterd.

'Wat jij wilt geloven moet jij weten, maar als jij van plan bent bij elke stap over je schouder te kijken of ik misschien achter je loop, dan zou je de echte moordenaar, vlak voor je, weleens over het hoofd kunnen zien.'

'Net zoals wij over het hoofd hebben gezien dat we met open ogen onze financiële ondergang in gelokt zijn?' sneerde Flood.

Artemis glimlachte. 'Precies. Mijn advies aan jullie is: wees op je hoede voor alle nieuwe kennissen.'

'Nee.' Glenthorpe haalde met horten en stoten adem. 'Nee, dit kan niet echt gebeuren.'

Floods gezicht was strak als een masker. 'Als jij Oswynn niet gedood hebt, Hunt, wie heeft dat dan wel gedaan?'

'Dat is een uitstekende vraag.' Artemis nam gedachteloos een slokje van zijn wijn. 'En die hoop ik zeer binnenkort te kunnen beantwoorden. Intussen kunnen we veilig aannemen dat de moordenaar jullie twee ook te pakken wil nemen. Daarom heb ik jullie vanavond hier laten komen. Voor jullie sterven wil ik dat jullie weten dat Catherine Jensen door mij is gewroken.'

Glenthorpe schudde verbijsterd zijn hoofd. 'Maar waarom wil die moordenaar ons dan doden?'

'Om dezelfde reden waarom hij Oswynn heeft vermoord. Op die manier hoopt hij mijn aandacht af te leiden van een andere zaak waarmee ik bezig ben,' zei Artemis. 'Ik moet toegeven dat hij daarin gedeeltelijk is geslaagd. Maar daar is nu een eind aan gekomen.'

Flood keek hem aan. 'Wat is dat andere project?'

'Dat gaat jou niets aan,' zei Artemis kortaf. 'Ik wil hiermee alleen maar zeggen dat ik voortaan niets meer met jou en Glenthorpe te maken wil hebben. Door omstandigheden heb ik deze affaire helaas eerder moeten afwikkelen dan ik van plan was. Maar het doet me niettemin bijzonder veel genoegen te weten dat jullie schuldeisers morgenochtend bij jullie op de stoep zullen staan.'

'Ik ben geruïneerd,' jammerde Glenthorpe. 'Totaal geruïneerd.'

'Ja.' Artemis liep naar de deur. 'Het is in de verste verte niet te vergelijken met wat jullie vijf jaar geleden hebben gedaan, maar het is wel iets om over na te denken op lange, kille avonden. Aannemende dat de man die Oswynn heeft vermoord jullie niet te snel te pakken krijgt.'

'Jij mag branden in de hel, verdomde rotzak,' zei Flood met een diepe keelstem. 'Denk maar niet dat je dit zomaar kunt doen.'

'Als jij vindt dat ik op de een of andere manier jouw eer heb aangetast,' zei Artemis bijna onhoorbaar, 'dan moet je niet aarzelen om mij officieel uit te dagen, hoor.'

Flood werd vuurrood van woede, maar zei geen woord meer.

Artemis liep de gang in en sloot de deur. Hij hoorde dat er binnen iets tegen het houten paneel gesmeten werd. Misschien de wijnkaraf...?

Hij liep de achtertrap af en stapte de mistige nacht in. De grijze nevel had het publiek niet kunnen afschrikken, maar toch hadden de meeste bezoekers de overdekte attracties opgezocht. Het Kristalpaviljoen was helder verlicht. Hij liep langs een pad dat om een schemerig verlichte grot voerde. Daar was geen mens te zien.

Het was eindelijk voorbij. Vijf lange jaren had hij zitten wachten tot hij kon toeslaan, had hij plannen gemaakt, eindeloze strategieën uitgedacht. En vanavond was daar een eind aan gekomen. Oswynn was dood, Flood en Glenthorpe waren al hun geld en bezittingen kwijt en zouden bovendien weleens vermoord kunnen worden door de geheimzinnige Vanza-vechter die zich had vermomd als de geest van Renwick Deveridge. Nou, dat vond hij wel genoeg.

Hij realiseerde zich dat hij ergens op wachtte, maar het kwam niet. Waar was de bevrediging? Waar was het voldane gevoel van rechtvaardiging? Waar bleef het gevoel van vrede en rust?

Hij luisterde naar het applaus dat opklaterde uit het Zilverpaviljoen. Het optreden van de hypnotiseur was ten einde.

Het leek wel of hij de afgelopen vijf jaren zelf voortdurend in trance was geweest. Misschien had Madeline wel gelijk. Misschien was hij overdreven excentriek. Welke intelligente man met een flinke dosis gezond verstand werkte vijf lange jaren aan een wraakplan?

Hij wist het antwoord op die vraag: een man die niets beters te doen had dan zich bezighouden met het verleden.

Die deprimerende wetenschap drukte loodzwaar op zijn ziel. Hij liep de westelijke poort uit en zette koers naar het eerste van de rij huurrijtuigen die aan de kant van de weg stonden te wachten.

Hij bleef stokstijf staan toen hij aan de overkant een klein, zwart koetsje ontdekte. De buitenlampen gloeiden spookachtig in de mist. De binnenkant van het koetsje was in diepe duisternis gedompeld.

'Wel verdomme!'

Het lege gevoel in zijn binnenste werd verdrongen door een blinde woede. *Zij hoorde hier niet te zijn.*

Hij liep naar het rijtuig toe. De schaduw op de bok, Latimer natuurlijk, sprak hem aan toen hij dichterbij kwam.

'Het spijt me, meneer Hunt, sir. Ik probeerde haar ervan te weerhouden u vanavond te volgen, maar ze wilde niet naar mij luisteren.'

'We zullen het er later over hebben van wie jij orders moet aannemen, Latimer.'

Hij rukte de deur open en stapte de donkere ruimte in.

'Artemis.' De stem van Madeline was verstikt door een emotie die hij niet onmiddellijk kon thuisbrengen. 'Je hebt vanavond die twee mannen ontmoet. Flood en Glenthorpe. Probeer het maar niet te ontkennen.'

Hij ging tegenover haar zitten. Ze had een dikke sluier voor haar gezicht, net als die avond toen hij haar voor het eerst ontmoette. Haar gehandschoende handen lagen in elkaar geklemd op haar schoot. Hij kon haar gezicht niet zien, maar hij voelde dat ze zeer gespannen was.

'Ik ben helemaal niet van plan het te ontkennen,' zei hij.

'Hoe durf je, sir?'

De pure woede in haar stem maakte hem heel even sprakeloos. 'Waar heb je het voor de duivel over?' vroeg hij bars.

'Jij kon niet eens de beleefdheid opbrengen mij te vertellen wat je vanavond van plan was. Als Zachary niet had laten vallen dat jij aan die twee mannen een boodschap had gestuurd, zou ik niet hebben geweten waar je uithing. Waarom heb je dat gedaan zonder mij ervan op de hoogte te stellen?'

Haar boosheid deed de zijne zakken. 'Wat ik met Flood en Glenthorpe te bespreken had was mijn zaak, en daar heb jij niets mee te maken.'

'Je hebt hun verteld dat ze geruïneerd zijn, nietwaar?'

'Inderdaad.'

'Godsgenade, sir, je had gedood kunnen worden.'

'Hoogst onwaarschijnlijk. Ik had de zaak volkomen in de hand.'

'Goeie God, Artemis, je hebt een afrekening met je twee ergste vijanden georganiseerd en je hebt niet eens de moeite genomen om Zachary mee te nemen om je rugdekking te geven!'

'Ik verzeker je dat dat helemaal niet nodig was, Madeline.'

'Je had het recht niet een dergelijk risico te nemen. Stel dat er iets fout was gegaan!' Haar stem klonk schril.'Stel dat Flood of Glenthorpe je tot een duel had uitgedaagd, wat dan?'

Haar woede was onplezierig en ook een beetje eigenaardig. Het leek wel of ze overstuur was uit bezorgdheid om zijn welzijn. 'Flood en Glenthorpe zijn niet van het type dat hun nek durven riskeren in een duel. Als dat wel zo was had ik ze lang geleden al uitgedaagd. Madeline, rustig nu maar.'

'Rustig? Hoe kan dat nu? Stel dat een van hen een pistool had getrokken en je had doodgeschoten!'

'Ik was niet totaal onvoorbereid,' zei hij sussend. 'Ik wil het eigenlijk niet ter sprake brengen, maar ik ben een Vanzaan, weet je nog wel? Ik ben iemand die niet zo makkelijk dood te schieten is.'

'Die verrekte Vanzaanse opleiding van jou is niet bestand tegen een loden kogel, sir! Renwick Deveridge was ook een Vanzaan, maar toch heb ik hem met mijn pistool in zijn eigen gang doodgeschoten.'

Het rijtuig was in beweging, maar de stilte was zo oorverdovend dat het geluid van de hoeven en de wielen niet meer te horen was. Madeline luisterde naar de echo van haar woorden. Ze had bekend dat ze een moord had gepleegd en ze vroeg zich af of ze gek was geworden. Nadat ze haar grote geheim, dat haar aan de galg kon brengen of naar het buitenland kon verbannen, al die maanden verborgen had weten te houden, had ze het nu ineens, tijdens een verhit meningsverschil, prijsgegeven.

Artemis keek ernstig. 'De roddelpraatjes en geruchten zijn dus waar. Jij hebt hem doodgeschoten.'

Ze klemde haar handen nog vaster in elkaar. 'Ja.'

'En ik neem aan dat die steeds weerkerende nachtmerrie van je daaruit voortvloeit.'

'Ja. Ik heb je het eerste gedeelte niet verteld.'

'Het gedeelte waarin je Deveridge neerschiet.'

'Ja.'

Hij liet haar ogen niet los. 'En je hebt me ook niet verteld waarom je zo wanhopig je best deed om die slaapkamerdeur open te krijgen, hoewel het huis om je heen in brand stond.'

'Bernice zat opgesloten in die slaapkamer.'

Er viel een grimmige stilte.

'O, verdomme!' Artemis dacht even na. 'Hoe kwam zij in die afgesloten kamer terecht?' vroeg hij na een poosje.

'Renwick heeft haar ontvoerd op de avond dat hij mijn vader heeft vergiftigd.' Haar vingers deden pijn. Ze keek omlaag en zag dat ze haar handen tot één dikke vuist had gebald. 'Hij heeft haar naar zijn eigen huis gebracht, een prop in haar mond gestopt, vastgebonden en vervolgens achtergelaten om in het brandende huis om te komen.'

'Hoe heb je haar gevonden?'

'Papa leefde nog toen ik bij hem kwam. Hij vertelde me dat Renwick Bernice had meegenomen en dat hij vast terug zou komen voor mij. Hij zei dat ik razendsnel moest handelen, als ik Bernice wilde redden. Hij drukte me op het hart alle Vanza-methodes te gebruiken die hij me had geleerd.'

'Wat heb je gedaan?'

'Ik volgde Renwick naar zijn huis. Toen ik daar aankwam had hij het laboratorium al in brand gestoken. Hij was bezig een andere brand, in de keuken, aan te steken. Ik liep door de tuin, keek omhoog en zag Bernices gezicht voor het raam van de slaapkamer. Het was haar gelukt zich naar het raam te slepen, maar haar handen waren nog op haar rug gebonden. Ze kon het raam niet open doen. Ik wist niet hoe ik naar boven moest klimmen.'

'Dus toen ben je het huis binnengegaan?'

'Ja. Ik had geen andere keus.' Ze sloot haar ogen toen de herinneringen aan die verschrikking terugkwamen. 'Renwick was nog in de keuken. Hij hoorde me niet. Ik vloog de trap op en rende de gang naar de slaapkamer in. Het was heel donker, op de gloed van het vuur bij de achtertrap na.'

'Je merkte dat de slaapkamerdeur op slot was.'

Ze knikte. 'Ik probeerde het met een haarspeld. Ik hoorde het geloei van de vlammen en wist dat ik niet veel tijd had. Toen stond hij ineens in de gang. Hij moet me de trap op hebben zien gaan.'

'Wat zei hij?'

'Hij lachte toen hij me gehurkt voor het slot zat zitten en stak de sleutel omhoog. En hij bleef lachen. "Heb je hier soms iets aan?" vroeg hij.'

'Wat antwoordde jij?'

'Niets.' Ze keek hem door de sluier heen aan. 'Het pistool lag op de grond naast me, verborgen door de plooien van mijn mantel. Hij zag het niet. Papa had me gezegd niet te aarzelen, want Renwick was een Vanzaan. Daarom zei ik niets. Ik stak mijn hand uit, pakte het pistool, hief het op en schoot hem dood. Hij stond maar een paar meter bij me vandaan, en hij kwam steeds dichterbij. Hij lachte als een krankzinnige. Ik kon niet missen. Ik dúrfde niet te missen.'

Artemis keek haar vol spanning aan. 'En toen pakte je de sleutel, deed de deur open en redde je tante.'

'Ja.'

'Je bent werkelijk een ongelooflijke vrouw, liefje.'

Ze staarde hem aan. 'Ik ben nog nooit in mijn leven zo bang geweest als toen.'

'Ja, dat begrijp ik,' zei hij. 'Daarom is het allemaal zo verbazingwekkend, zie je. Ik wil niet dat je langer dan nodig is aan die gebeurtenissen terugdenkt, maar ik wil het je toch nog één keer vragen. Jij en je tante waren de laatsten die Renwick in leven hebben gezien. Weet je echt voor honderd procent zeker dat hij die nacht is gestorven?'

Ze huiverde. 'Ja. Bernice stond erop dat we ons ervan overtuigden dat dat echt zo was. Ze zei dat we niet het kleinste foutje mochten maken omdat hij een levensgevaarlijke krankzinnige was.'

'Hij was ook bijzonder uitgekookt.'

Ze haalde diep adem en keek hem met vastberaden blik aan. 'Bijna even uitgekookt als jij, sir. Maar toch was dat niet genoeg om een kogel te ontwijken.'

'Je hebt helemaal gelijk en ik dank je voor je bezorgdheid.'

'Verdraaid, Artemis, behandel me niet alsof ik een holhoofdige idioot ben. Ik weet wat er met de borstkas van een man gebeurt als er van dichtbij op hem wordt geschoten.'

'Ja. Waarom heb je dit moment uitgekozen om mij de waarheid over die nacht te vertellen?'

Ze verstijfde. 'Ik verzeker je dat ik niet van plan was om die moord ooit te bekennen.'

'Zelfverdediging.'
'Ja, nou, niet iedereen wil dat geloven, Artemis.'
'Ik geloof het.'
'Neem me niet kwalijk, sir, maar jij neemt het nieuws dat ik toch een moordenares ben wel heel lakoniek op, en dat is zeer zacht uitgedrukt.'
Hij glimlachte fijntjes. 'Ik denk dat dat komt omdat het niet bepaald een onverwacht nieuwtje voor mij is. Ik weet al een hele poos dat of jij of je tante Deveridge heeft doodgeschoten. En ik had mijn geld op jou gezet als ik had moeten wedden. Bernice zou hem met vergif om het leven hebben gebracht, niet met een pistool.'
'O.' Ze keek neer op haar ineengestrengelde handen. 'Ik weet niet wat ik daarop moet zeggen.'
'Je hoeft helemaal niets te zeggen.' Hij zweeg even. 'Maar de manier waarop jij de waarheid in mijn gezicht slingerde...'
'Ik weet niet wat mij bezielde. Ik wist even niet meer wat ik deed.' Ze fronste haar wenkbrauwen. 'Nee, dat is niet waar, ik werd woedend. Omdat jij het hebt gewaagd je nek te riskeren.'
'Maar waarom maakt dat jou zo kwaad?' vroeg hij met vlakke stem. 'Was je bang omdat je wist dat je het verder zonder mijn hulp zou moeten stellen, als ik door Glenthorpe of Flood gedood zou worden?'
Blinde woede gierde door haar heen. 'Lieve hemel, Artemis, hoe kun je zoiets stoms zeggen! Ik ben witheet omdat ik niet wil dat er iets met jou gebeurt.'
'Bedoel je dat je me aardig bent gaan vinden, ongeacht het feit dat ik zakenman én een Vanzaan ben?'
Ze keek hem bestraffend aan. 'Ik ben helemaal niet in de stemming om grapjes te maken, sir.'
'Ik ook niet.' Zonder waarschuwing boog hij zich voorover en legde zijn handen op haar schouders. 'Leg me eens uit waarom de gedachte dat ik gewond had kunnen raken je zo dwarszit.'
'Doe niet zo achterlijk, sir,' siste ze hem toe. 'Je weet dondersgoed waarom ik niet wil dat je gewond raakt of nog erger.'
'Als het niet is omdat je ertegenop ziet om een andere Vanzaan te zoeken om je te assisteren, is het dan omdat je niet nog meer schuld op je schouders wilt laden? Ben je daarom zo bezorgd om mij?'
'Verdomme nog aan toe, Artemis!'
'Je bent bang dat er iets met mij gebeurt zolang ik nog bij jou in dienst ben, omdat jij daar dan verantwoordelijk voor gesteld kunt

worden. Net zoals in het geval van je vader. Jij voelt je verantwoordelijk voor zijn dood, waar of niet?'

Het drong ineens tot haar door dat hij ook woedend was. 'Ja. Ik wil inderdaad niet nog meer schuld op mijn schouders laden, zoals je dat uitdrukte, dank je feestelijk.'

'Er is geen sprake van enige verantwoording voor mij, madam.' Zijn stem was koud en scherp als een mes. 'Begrepen?'

'Dat maak ík wel uit, als je dat maar weet!'

'O nee, dat maak jij níet uit.' Hij greep de zwarte sluier en schoof het dunne materiaal over haar hoofd naar achteren. 'We zijn deze zaak samen begonnen en we zullen hem samen afmaken.'

'Artemis, als er iets met jou gebeurt word ik gek, dat meen ik echt,' fluisterde ze ernstig.

Hij legde zijn handen om haar gezicht. 'Luister goed. Ik beslis zelf wat ik wel of niet doe. Jij kunt niet, en hebt ook niet het recht de schuld op je te nemen voor mijn handelingen. Verduiveld nog aan toe, Madeline, ik val niet onder jouw verantwoordelijkheid.'

'Waaronder dan wel, sir?'

'Verdomme, madam, ik ben je minnaar. Laat dat duidelijk zijn.'

Hij verpletterde haar lippen met de zijne en duwde haar vervolgens terug op haar plaats. Het gewicht van zijn lichaam drukte haar tegen de kussens. Zijn been kreukte de stof van haar japon.

'Artemis!'

'Een paar minuten geleden, toen ik het park uit liep, had ik het gevoel dat ik uit een trance ontwaakte.' Zijn handen omsloten opnieuw haar gezicht. 'Een trance die vijf lange jaren heeft geduurd. Mijn wraakplannen waren het enige waarvoor ik al die jaren heb geleefd. En vanavond drong het voor het eerst tot mij door dat er iets veel belangrijkers is om voor te leven.'

'Wat dan, Artemis?'

'Jij.'

Hij boog zijn hoofd en bedekte haar mond met krachtige, eisende kussen. Heftige golven van ongekende sensaties vertroebelden haar zintuigen. Ze klemde zich aan hem vast en kuste hem terug met dezelfde verterende passie als die van hem.

Zijn mond gleed als een warme stroom naar haar keel. 'Ik ben je minnaar,' zei hij opnieuw.

'Ja. Ja.'

Hij schoof haar rokken omhoog. Ze voelde zijn handen, warm en bezitterig, op de blote huid boven haar kousenband.

Zijn vingers zweepten haar op tot een koortsachtige piek van begeerte.

'Je reageert op mij alsof je voor mij gemaakt bent.' Er klonk ontzag in zijn hese stem.

Ze voelde zijn erectie tegen haar dij en begreep dat hij op de een of andere manier zijn broek had geopend. Hij greep een van haar enkels en vervolgens de andere en trok ze allebei over zijn schouders. Ze wist dat hij haar met al die rommelige kledingstukken en de diepe duisternis die in de koets heerste onmogelijk kon zien, maar toch voelde ze zich op dit moment heel erg naakt. En ze had zich nog nooit zo kwetsbaar gevoeld. Maar dat verontrustte haar niet, integendeel, ze vond dat het haar opwinding nog verhoogde.

En toen voelde ze dat hij bij haar binnendrong. Ze haalde stotend adem, maar hij begon te bewegen voor ze zich had hersteld. De zinderende spanning in haar onderlichaam spatte uiteen in tientallen, bitterzoete sidderingen die door haar hele lichaam trilden.

Ze hoorde het onderdrukte gekreun van Artemis en voelde de spieren van zijn rug strak worden onder haar handen. Ze drukte hem dicht tegen zich aan tot het schokken ophield.

Nadat hij een uur klaarwakker in bed had gelegen gaf Artemis het op. Hij sloeg de dekens weg, stapte uit bed en greep zijn zwarte kamerjas.

Hij liep naar het kleine tafeltje, ging op het kleedje dat ervoor lag zitten en stak de meditatiekaars aan. Met gesloten ogen liet hij de kalmerende geur van de kruiden inwerken op zijn rusteloze gedachten.

Na een poosje ging hij alle plannen, alle voorzorgsmaatregelen, elke actie die hij tot dusver had ondernomen, na, om te controleren of er fouten of zwakke punten in zaten.

En toen hij zichzelf ervan had overtuigd dat hij alles had gedaan wat mogelijk was, keerden zijn gedachten weer terug naar Madeline.

Hij moest zorgen dat haar niets overkwam. Zij was tenslotte degene die hem uit zijn jarenlange trance had gewekt.

19

De brandende kaarsen in de zilveren kandelaars zetten de balzaal in een gouden licht. Iedereen die iets betekende in de hogere kringen was naar het huis van Lord Clay en zijn echtgenote, een bekende gastvrouw, gekomen. Madeline wist natuurlijk waarom ze hier was, maar toch voelde ze zich prettig opgewonden. Voor haar huwelijk had ze heel weinig in deze kringen verkeerd, en daarna helemaal niet meer. Het was echt een andere wereld, eigenlijk hing hier eenzelfde sfeertje als in de glinsterende lichtpaleizen in het amusementspark.

Ze stond met Bernice bij de openslaande deuren die naar de tuin leidden en keek naar de vrouwen die in ragfijne japonnen met elegant gekleede heren over de dansvloer zweefden. Lakeien in livrei liepen met zilveren dienbladen, beladen met champagne en frisdranken, tussen de mensen door. Flarden van gesprekken en uitbarstingen van gelach overstemden zo nu en dan de muziek.

Bernice bekeek haar van boven tot onder en knikte voldaan. 'Je kunt wedijveren met elke vrouw die hier aanwezig is, lieverd.'

Madeline keek naar haar zachtgele, satijnen rok en rimpelde haar neus. 'Dank zij u.'

'Hmmm. Die eer verdient Hunt. Hij was degene die erop stond dat jij vanavond geen zwart zou dragen. En ik moet zeggen dat ik het ook hoog tijd vind dat je je gaat kleden zoals een jonge, moderne vrouw gekleed hoort te gaan.'

Die middag had er ineens een coupeuse op de stoep gestaan die een zachtgele japon bij zich had, die ze snel had vermaakt zodat hij haar nu perfect paste. Ze had ook bijpassende handschoenen en dansschoentjes meegebracht.

Bernice zag er zo vergenoegd uit dat Madeline begreep dat zij in het complot had gezeten. Maar de verrukking in de ogen van Artemis had haar ervan overtuigd dat het misschien echt tijd was om de rouw voor haar vader af te leggen.

Artemis had geopperd dat ze gebruik moesten maken van het feit dat het huis van Lord Clay die avond propvol met gasten zou zijn. Dat bood een perfecte mogelijkheid om de studeerkamer van de lord te doorzoeken, had hij uitgelegd. Ze moesten erachter zien te komen wat Clay met de grote hoeveelheid kruiden had gedaan die hij in de apotheek van Moss had gekocht.

Madeline wierp een snelle blik op de brede hoofdtrap. Een halfuur geleden was Artemis daarlangs verdwenen om aan zijn illegale onderzoek te beginnen. Sindsdien had ze geen spoor meer van hem gezien.

'Hij is al een hele tijd weg,' fluisterde ze tegen Bernice.

'Ik weet zeker dat je je daar niet druk om hoeft te maken. Hunt is veel te slim om zich te laten betrappen terwijl hij de studeerkamer van Clay doorzoekt.'

'Ik maak me niet druk over het feit dat hij gesnapt kan worden. Ik vind het niet leuk dat hij het makkelijkste deel van dit zaakje mag afhandelen. Hij heeft het moeilijkste aan mij overgelaten.'

'Waar heb je het in vredesnaam over?'

'Is dat niet duidelijk? Ik moet me al dat gestaar en dat gefluister laten welgevallen. Heeft u niet gemerkt dat iedereen keek toen we binnenkwamen? Ik wed dat al die mensen nu aan het roddelen zijn over het feit dat Artemis Hunt hier vanavond is verschenen met niemand minder dan de Verdorven Weduwe aan zijn zijde.'

Bernice giechelde. 'Daar heb je helemaal gelijk in, lieverd. Geen van deze aanwezigen kan een leuker gespreksonderwerp bedenken. Jouw relatie met Hunt is blijkbaar het laatste society-nieuwtje.'

'Het lijkt wel een van de attracties van de Droompaviljoens. Ik zou eigenlijk kaartjes moeten verkopen.'

'Komop, Madeline, zo erg is het nu ook weer niet.'

'Jawel, echt wel. Ik zou op dit moment heus liever de kamer van Clay op zijn kop te zetten. Het zou Artemis' verdiende loon zijn om hier te staan en al die nieuwsgierige blikken te trotseren.'

'Ach, weet je, in deze kringen hebben ze heel gauw genoeg van een kletspraatje,' verzekerde Bernice haar. 'Het nieuwtje, dat jij iets met Hunt hebt, is eigenlijk alweer oude koek.'

'Ik hoop vurig dat je gelijk hebt.'

'Bernice!' De snerpende, onbekende stem klonk eerder bestraffend dan verrast. 'Wat fijn jou weer eens te zien. Dat is lang geleden!'

Madeline keerde zich om en zag een vrouw van middelbare leeftijd, gekleed in een roze japon, naar hen toe komen. De vrouw bekeek haar misprijzend door een lorgnet.

'U bent mevrouw Deveridge, als ik het wel heb?'

Madeline wist meteen dat ze die vrouw niet mocht. 'Ken ik u, mevrouw?'

'Uw tante zal ons ongetwijfeld aan elkaar willen voorstellen. Zij en ik kennen elkaar, ziet u.'

'Lady Standish,' mompelde Bernice. 'Mag ik u mijn nichtje, Madeline, voorstellen.'

'De Verdorven Weduwe.' Lady Standish schonk Madeline een kil glimlachje. 'Ik moet zeggen dat de heer Hunt beslist lef heeft. Niet elke jongeman zou het durven wagen een dame met uw reputatie mee te nemen naar een zeer respectabele woning.'

Madeline was sprakeloos door de onbeschofte grofheid van de vrouw. Maar Bernice ging er onmiddellijk op in.

'Artemis Hunt is niet bepaald een van die bedeesde, angsthazige jongemannen waar u op doelt,' zei Bernice rustig. 'In tegenstelling tot uw zoon Endicott, die een voorkeur heeft voor slap en futloos gezelschap, gaat Artemis graag om met beschaafde, intelligente mensen die een goede smaak hebben.'

De ogen van Lady Standish fonkelden van woede. 'En hij houdt blijkbaar ook van levensgevaarlijke weddenschappen.'

Madeline fronste haar wenkbrauwen. 'Waar heeft u het over, madam?'

Lady Standish wendde zich met een dun, gemeen glimlachje naar Madeline. 'Goh, mijn beste mevrouw Deveridge, weet u niet dat uw naam in alle boeken die in de herenclubs in deze stad liggen, voorkomt? Er is namelijk een weddenschap uitgeschreven met een prijs van duizend pond voor elke man die een nacht met u overleeft. Ik neem aan dat Hunt zijn winst al opgestreken heeft.'

Madelines mond viel open.

'Maar dat geeft niet,' ging Lady Standish verder, 'misschien kunt u hem overhalen zijn prijsjes met u te delen.'

Madeline kon geen woord uitbrengen.

Bernice wel. Ze bekeek Lady Standish met de koele berekening van een oorlogvoerende generaal die zijn tegenstander taxeert. 'U heeft blijkbaar niet gehoord dat onze gastheer gisteravond een andere uitdaging bekend heeft gemaakt. Hij daagt elke man die de naam van mijn nicht gebruikt op een manier die hij, Hunt, ook maar in de verste verte als beledigend beschouwt, uit tot een duel. U mag jongeheer Endicott dus wel waarschuwen. Als ik het wel heb is hij uw enige kind en erfgenaam. Het zou toch jammer zijn hem te verliezen in een duel om de eer van mijn nicht, nietwaar?'

Nu was het de beurt aan Lady Standish om met een mond vol tanden te staan. Haar kille ogen vulden zich met angst. 'Nou, ik heb nooit...'

Ze keerde zich met een ruk om en verdween zonder nog een woord te zeggen in de menigte.

Madeline kon eindelijk weer praten. Ze keek Bernice aan. 'Waar ging dat over? U wilt toch niet zeggen dat Hunt echt iedereen die mij beledigt heeft uitgedaagd?'

'Maak je niet druk, liefje. Geen sterveling zal het durven wagen het tegen hem op te nemen.'

'Daar gáát het niet om.' Madeline kon haar paniek en woede amper in bedwang houden. 'Lieve God, ik kan niet toestaan dat Hunt op zo'n belachelijke manier zijn nek riskeert. En waarom heeft niemand mij iets verteld over die stomme weddenschap?'

'Ik wist dat je daardoor van streek zou raken, kind.' Bernice gaf een klopje op haar hand. 'Jij hebt de laatste tijd al meer dan genoeg aan je hoofd.'

'Maar hoe bent u al die dingen te weten gekomen?'

'Ik geloof dat meneer Leggett het erover had,' antwoordde Bernice vaag.

'Ik zweer u dat ik eens een hartig woordje met die man zal spreken,' siste Madeline.

'Met meneer Leggett?'

'Nee.' Madeline kneep haar ogen halfdicht. 'Met Artemis.'

Artemis was net klaar met de laatste la van Clay's bureau toen hij een sleutel in het slot hoorde steken. Snel blies hij de kaars uit en stapte hij achter het zware, fluwelen gordijn dat naast een van de grote ramen hing.

Hij hoorde de deur opengaan. Er kwam iemand binnen. Artemis ving een glimp van kaarslicht op, maar kon niet zien wie de kandelaar droeg.

'O, ben je hier, Alfred,' zei een stem in de gang. 'Ze zoeken je in de keuken.'

'Zeg maar dat ik zo kom. Ik moet eerst even mijn rondjes maken. Je weet dat de baas een beetje bang is geworden na die beroving van een tijdje terug. Hij heeft mij gezegd dat ik vooral vanavond een oogje op zijn kostbaarheden moet houden omdat er veel volk over de vloer is.'

'Ha! Noem jij dat een beroving? Het enige wat weg was was dat potje met kruiden dat hij vorige maand bij de apotheek had gehaald. Net goed dat dat spul het huis uit is, als je het mij vraagt.'

'Maar niemand vraagt dat aan jou, George.'

En daarmee was de meest dringende vraag van die avond beantwoord. Artemis bleef luisteren tot de deur dichtging en de voetstappen van de twee bedienden zich verwijderden. De slaapkruiden waren dus gestolen. Het geheimzinnige spook had weer een nachtelijk bezoek afgelegd. Lord Clay was dus blijkbaar niet bij deze affaire betrokken.

Artemis kwam achter het gordijn vandaan. Hij verliet de studeerkamer en liep via de gang naar de trap. Een paar minuten later stapte hij de balzaal binnen, waar Madeline en Bernice op hem wachtten.

Hij was toch enigszins teleurgesteld over het gebrek aan nuttige informatie, maar toen hij Madeline in het oog kreeg, klaarde zijn gezicht op. Hij vond dat ze er prachtig uitzag. Ze stelde alle andere vrouwen in de schaduw, niet omdat ze de mooiste van allemaal was, maar omdat ze, althans voor hem, de interessantste was.

Hij kon zijn ogen niet van haar af houden toen hij naar haar toe liep. Die kleur geel stond haar uitstekend, stelde hij met voldoening vast. Dat had hij perfect uitgekozen. Zonlicht was haar kleur.

'Goedenavond, dames,' zei hij rustig toen hij achter Madeline stond. 'Amuseren jullie je?'

Madeline keerde zich met een ruk om. Hij schrok toen hij zag dat haar ogen gloeiden van woede.

'Hoe waag jij het zoiets idioots te doen?' wilde ze weten. 'Hoe verzin je het? Heb jij dan helemaal geen gevoel in je lijf? Waarom heb je zoiets stoms gedaan?'

Artemis keek Bernice hulpzoekend aan. Ze trok alleen haar wenkbrauwen op en haalde bijna onmerkbaar haar schouders op. Toen keerde ze zich om en keek naar de dansvloer. Hij stond in deze alleen, realiseerde hij zich.

Nietbegrijpend keek Madeline aan. 'Eh...'

'Dacht jij dat ik er nooit achter zou komen?'

'Nou...'

'Ik kan het gewoon niet geloven.'

'Wat?' vroeg hij bezorgd. 'Je weet toch dat ik van plan was de kamer van Clay te doorzoeken...'

'Daar gaat het niet om en dat weet je best,' snauwde ze.

Hij keek om zich heen en zag een groepje dames wat dichter

naar hen toe schuifelen. Hij pakte Madelines arm stevig beet. 'Heb je zin om even de tuin in te gaan om een frisse neus te halen?'

'Probeer maar niet om van onderwerp te veranderen, sir.'

'Dan moet ik wel eerst weten wat het onderwerp is,' zei hij terwijl hij haar meetrok naar de openslaande deuren. 'En daarna zal ik beslissen of ik wil veranderen.'

'Ha! Je hoeft niet te doen alsof je de vermoorde onschuld bent.'

'Ik doe niet alsof, ik bén het, dat zweer ik.' Hij hield haar tegen toen ze in de schaduw op het terras stonden. 'Nou ja, niet vermoord natuurlijk, maar wel onschuldig voor zover ik weet. Maar nu alle gekheid op een stokje, vertel me waarom je je zo opwindt, Madeline.'

'Het gaat over wat ik heb gehoord over die clubs van jou.'

Hij kreunde. 'Iemand heeft het over de weddenschap gehad.'

'Ik geef geen snars om die stomme weddenschap van duizend pond. Dat kun je immers verwachten van die luiwammesen die niets beters te doen hebben dan weddenschappen verzinnen over de meest achterlijke dingen, vanaf het aantal vliegen op de muur, tot de uitslag van bokswedstrijden.'

Nu wist hij het helemaal niet meer. 'Als je niet op je achterste benen staat om die weddenschap, wat is er voor de duivel dan aan de hand?'

'Ik heb zojuist gehoord dat jij elke man in jouw club hebt uitgedaagd. Is dat waar?'

Hij fronste zijn wenkbrauwen. 'Wie heeft je dat verteld?'

'Is het waar?'

'Madeline...'

'Mag ik je eraan herinneren, sir, dat we hebben beloofd niet tegen elkaar te liegen. Is het waar dat jij elke man die mij beledigt uitdaagt tot een duel?'

'Ik denk dat het zeer onwaarschijnlijk is dat iemand een beledigende opmerking over jou maakt als ik dat kan horen,' zei hij op sussende toon. 'Je hoeft je dus echt nergens zorgen over te maken.'

Ze deed een stap naar hem toe. 'Artemis, als jij je leven op het spel wilt zetten voor zoiets onzinnigs als mijn eer, dan zal ik je nooit, ik zweer het, nóóit vergeven.'

Hij glimlachte onzeker. 'Helemaal nooit?'

'Ik meen het.'

Hij voelde dat hij warm werd. 'Hou je dan een beetje van me, Madeline? Ondanks mijn Vanza-achtergrond en mijn connecties met de zakenwereld?'

'Ik hou meer van je dan ik ooit van iemand heb gehouden, koppige sufferd. En ik sta niet toe dat je ooit nog zulke dwaasheden uithaalt. Is dat duidelijk?'

'Dat is overduidelijk.' Hij trok haar in zijn armen en kuste haar voor ze zich zou gaan realiseren wat ze zojuist had gezegd.

20

Kleine John wond de warme, wollen shawl die hij van meneer Hunt had gekregen wat vaster om zijn nek en keek naar de twee mannen die de kroeg uit kwamen. De man aan de rechterkant had hij al de hele dag gevolgd. Zachary had gezegd dat hij Glenthorpe heette.

'Wel verdraaid, ik voel me een beetje raar.' Glenthorpe struikelde en herstelde zich weer. 'Ik heb toch niet zo gek veel gedronken vanavond.'

'Ik denk dat je de tel bent kwijtgeraakt, mijn vriend.' De man met het gouden haar lachte. 'Maar je hoeft je geen zorgen te maken, ik zal je veilig thuisbrengen.'

'Dat is vriendelijk van u, sir. Heel vriendelijk.'

Kleine John zag dat Glenthorpe weer struikelde toen hij de trap af liep. Hij zou plat op zijn gezicht zijn gevallen als die andere vent, die met die wandelstok, hem niet had beetgepakt.

Kleine John werd een tikje opgewonden. Hij kreeg visioenen van een vette winst. Zachary had hem op het hart gedrukt vooral op een eventuele begeleider van Glenthorpe te letten.

De man met de wandelstok was een paar minuten na Glenthorpe het kroegje binnengestapt, en ze waren inmiddels blijkbaar dikke vrienden geworden. Kleine John bleef kijken terwijl hij het vleespasteitje, dat hij zoëven ergens gepikt had, verorberde. Hij had al besloten om terug te gaan naar het kamertje boven een stal, dat hij met vijf andere jongens deelde, maar nu was hij blij dat hij toch was gebleven.

De begeleider van Glenthorpe bleef even staan om zijn hoed op te zetten. Hij stond precies onder een lantaarn en Kleine John vond opnieuw dat het haar van de man een goudachtige kleur had. Toch ging zijn aandacht meer uit naar de wandelstok. Rooie Jack, de heler, zou hem een leuk bedragje voor die stok betalen.

Maar helaas, het leek niet gemakkelijk om die kerel zijn stok afhandig te maken. Glenthorpe mocht dan in de olie zijn, de man met het gouden haar zag er fit en alert uit. Kleine John wist dat dat soort meestal een pistool op zak had.

Hij besloot dat hij het niet de moeite waard vond om de gok te wagen. En trouwens, meneer Hunt zou evenveel voor een belangrijke informatie geven, als Rooie Jack voor die stok. Meneer Hunt betaalde altijd meteen en gul voor bewezen diensten. Kleine John vond dat een goede verstandhouding met klanten die prompt betaalden, heel belangrijk was.

De man stak zijn mooie stok omhoog om een huurrijtuig aan te houden. Hij duwde Glenthorpe naar binnen en liep toen naar de koetsier om het adres op te geven.

Kleine John kwam een beetje dichterbij om te horen wat hij zei.

'Crooktree Lane, goede man.' De gecultiveerde stem werd gedempt door de dikke mist.

'Komt in orde, sir.'

Kleine John wachtte niet om nog meer te horen. Hij kende Crooktree Lane. Het was in de buurt van de rivier. Op dit uur van de nacht was het een donkere, gevaarlijke omgeving waar het gemeenste soort ratten woonde: het soort dat zich op twee benen voortbeweegt.

Madeline was in haar slaapkamer en boog zich over het kleine, rode boekje, maar ze kon zich niet concentreren op de eigenaardige tekens op het opengeslagen blad. Ze kon alleen maar denken aan de ondoordachte manier waarop ze haar liefde voor Artemis eruit had geflapt.

Gelukkig was hij te veel heer om het onderwerp nogmaals ter sprake te brengen. Maar het kon ook zijn dat hij net zo geschokt was als zij. Misschien waren dat wel de allerlaatste woorden die hij uit haar mond had willen horen.

Hij noemde zichzelf haar minnaar, maar hij had nog nooit gezegd dat hij haar beminde.

Er werd op de deur geklopt. Madeline was blij dat ze gestoord werd. Ze wierp een blik op de klok. Het was al na middernacht. 'Binnen!'

De deur ging open, en Nellie, gekleed in haar nachtpon, met haar slaapmutsje op haar hoofd, stond op de drempel. 'Neem me niet kwalijk, ma'am, maar er staat een jongen bij de achterdeur. Hij wil Zachary of meneer Hunt spreken, maar die zijn allebei nog niet terug.'

Artemis was een poosje geleden de deur uit gegaan om zijn ronde te doen langs zijn clubs in de hoop informatie en roddelpraatjes te vergaren. Zachary was, vermomd als koetsier, meegegaan.

'Een jongen?'

'Ja, ma'am. Een van die jongens die altijd boodschappen voor Zachary en meneer Hunt doen. Hij zegt dat het belangrijk is. Hij zei dat hij met iemand moet praten over een man die hij al twee dagen volgt.'

'Glenthorpe.' Madeline sprong overeind. 'Laat de jongen in de keuken wachten. Ik kleed me aan en kom meteen naar beneden.'

'Ja, ma'am.' Nellie draaide zich om.

'Wacht even,' riep Madeline vanuit de kleedkamer, 'maak Latimer wakker. Zeg hem dat hij een huurrijtuig moet aanhouden. Er rijden er altijd wel een paar door de straat op dit uur. Snel, Nellie!'

Nellie bleef staan. 'Wilt u niet dat hij een van onze eigen rijtuigen voorrijdt, ma'am?'

'Nee, dat kan herkend worden.'

Nellies ogen werden groot. 'Is er gevaar aan verbonden, ma'am?'

'Dat is mogelijk. Snel nu, Nellie.'

'Ja, ma'am.' Nellie verdween.

Madeline kleedde zich vlug aan, stapte in haar laarzen en haastte zich naar de deur. Halverwege de kamer bleef ze staan. Ze keerde zich om en rende naar een kist die onder het raam stond. Ze tilde het deksel op en pakte een doos waarin een pistool en kogels zaten. Vervolgens greep ze de enkelschacht en het mes dat ze van haar vader had gekregen. Het pistool stopte ze in haar reticule, de schacht met het mes bond ze om haar enkel.

Toen ze klaar was liep ze de gang door en de trap af. Ademloos kwam ze in de keuken aan. Ze herkende het smoezelige jongetje met de ogen die te groot en te oud waren voor zijn gezicht.

'Kleine John. Is alles goed met je?'

''Tuurlijk is alles goed met mij.' De woorden waren maar half verstaanbaar want hij stond een muffin in zijn mond te proppen. 'Ik kom verslag uitbrengen aan Zachary of meneer Hunt.'

'Ze zijn niet thuis. Waarschijnlijk zijn ze in een van de clubs van meneer Hunt. Vertel gauw wat je vanavond hebt gezien.'

Hij keek weifelend. 'En de betaling?'

'Ik zal ervoor zorgen dat je ruimschoots beloond wordt.'

Hij rimpelde zijn neus terwijl hij daarover nadacht. Toen nam hij een besluit. 'Ik zag Glenthorpe met een man in een rijtuig stappen. Glenthorpe was zo dronken als een kanon, maar die andere vent was zo nuchter als een kalf. Ik hoorde hem tegen Glenthorpe zeggen dat hij hem naar huis zou brengen, maar hij riep naar de koetsier dat hij naar Crooktree Lane moest rijden.'

'Waar is dat?'

'Bij de rivier. Niet ver van de zuidelijke poort van de Droompaviljoens. Ik volg Glenthorpe al twee dagen, daarom weet ik dat hij daar niet woont.'

Latimer verscheen in de deuropening en trok zijn jas aan. 'Wat is er aan de hand, ma'am?'

Madeline keerde zich naar hem toe. 'Heb je al een huurrijtuig?'

'Jawel, maar vanwaar die haast?'

'We moeten meneer Hunt proberen te vinden en daarna rechtstreeks naar Crooktree Lane rijden.Glenthorpe is daarheen gebracht door een man die waarschijnlijk een...' Ze slikte het woord *moordenaar* in. Ze wilde Kleine John geen angst aanjagen, hoewel ze betwijfelde of die straatjongen wel ergens bang mee te maken was. 'Hij is daarheen gebracht door een man die wel eens gevaarlijk zou kunnen zijn.'

Kleine John rolde met zijn ogen. 'Ze bedoelt de vent die die andere gozer om zeep heeft gebracht en in het water heeft gedumpt. Daar heeft Zachary me alles over verteld.' Hij greep nog een muffin en zette er zijn tanden in.

'Meneer Hunt heeft gezegd dat iets dergelijks nogmaals zou kunnen gebeuren,' legde Madeline uit. 'Hij zei dat dat voor hem een kans zou zijn om die schurk in zijn kraag te vatten. Maar we moeten het hem zo snel mogelijk laten weten.' Ze wendde zich tot Kleine John. 'Je mag hier bij Nellie blijven, tot we terugkomen.'

'Maak u maar niet dik om mij, ma'am,' zei Kleine John, die weer zijn hand naar de muffinschaal uitstak. 'Ik ga nergens heen tot ik mijn geld heb.'

Artemis trok zijn overjas aan terwijl hij snel naar zijn rijtuig liep. Hij realiseerde zich dat dit niet de eerste keer was dat hij door Madeline uit zijn club was gehaald. Het leek wel of het een gewoonte werd.

Hij trok het portier open en stapte in terwijl Zachary op de bok naast Latimer plaatsnam. Het huurrijtuig dat Madeline had gebruikt om naar St. James te rijden, verdween in de mist. De koetsier ging op zoek naar een nieuw vrachtje.

'Artemis.' Madeline keek hem aan terwijl hij tegenover haar plaatsnam. 'Goddank hebben we je snel gevonden.'

'Wat is er aan de hand?' vroeg hij terwijl het rijtuig zich in beweging zette.

'Kleine John heeft Glenthorpe weg zien gaan met een onbekende man, precies zoals jij vermoedde dat zou gebeuren. Ze zijn op weg naar Crooktree Lane. Ik geloof dat dat een ongure buurt bij de rivier is.'

'Het is in elk geval niet het meest chique deel van de stad,' knikte hij. Hij keek door het raampje naar de drukte op straat. 'En het is ook lekker dicht bij de zuidelijke poort van de Droompaviljoens.'

'Lekker dicht?'

'Dicht genoeg om een man daarheen te slepen nadat hij is doodgeschoten. Het zou me niets verbazen als Oswynn in Crooktree Lane is vermoord voordat zijn lijk in het Spookhuis is gedeponeerd.'

'Eerst Oswynn en nu Glenthorpe. Ik begrijp het niet, Artemis. Waarom doet die ellendeling dat? Dat slaat toch nergens op?'

Hij keek naar haar aan, verrast door haar commentaar. 'Begrijp je dat niet? Hij wil *míj* weg hebben. Blijkbaar ben ik zo langzamerhand een lastig obstakel voor hem geworden.'

'Maar kan hij jou dan wegkrijgen door jouw vijanden te vermoorden?'

'Hij heeft mij een keer uit de weg willen ruimen, maar dat is mislukt. Daarna is hij waarschijnlijk tot de conclusie gekomen dat het te riskant is om opnieuw achter me aan te gaan. En nu probeert hij het op een andere manier.'

'Wat bedoel je?'

'Ik geloof dat de dood van Oswynn een soort waarschuwing was. Maar vanavond heeft ons spook ongetwijfeld een veel ernstiger bedreiging in de zin. Misschien denkt hij dat hij mijn aandacht van ons probleem kan afwenden door mij een moord in de Droompaviljoens in de schoenen te schuiven.'

'Ja, natuurlijk. Als er een lijk in een van de attracties van de Droompaviljoens wordt gevonden kun jij je zaakjes wel gedag wuiven. Dat zal het publiek namelijk afschrikken en weghouden uit het park.'

'Misschien wel, misschien ook niet.' Artemis glimlachte grimmig. 'Het is ook zo dat het publiek vaak juist wordt aangetrokken door bizarre attracties. Je weet nooit zeker wat de mensen zullen doen als er in een pretpark een paar moorden zijn gepleegd.'

'Wat een afschuwelijk gedachte. Kun je dan nooit rekenen op de goede smaak van de mensen?'

'Nee. Maar ik vermoed dat de dreiging dat ik mijn zááк zal verliezen het laatste is waar die rotzak aan denkt.'

'Wat wil hij er dan mee bereiken?'

Hij aarzelde en besloot toen het haar eerlijk te vertellen. 'Het kan zijn dat hij het zo wil spelen dat het lijkt alsof ik betrokken ben bij die moorden.'

'*Jij*?' Haar ogen keken hem verschrikt aan. 'Maar, mijn God, Artemis, denk je echt dat je als eigenaar van de Droompaviljoens verdacht wordt van moord als er op jouw grondgebied een lijk wordt gevonden? Dat is toch absurd?'

'Dat is helemaal niet absurd als kan worden aangetoond dat de dode man mijn aartsvijand was en dat ik betrokken was bij een plan om hem te ruïneren,' antwoordde hij rustig.

'Ja, ik begrijp wat je bedoelt.' Ze huiverde. 'Deze misdadiger is blijkbaar op de hoogte van jouw diepste geheimen. Hij lijkt echt op een geest die door stenen muren kan lopen.'

'Hij probeert me buitenspel te zetten, zodat hij zich op jou kan storten,' zei Artemis. 'Hij vermoedt nu namelijk dat jij de sleutel bezit.'

Latimers rijkunst en Zachary's bekendheid in de minder respectabele wijken van de stad zorgden ervoor dat het rijtuig snelle vorderingen maakte. Artemis had Latimer opdracht gegeven twee blokken voor de gesloten poort van de zuidelijke ingang te stoppen.

'Waarom stoppen we hier?' wilde Madeline weten.

'Voor alle zekerheid.' Hij deed het portier open en sprong op de grond. 'Luister goed allemaal. Latimer, jij en Madeline wachten hier met het rijtuig. Zoek een plekje vanwaar jullie de zuidelijke poort in de gaten kunnen houden zonder zelf gezien te worden.'

Madeline stak haar hoofd uit het raampje. 'Waarom moeten wij hier blijven?'

'Omdat de moordenaar zal proberen het lijk via die poort het park in te slepen, als Zachary en ik te laat komen om de moord te verhinderen.

'Ja, ja.' Madeline frommelde in haar reticule en haalde haar pistool te voorschijn. 'Latimer en ik moeten de moordenaar staande houden als hij jou en Zachary gepasseerd is.'

'Nee, jullie moeten hem niet staande houden.' Artemis deed een stap naar het raampje toe. 'Luister naar me en luister heel goed, madam. Jij en Latimer moeten goed kijken in welke richting hij loopt als hij in het park is, maar jullie mogen onder geen voorwaarde naar hem toe gaan. Is dat duidelijk?'

'Maar, Artemis...'

'Die man is levensgevaarlijk, Madeline. Jij mag je eigen leven en dat van Latimer niet in de waagschaal stellen. Hou hem alleen goed in de gaten en kijk waar hij heen loopt. Meer niet.'

'En wat gaan jij en Zachary doen?'

'Wij gaan proberen die schurk te pakken voor hij me nog meer moeilijkheden bezorgt.' Hij keek Zachary aan. 'Klaar?'

'Jawel, sir.' De stem van Zachary trilde van bereidheid en opwinding. Hij sprong van de bok omlaag.

Madeline leunde uit het raampje. 'Artemis, jij en Zachary moeten mij beloven dat jullie heel, heel voorzichtig zullen zijn.'

'Ja, natuurlijk,' zei hij ongeduldig.

Er speelde een glimlach om zijn mond toen hij zich omdraaide. Ze hadden geen van beiden over haar ontboezeming van de avond ervoor gesproken. Hij kreeg de indruk dat ze wilde doen alsof het niet was gebeurd, en hij wilde dat spelletje wel even meespelen. Ze had tijd nodig om te laten bezinken dat ze van hem hield, vond hij. Het was voor haar ongetwijfeld een grote schok geweest. En ze had er geen idee van hoe blij ze hem ermee had gemaakt.

Hij wenkte Zachary. 'Kom mee, jongen.'

Hij ging hem voor naar een smal steegje dat naar Crooktree Lane voerde. Zachary's donkere schaduw volgde hem op de hielen.

Door het licht van de maan, dat werd getemperd door de mist, alsmede door het licht dat door de ramen van de huizen scheen, konden Artemis en Zachary goed zien waar ze liepen. Zo nu en dan hief een prostituee haar lantaarn op en riep hen vanuit een portiek.

Ze liepen zonder problemen door een web van nauwe straatjes tot ze voor een kruispunt stonden.

'Dit is Crooktree Lane, sir,' zei Zachary. 'Ik ben hier vaak genoeg geweest toen ik nog niet voor u werkte. Een heleboel van onze jongens kennen deze straat, want Rooie Jack heeft hier vlakbij een winkel. Hij is een heler die goed betaald, maar het is een eigenaardige vent. Hij accepteert namelijk uitsluitend het allerbeste.'

'Ik geloof je op je woord.' Artemis keek naar links en naar rechts, maar bleef in het andere steegje staan. 'Ik had gehoopt hier te zijn voor het huurrijtuig zijn vrachtje had afgeleverd, maar het ziet ernaar uit dat we te laat zijn. Ik zie namelijk nergens een rij...'

Hij werd onderbroken door hoefgekletter.

'Daar!' wees Zachary fluisterend.

Met grote moeite draaide een rijtuig Crooktree Lane in. De lantaarns brandden heel laag. De koetsier knalde met zijn zweep en zette zijn paard aan tot een draf, maar het dier toonde weinig enthousiasme om sneller te gaan lopen.

'Schiet op, stom beest.' De stem van de koetsier was ruw en snauwend. 'Dit is geen buurtje waar jij of ik langer dan nodig is wil rondhangen op een nacht als deze.'

Artemis stapte de straat op alsof hij het voertuig wilde aanhouden. 'Een ogenblikje, sir.'

'Wat nu?' De koetsier bracht zijn paard angstig tot stilstand en tuurde onzeker naar Artemis. Hij kalmeerde een beetje toen hij de mooie mantel en glimmend gepoetste laarzen zag. 'Heeft u een rijtuig nodig, sir?'

'Ik heb informatie nodig en vlug een beetje.' Artemis wierp de man een geldstuk toe. 'Heb je net een paar passagiers afgezet?'

'Ja, sir.' De koetsier plukte de munt uit de lucht en liet hem geroutineerd in zijn zak glijden. 'Twee kerels, de ene was zo bezopen dat hij niet meer op zijn benen kon staan. De andere gaf me een vette fooi.'

'Waar heb je ze afgezet?'

'Hier om de hoek, op nummer twaalf.'

Artemis gooide nog een geldstuk naar de koetsier. 'Bedankt.'

'Niets te danken, sir. Kan ik u verder nog van dienst zijn?'

'Vanavond niet.'

Artemis trok zich terug in de schaduw. De koetsier zuchtte teleurgesteld en trok aan de teugels. Het voertuig hobbelde de straat uit.

'We zijn dus toch nog op tijd.' Artemis trok zijn revolver. 'Maar we moeten ons wel haasten.'

'Ja.' Zachary controleerde zijn eigen pistool.

Artemis ging voorop en zorgde ervoor in de schaduw te blijven. Hij voelde een rilling van plezier, je zou het bijna ouderlijke trots kunnen noemen, toen hij merkte dat Zachary even weinig geluid maakte als hijzelf. Die jongeman deed zijn Vanza-lessen alle eer aan.

Dat deed hem er ineens aan denken hoe het zou zijn als hij echt een zoon zou hebben. Of een eigenwijze dochter met de ogen van haar moeder... Madelines ogen...

Hij duwde die aangename gedachte opzij. Hij moest nu aan andere, meer dringende dingen denken.

'Wat hebben wij in vredesnaam in dit smerige straatje te zoeken, sir?'

Artemis bleef stokstijf staan. Glenthorpe! Er werd antwoord gegeven. De stem van een man... een diepe stem... Artemis kon niet verstaan wat hij zei, maar het was duidelijk dat de man ongeduldig was.

Zachary bleef ook staan en keek Artemis afwachtend aan. Het geluid van strompelende voetstappen weerkaatste tegen de muren.

Glenthorpe jammerde opnieuw. 'Ik wil daar niet heen. Je zei dat we naar een kroeg zouden gaan. Maar ik zie nergens licht. In een kroeg branden toch lichten?'

Artemis hief zijn pistool op en drukte zijn rug tegen de muur. Voorzichtig keek hij om de hoek. In het vage licht van de lantaarn die Glenthorpes metgezel in zijn hand hield, kon hij de omtrekken van twee donkere gestalten onderscheiden. Het waren mannen en ze droegen allebei lange mantels en hoeden.

'Ja, Glenthorpe,' zei Artemis met kille stem. 'In een kroeg branden altijd wel een paar kaarsen of zo.'

De man met de lantaarn keerde zich op zijn hielen om. Vanaf deze afstand en met het slechte licht was het onmogelijk om hem goed te zien, maar Artemis kreeg de indruk van een smal gezicht, met fijne botten en glinsterende ogen.

'Wat is dat?' Glenthorpe deed zijn best zijn evenwicht te bewaren en greep de schouder van zijn metgezel. 'Wie is daar?'

De andere man liet zijn lantaarn vallen, rukte zich los van Glenthorpe en vloog naar het eind van de straat.

'Alle duivels.' Artemis rende achter hem aan.

'Kijk uit, hij heeft een wapen!' riep Zachary.

Op hetzelfde moment zag Artemis dat zijn prooi zijn arm bewoog. In het schemerlicht zag hij een loop glinsteren. Er volgde een lichtflits en een knal. Het schot weergalmde in de duisternis.

Artemis lag al plat op de smerige keien. Hij vuurde een paar maal achter elkaar, maar hij wist dat de schoten waarschijnlijk geen doel zouden treffen, evenmin als dat van de schurk. Je kon een pistool niet goed richten vanaf een afstand.

Hij sprong overeind en rende verder. Maar de vluchteling was al halverwege een muur aan het eind van de straat. De panden van zijn mantel waaierden uit als grote, donkere vleugels. De rotzak had natuurlijk weer een touwladder. Artemis realiseerde zich dat de schurk dat ding daar had opgehangen voor hij Glenthorpe ging halen. Hij had koelbloedig een moord gepland voor vanavond, en natuurlijk had hij tegelijkertijd voor een vluchtroute voor zichzelf gezorgd.

De vleugels van de mantel fladderden nog één keer en verdwenen toen door een raam.

Artemis greep naar het touw, maar de schurk had de ladder al losgemaakt. De bundel touw kwakte voor zijn voeten neer. De kleine haak maakte een kletterend geluid.

Artemis begreep dat het geen zin had de ladder weer te bevestigen, want de moordenaar was allang gevlogen.

'Verdorie!'

Hij had de ellendeling niet eens goed kunnen zien.

Maar Glenthorpe wel, bedacht hij ineens. En Kleine John. Voor zonsopgang zou hij een beschrijving van het spook hebben. Voor het eerst zouden ze in het bezit zijn van een duidelijk signalement van dat hellebrok. Eindelijk, eindelijk boekten ze vooruitgang.

Hij keerde zich om en haastte zich terug naar de ingang van de steeg, waar Zachary naast Glenthorpe, die in elkaar was gezakt, de wacht hield.

'Flood beweerde dat jij ons alleen maar bang wilde maken.' Glenthorpe zat voorovergebogen in een stoel in Artemis' studeerkamer. Zijn handen bungelden tussen zijn knieën en hij staarde verwezen naar het tapijt. 'Hij zei dat er helemaal geen mysterieuze wreker bestond. En dat Oswynn was vermoord door een doodgewone straatrover, zoals in de krant had gestaan. Hij zei dat jij helemaal niet van plan was ons om het leven te brengen, omdat je wilde genieten van je wraak.'

Bernice had hem liters thee laten drinken, maar het had toch nog een uur geduurd voor Glenthorpe weer helder kon denken. En nu leek het erop dat hij weer normaal kon praten.

'Wat Flood over mij zei was waar,' zei Artemis, 'maar wat de moordenaar betreft had hij het mis. Die heb jij zelf vanavond ontmoet. En dat is geen doodgewone straatrover. Ik wil precies van je weten hoe jullie kennisgemaakt hebben. Herhaal elk woord dat jullie met elkaar hebben gesproken.'

Glenthorpe trok een lelijk gezicht en wreef met een hand over zijn slaap. 'Ik kan me er eerlijk gezegd niet veel van herinneren. Ik had een heleboel gedronken, zie je. Ik probeerde te vergeten dat ik geen rooie cent meer bezit. Op zeker moment is hij, denk ik, aan mijn tafeltje komen zitten. Ik weet nog dat hij iets zei over een investering waarover hij aan het nadenken was.'

'Wat voor investering?' vroeg Madeline rustig.

'Het ging over het graven van een kanaal voor bepaalde boten. Ik weet de details niet meer. We dronken een paar glazen terwijl hij aan het vertellen was. Hij deed het voorkomen alsof het een buitenkansje was om erin te stappen, een manier om mijn verliezen in die goudmijnaffaire goed te maken.'

'En wat heeft jou ertoe bewogen met hem mee te gaan?' wilde Artemis weten.

'Dat herinner ik me niet meer zo goed. Hij zei iets over een rustig plekje waar we zonder gestoord te worden over zaken konden praten. Misschien heb ik hem verteld dat ik belangstelling voor aandelen in kanalen en zo heb. En even later merkte ik dat ik in een koets zat. En toen stonden we ineens in dat vieze straatje.' Glenthorpe hief zijn hoofd op en keek met knipperende ogen naar Artemis. 'Toen drong het tot me door dat er iets niet in de haak was, maar ik kon niets bedenken om eraan te ontkomen. Mijn geest was zo troebel als de mist om ons heen.'

'Hij heeft je een soort verdovingsmiddel toegediend,' zei Bernice.

'Ja, dat moet haast wel,' mompelde Glenthorpe.

'Maar heeft hij ook verteld waar hij woont?' dramde Artemis door. 'Of welke kroegjes hij het liefst bezoekt? Heeft hij de naam van een bordeel of een herberg genoemd?'

'Ik weet niet...' Glenthorpe brak af en fronste zijn wenkbrauwen. 'Wacht eens. Ik geloof dat hij iets zei toen we een herberg passeerden.'

Artemis ging vlak voor hem staan. 'Wat zei hij?'

Glenthorpe zakte onderuit in zijn stoel. Hij slikte een paar maal. 'Ik... ik denk dat ik net had gezegd dat ik dolblij was dat ik kennis met hem had gemaakt omdat ik dringend verlegen zat om een goede investering. Hij zei dat hij wist dat ik er slecht voorstond. Ik vroeg hoe hij daarachter was gekomen.'

'En wat antwoordde hij?'

'Hij keek naar buiten, zag de lichten van de herberg. En toen zei hij dat het verbazingwekkend is wat een man allemaal te weten kan komen als hij regelmatig de meest beruchte etablissementen van Londen bezoekt.'

'Zei hij verder nog wat? Vertelde hij in welke herbergen hij het meest komt? Heeft hij niet verteld dat hij in een hotel logeert of een eigen huis heeft?'

Glenthorpes gezicht vertrok van concentratie. 'Nee. Hij heeft zijn woonadres niet genoemd. Waarom zou hij? Maar toen we door een klein park reden zei hij iets over zijn jeugd... dat hij in dat deel van de stad was opgegroeid.'

Madeline wist Artemis' blik te trekken. Toen keek ze naar Glenthorpe. 'Wat zei hij over zijn verleden?'

Glenthorpe richtte zijn ogen weer op het tapijt. 'Heel weinig. Alleen maar dat hij en zijn halfbroer vroeger in dat parkje hadden gespeeld.'

'Goudkleurig haar. Blauwe ogen. Gelaatstrekken die een romantische dichter niet zouden misstaan.' Madeline huiverde toen ze voor het haardvuur bleef staan. 'Hij en zijn *halfbroer* hebben in dat parkje gespeeld.'

'Dat verklaart de familiegelijkenis waardoor Linslade dacht dat hij Renwick voor zich had.' Artemis stopte met het inschenken van een glas cognac en wierp haar een snelle blik toe. 'Het verklaart ook waarom hij ervoor heeft gezorgd dat jij hem niet goed kon zien. Hij zal best op Renwick lijken, maar ze zijn geen tweeling. Heeft Renwick nooit verteld dat hij een halfbroer had?'

'Nee.' Ze schudde heftig haar hoofd. 'Ik heb toch al gezegd dat Renwick vanaf de dag dat we elkaar leerden kennen tegen mij heeft gelogen. Hij heeft ons verteld dat hij wees was en in Italië is opgegroeid.'

'Deveridge was blijkbaar heel ver in de Strategie van de Misleiding. Hij heeft gewoon een gloednieuw verleden voor zichzelf geschapen. En hij moet wel een ongelooflijk uitgekookte leugenaar zijn geweest dat hij jouw vader heeft kunnen misleiden.' Artemis wachtte even en voegde er vervolgens aan toe: 'En jou.'

'Het was mijn eigen schuld.' Ze balde haar handen tot vuisten. 'Als ik niet zo overhaast had toegegeven aan een bepaald gevoel dat ik voor eeuwige genegenheid hield, dan was ik er snel genoeg achter gekomen dat hij een charlatan was.'

Ze wierp hem een geïrriteerde blik toe. 'Vind jij mijn dwaasheid grappig, sir?'

Hij glimlachte toegevend. 'Je bent te hard voor jezelf, Madeline. Je was een naïeve, onervaren, jonge vrouw, die uit haar evenwicht werd gebracht door de opwinding van haar eerste, echte romance. Ieder van ons gaat op een bepaald moment in zijn leven door de knieën voor een dergelijke, geheel nieuwe, emotie. Geloof me, dat is echt waar.'

'Maar slechts weinigen moeten er zo'n hoge prijs voor betalen,' fluisterde ze.

'Dat zal ik niet ontkennen. Maar het is ook zo dat maar weinig jongedames worden geconfronteerd met een uitgekookt serpent als Deveridge.'

Ze staarde in het vuur. 'Die anderen mogen dan van geluk spreken.'

Hij zette zijn glas neer en ging achter haar staan. Hij legde zijn handen op haar schouders en draaide haar om zodat ze hem moest aankijken.

'Het belangrijkste is dat jij jezelf niet toestond door te gaan met dat sujet. En je hebt ook niet toegelaten dat hij jou totaal in zijn macht kreeg. Je bent in actie gekomen om jezelf uit de wurggreep van die slang te bevrijden. Je hebt jezelf moedig en vastberaden vrij gevochten.'

Ze keek hem onderzoekend aan. 'Net als jouw Catherine?'

'Ja.' Hij trok haar tegen zich aan. 'En jij hebt de draak verslagen en het overleefd. Daar komt het op aan.'

Ze drukte haar gezicht tegen zijn borst. 'Ik vind het zo verschrikkelijk voor je dat jouw Catherine haar strijd niet heeft overleefd.'

'En ik ben verschrikkelijk dankbaar dat jij dat wel hebt,' fluisterde hij in haar haren.

Heel even bleef ze roerloos staan. Toen knipperde ze haar tranen, die zijn hemd dreigden te doorweken, weg, richtte zich op en droogde haar ogen met de mouw van haar peignoir. Ze perste een waterig glimlachje te voorschijn.

'Eén ding weten we tenminste over onze zogenaamde geest,' zei ze, 'hij is net zo dol op het verzinnen van gemene dingen als Renwick.'

'Inderdaad.'

Ze legde haar hand op de rand van de schoorsteenmantel. 'We kunnen zo niet doorgaan, Artemis. We moeten iets doen. Hij heeft al één man gedood. Vanavond heeft hij geprobeerd er nog een te vermoorden en vervolgens heeft hij op jou geschoten, omdat jij hem in een hoek had gedrongen. Wie weet wat hij nu weer gaat uitbroeden.'

'Ik ben het met je eens. We komen steeds dichter bij hem als hij weer iets heeft uitgehaald, en dat weet hij. Hij raakt nu waarschijnlijk in paniek en is tot alles in staat.'

'Mijn vader was dol op een oud Vanzaans gezegde: *wanhoop*

veroorzaakt haast, haast veroorzaakt fouten.'

'We moeten toeslaan nu hij nog een beetje murw is omdat hij vanavond bijna is gepakt, ' zei Artemis rustig. 'En wij hebben het aas waarin hij zal happen.'

'De sleutel?'

'Ja. We moeten een val voor hem uitzetten.'

Haar hand omklemde de rand van de schoorsteenmantel. 'Heb je een plan?'

Hij trok één wenkbrauw op. 'Daarom heb je me immers in dienst genomen? Om een Vanza-plan te bedenken waarmee we een Vanza-geest kunnen vangen.'

'Artemis, dit is niet het juiste moment om oude koeien uit de sloot te halen.'

'Klopt.' Hij maakte een wegwerpend gebaar. 'Ik heb mijn plan nog niet tot in details uitgedacht, maar als ons spook slechts half zo onzeker en paniekerig is als wij denken, dan heeft het kans van slagen.'

Haar gezicht klaarde op. 'Vertel!'

'Het komt op twee dingen neer. Het eerste is dat de schurk Glenthorpe vanavond de waarheid vertelde toen hij liet doorschemeren dat hij zijn informatie uit herbergen en kroegen haalt.'

'En het tweede?'

Artemis glimlachte grimmig. 'Dat deze moordenaar dezelfde zwakke plek heeft als zijn broer.'

'Welke zwakke plek?'

'De neiging om het vrouwelijk deel van de mensheid te onderschatten.'

Kleine John deed iets heel ongewoons: hij kócht een vleespasteitje. De verleiding om het geldstuk dat hij had gekregen in zijn zak te houden en het pasteitje, zoals gewoonlijk, te stelen, was bijna te groot. Maar zijn zakeninstinct won het. Meneer Hunt was heel duidelijk geweest in zijn opdracht en Kleine John wilde zijn klant tevredenstellen.

Hij betaalde dus netjes voor zijn vleesbroodje en genoot toen toch van het feit dat hij niet als een speer moest maken dat hij wegkwam. In plaats daarvan bleef hij rondhangen bij de kar van de verkoper in de hoop wat roddelpraatjes op te vangen, maar ook om ze zelf rond te strooien.

De jongen die de pasteitjes verkocht was maar een paar jaar ouder dan hijzelf. Hij had een kring van vaste klanten opgebouwd, van wie de meeste het gezellig vonden om te vertellen wat ze die avond allemaal hadden beleefd.

Kleine John was niet de enige die een geldstuk had gekregen en de belofte op nog één als de opdracht naar behoren werd uitgevoerd. De Ogen en Oren van Zachary zwierven de hele nacht door de straten en steegjes van Londen. Sommigen maakten een praatje met de koks en keukenjongens uit de keukens van de herbergen, wanneer die de hitte van de kookpotten even ontvluchtten om wat frisse lucht te happen. Een paar hielden een rijtuig aan voor dronken cafébezoekers. Weer anderen papten aan met lichtekooien en zakkenrollers.

Overal werd het praatje rondgestrooid dat een lief, oud dametje doodsbang was voor een spook en daarom af wilde van een gevaarlijk boekje waarin van alles stond geschreven in een vreemde taal.

'Het is vervloekt,' vertelde Kleine John ernstig aan nog meer pasteiverkopers, zakkenrollers, helers en andere zakenrelaties. 'Het is een boel geld waard, maar er zit een spook achteraan, zie je. Dat oude wijfie is doodsbang. Ze wil dat boekje dolgraag aan dat spook geven voor hij haar of iemand van haar huishouding vermoordt.'

Paul, die zijn geld verdiende met het vasthouden van paarden van heren die een bordeel met een bezoek vereerden, haalde zijn schouders op. 'Hoe kan die oude dame nu een spook laten weten dat ze hem een boekje wil geven voor hij haar in haar bed om zeep brengt?'

'Dat weet ik ook niet,' gaf Kleine John toe. 'Maar zij beweert dat haar zenuwen er niet meer tegen kunnen dat ze voortdurend wordt achtervolgd. Ze neemt elk uur een lepel van een speciaal drankje, want ze denkt dat ze anders krankzinnig wordt.'

21

De volgende dag ontving Bernice een boodschap. Een straatzwervertje botste tegen haar aan toen ze de boekwinkel waar ze de nieuwste roman van mevrouw York had gekocht, verliet. Toen ze haar rok gladstreek na het contact met het smerige jochie, ontdekte ze dat er een briefje in haar reticule was gestopt.

Ze kreeg zo'n schok van opwinding, dat ze bang was dat haar zenuwen het zouden begeven, maar toen herinnerde ze zich dat er thuis een versgemaakt drankje op haar stond te wachten. Ze liep naar het rijtuig en beval Latimer zo snel mogelijk naar huis te rijden.

Ze haastte zich de trap naar het huis op, wierp haar muts in de richting van de huishoudster en vroeg dringend: 'Waar is mijn nichtje?'

'Mevrouw Deveridge is in de bibliotheek met meneer Hunt en meneer Leggett,' antwoordde mevrouw Jones waardig.

Bernice zwaaide met het briefje toen ze de bibliotheek binnenstoof. 'Het plan werkt. De boef heeft me een boodschap gestuurd.'

Artemis zat achter zijn bureau. Hij keek op met de blik van voldoening van een jager die weet dat zijn prooi eindelijk in het gezichtsveld komt. Madeline was even opgetogen als hij. Ze keek eerst verbaasd en daarna blij.

Maar de uitdrukking van trots op het gezicht van Henry maakte Bernice helemaal warm.

'Gefeliciteerd, miss Reed,' zei hij. 'U heeft zich de afgelopen paar dagen fantastisch gedragen. Als ik niet wist dat u een uiterst wilskrachtige vrouw bent zou ik denken dat uw zenuwen nu wel heel erg op de proef zijn gesteld.'

'Ik heb mijn rol zo goed mogelijk gespeeld,' zei Bernice nederig.

'U heeft het briljant gedaan,' verzekerde Henry haar met een liefdevolle blik. 'Gewoonweg briljant.'

'Nou ja, eerlijk gezegd heeft Artemis meer recht op het woord *briljant*. Hij heeft dit plan uitgedacht.' Bernice voelde zich verplicht dit feit niet onvermeld te laten.

'Best, maar zonder u zou het nooit zo'n fantastisch effect hebben gehad, madam,' bleef Henry volhouden.

Artemis wisselde een veelbetekenende blik met Madeline.

Madeline schraapte haar keel. 'Hoe briljant alle medewerkers wel of niet zijn zullen we later vaststellen. Lees het briefje nu eens voor, tante Bernice.'

'Ja, natuurlijk, lieverd.' Bernice was zich er ten volle van bewust dat dit haar moment van triomf was. Ze vouwde het briefje snel open. 'Het is erg kort,' waarschuwde ze. 'Maar ik denk dat er precies in staat wat Artemis heeft gehoopt.'

'Madam,
Als u het boek wilt ruilen voor het leven van uzelf of een van uw dierbaren, dan stel ik voor dat u vanavond een bezoek brengt aan het theater. Stop het boekje in uw reticule. Zeg niets tegen Hunt of uw nicht. Zorg dat u op een gegeven moment alleen bent te midden van het publiek. Ik zal u weten te vinden.

Als u deze instructies niet precies opvolgt staat het leven van mijn dierbare echtgenote op het spel.'

'Interessant.' Artemis leunde achterover in zijn stoel, strekte zijn benen en sloeg zijn enkels over elkaar. 'Hij wil dat er veel mensen om jullie heen dwarrelen als hij het boek van je aanneemt, Bernice. Een combinatie van de Strategie van de Afleiding en de Strategie van de Verwarring.'

Madeline fronste haar wenkbrauwen. 'Als hij een goede vermomming gebruikt en heel uitgekookt te werk gaat, zal het moeilijk zijn hem te ontdekken, laat staan hem buiten het theater in de mensenmassa te grijpen.'

'Hij zal zijn slag slaan als ik na de voorstelling ons rijtuig ga halen,' zei Artemis vol overtuiging.

Bernice trok haar wenkbrauwen op. 'Hoe weet je dat?'

'Omdat dat de enige kans is die ik hem geef,' zei Artemis met zachte, dreigende stem. 'Ik laat jou, noch Madeline, voor het zover is geen seconde uit het oog. Deze keer spelen we het spel volgens míjn regels.'

Artemis was voorbereid op alle eventualiteiten die zouden kunnen plaatsvinden, behalve op dat ene, wat haar het meest uit haar evenwicht bracht, dacht Madeline toen de voorstelling naar zijn eind liep. Ze was zo bezig geweest met de details van hun plan dat ze er totaal niet aan had gedacht dat haar verschijning zeer de aandacht zou trekken. Het was nog erger dan op de avond van het bal bij Clay. Tussen de bedrijven door viel het licht op ontelbare toneelkijkers die op de loge waarin Artemis, Bernice en zij zaten, waren gericht.

Het liet Artemis volkomen koud, constateerde ze een tikje geïrriteerd. Ze vermoedde dat hij er wel degelijk aan had gedacht dat zij nieuwsgierige blikken zou trekken. Maar dat kon hem niet schelen. Hij zat rustig en ontspannen in zijn stoel, gaf nu en dan commentaar op het spel van de acteurs en liet glazen limonade naar hun loge brengen. Maar hij liep niet even weg om een praatje met andere bezoekers, in de loges naast hen, te maken, zoals gebruikelijk was bij de heren. Hij bleef bij zijn dames, en gedroeg zich in alle opzichten als een uitstekende gastheer.

'Nou, had je dat dan niet verwacht?' mompelde Bernice een paar minuten later toen ze in de drukke lobby stonden te wachten tot Artemis het rijtuig had gehaald. 'Je bent tenslotte de Verdorven Weduw. En dan nog wat, je hebt je intrek genomen in het huis van een vrijgezel. Dat is verrukkelijk schandalig, toch?'

'U hebt gezegd dat het nieuws van mijn omgang met Artemis de mensen al spoedig zou gaan vervelen.'

'Ja, nou, waarschijnlijk is daar meer voor nodig dan een keertje naar een bal en het theater te gaan.'

'Tante Bernice! Ik begin te geloven dat u het allemaal léuk vindt.'

'Ik moet je iets bekennen, liefje: ik heb het ongelooflijk naar mijn zin. Ik vind het alleen jammer dat Henry niet mee kon vanavond.'

'Artemis zei dat hij Henry buiten op de uitkijk had gezet. Zachary kan dat niet alleen.'

'Ja, ik weet het. Het is zo'n dappere man.'

'Artemis? Ja, hè?' Madeline tuitte haar lippen. 'Maar ik vind hem soms een tikje té dapper. Ik zou liever willen dat hij niet zoveel van...'

'Ik had het over meneer Leggett, schat.'

Madeline verborg een glimlach. 'O ja, natuurlijk!'

Ze schrok toen iemand hardhandig tegen haar elleboog stootte. Ze keek om en zag alleen maar een oudere dame met een lila tulband om. De vrouw liep door zonder zich te verontschuldigen.

Het was een heel eenvoudig plan. Artemis ging ervan uit dat de onverlaat de reticule van Bernice zou weggrissen als ze de lobby uitkwam, waarna hij zich uit de voeten zou maken in de drukbevolkte straat, die bovendien vol stond met rijtuigen. Zachary en Henry hadden zich op strategische punten opgesteld.

Zodra de schurk toesloeg zouden ze achter hem aan gaan en Artemis zou van de andere kant komen. Dat was een oude, Vanzaanse manoeuvre.

'Ik vraag me af of...' Madeline hield op toen iets hards en scherps in haar rug prikte.

'Geen woord, mijn lieve schoonzuster.' De stem was laag en zwaar. Er klonk een zweem van Renwicks stem in, maar het was Renwick niet. 'Doe maar precies wat je wordt gezegd, mevrouw Deveridge. Mijn metgezel houdt een vervelend straatjongetje, genaamd Kleine John, in een van de rijtuigen die buiten staan, gevangen. Als u en ik niet heel snel in dat rijtuig stappen, zal hij, volgens mijn opdracht, de keel van dat joch doorsnijden.'

Ze kon geen adem meer halen van angst. En ze kon ook niet meer helder denken. Het enige wat ze kon doen was tijdrekken. 'Wie ben je?'

'Neem mij vooral niet kwalijk, we zijn nog niet officieel aan elkaar voorgesteld, nietwaar? Renwick is gestorven voor je de rest van ons hebt leren kennen. Wij vormen een hecht gezin, zie je. En onze naam is niet Deveridge, zoals Renwick zich noemde. Wij heten Keston. Mijn naam is Graydon Keston.'

'Madeline?' Bernice keerde zich om en keek haar aan. 'Is er iets aan de hand?' Haar ogen vielen op de man die achter haar nichtje stond. 'Lieve God!'

'Geef de sleutel aan uw nicht, madam.'

Bernice verstijfde en klemde haar reticule met beide handen tegen zich aan.

'Doe maar, tante Bernice,' fluisterde Madeline. 'Hij heeft Kleine John te pakken.'

'En ik heb ook een mes,' zei Keston tergend langzaam. 'Ik kan het in deze drukte ongezien tussen de ribben van mevrouw Deveridge laten verdwijnen en me uit de voeten maken voor iemand haar op de grond ziet zinken.'

Bernice keek met grote, verschrikte ogen naar Madeline. Alle vrolijke opwinding die zij een moment geleden nog had uitgestraald, was verdwenen.

'Madeline,' fluisterde ze met een stem die trilde van angst. 'Nee.'

'Er gebeurt niets met mij.' Ze stak haar hand uit en pakte de reticule van Bernice.

'Heel goed.' Keston gebruikte zijn mes om Madeline vooruit te duwen. 'En nu gaan we ervandoor. Je hebt me al genoeg kopzorgen gegeven, mevrouw Deveridge.'

Madeline deed een stap naar voren en bleef abrupt staan toen Zachary voor haar opdoemde. Zijn grimmige ogen waren op Keston gevestigd.

'Jij bent zeker de lijfwacht,' zei Keston rustig. 'Dat verwachtte ik al. Ga opzij, anders vermoord ik haar hier vlak voor jouw ogen.'

'Zachary, doe alsjeblieft wat hij zegt,' fluisterde Madeline snel. 'Hij heeft Kleine John te pakken.'

Zachary aarzelde. Er lag een vastberaden uitdrukking op zijn gezicht.

'Vertel hem ook even dat er een mes in je rug prikt, mijn allerliefste schoonzuster.'

Zachary's gezicht verstrakte bij die woorden. Hij deed een stap opzij en verdween meteen daarop in de menigte.

'Die gaat nu zijn baas te vertellen dat de plannen voor vanavond zijn veranderd, vermoed ik.' Keston duwde Madeline de nevelige nacht in. 'Dacht Hunt echt dat ik zo makkelijk te manipuleren was? Hij is niet de enige die de oude Vanzaanse Kunstgrepen van de Strategie heeft bestudeerd.'

Hij duwde haar snel naar de mensenmassa die zich in de buurt van de rijtuigen bevond. Madeline voelde zijn hand op haar schouder. Hij schoof haar tussen een paar huurrijtuigen die dicht achter elkaar stonden, door. De koetsiers schreeuwden, de paarden schraapten met hun hoeven over de stenen en maakten briesende geluiden.

Madeline aarzelde en voelde meteen de punt van Kestons mes in haar rug. Ze hijgde, struikelde en botste tegen de massieve schouder van een paard. Het dier was zenuwachtig door het lawaai om hem heen. Zijn oren gingen plat naar achteren en hij begon te steigeren. De hoeven waren maar een paar centimeter van Kestons ene been vandaan. In de duisternis knalde een zweep.

'Hou je kalm, stom wijf,' snauwde Keston.

Hij trok Madeline bij het angstige paard weg en duwde haar door het dichte, rommelige menigte van rijtuigen en paarden, rennende knechten en bendes straatjongens die een paar centen probeerden te verdienen door huurrijtuigen te bemachtigen voor theaterbezoekers die niet met een privé-rijtuig waren gekomen.

Halverwege de straat hield Keston haar tegen. Een portier van een rijtuig ging open.

'Ik zie dat je haar te pakken hebt.' Een grote hand kwam naar buiten en trok haar het onverlichte rijtuig in. 'De minnares van Hunt, zei je. Nou, dat biedt interessante mogelijkheden.'

Madeline rook cognac in de adem van de man. Zijn vingers omknelden ruw haar arm toen hij haar op de bank naast zich trok. Haar voet kwam in aanraking met een bundel die op de grond lag. Ze keek omlaag. Er viel net genoeg licht door het raampje naar binnen om het gezicht te herkennen.

'Kleine John! Is alles goed met je?'

Hij keek in haar grote, angstige ogen en knikte dapper. Ze realiseerde zich dat hij gebonden en gekneveld was.

Keston bleef nog even staan om de koetsier zijn orders te geven. 'Wegwezen, man. Je krijgt een extra bonus als je ons heel snel naar onze bestemming brengt.'

De zweep knalde en de paarden schoten vooruit.

'Ik geloof dat we een enthousiaste koetsier hebben,' zei Keston voldaan terwijl hij zich tegenover Madeline in de kussens liet vallen. Hij tilde een punt van zijn mantel op en liet zijn mes in een schede glijden die om zijn been gegespt was. Toen ging hij rechtop zitten en haalde een revolver uit zijn zak. Hij richtte het wapen op Madeline. 'We zijn heel snel op onze plaats van bestemming.'

'Ik raad je aan je gezonde verstand te laten werken, als je dat tenminste bezit, en Kleine John en mij vrij te laten en het land uit te vluchten voor Hunt je te pakken krijgt,' zei Madeline streng. 'Als je een van ons beiden ook maar een haar krenkt zal hij je najagen tot hij je vindt.'

De man naast haar bewoog zich ongemakkelijk. 'Wat één ding betreft heeft ze gelijk. Die verdomde rotzak zal ons nooit zomaar laten gaan. Wie zou nu hebben gedacht dat hij, na al die jaren...'

'Hou je kop, Flood,' zei Keston.

Madeline keerde zich half om en keek naar de grote man die naast haar zat. 'Ben jij Flood?'

'Tot uw dienst.' Floods tanden glinsterden in een korte, gemene grijns. 'Maar goed, het zal niet lang duren voor jij bij mij in dienst bent.'

Ze keek Keston weer aan. 'Was Flood je informant?'

Keston haalde zijn schouders op. 'Een van de velen. En alleen de afgelopen dagen. Ik heb het meeste opgestoken in kroegen en uit de papieren die mijn halfbroer heeft achtergelaten.'

Ze wierp Flood een blik vol walging toe. 'Jij hebt je dus door hem laten gebruiken. Vind je dat niet een zeer riskante handelwijze?'

'Hij heeft mij niet gebruikt,' zei Flood met harde stem. 'Ik ben zijn partner in deze onderneming.'

Keston glimlachte. 'Flood is zeer behulpzaam geweest. Ik heb hem een riante beloning in het vooruitzicht gesteld, en dankzij Hunt is hij inmiddels heel begerig naar geld geworden.'

'Ik haal niet alleen een hoop geld binnen met dit akkefietje.' Flood gluurde met half dichtgeknepen ogen naar Madeline, 'jij bent namelijk de andere helft van mijn beloning.'

'Waar heb je het over, idioot?' wilde Madeline weten.

'Keston heeft beloofd dat ik jou mag hebben als dit zaakje is afgehandeld,' zei Flood. 'Ik ga een beetje terughalen van hetgeen Hunt mij heeft ontstolen. En ik zal je goed gebruiken, mijn duifje. Precies zoals ik zijn toneelspeelstertje destijd heb gebruikt.'

'Wat gek,' zei Madeline. 'Hunt heeft jou altijd als de meest snuggere van zijn drie vijanden beschouwd. Nou, dat heeft hij dus goed mis gehad.'

Even dacht ze dat hij niet door had dat hij beledigd werd. Toen zag ze zijn gezicht veranderen. Hij haalde uit en sloeg haar in haar gezicht. Haar hoofd schoot opzij. Ze haalde diep adem.

'We zullen eens zien hoeveel praatjes jij nog hebt als ik met je klaar ben. Misschien spring je ook van een rots net als zijn andere hoer, hè? Dat zou nog eens lollig zijn.'

'Genoeg,' zei Keston. 'We hebben geen tijd voor dergelijke spelletjes. Doe die tas die zij in haar hand heeft open. Er moet een boek in zitten. En klein, dun boekje gebonden in rood kalfsleer.'

Flood griste Bernices reticule uit Madelines hand en trok hem open. Hij voelde er met zijn hand in en haalde er een pakje uit dat in een doek was gewikkeld.

'Ik begrijp nog steeds niet waarom je al die moeite doet voor zo'n stom boekje,' mopperde Flood.

'Dat zijn mijn zaken, die gaan jou niet aan,' zei Keston gespannen. 'Pak uit dat boek en geef het aan mij. Ik wil me ervan overtuigen dat ik niet voor de gek ben gehouden.'

Madeline hoorde het doek scheuren.

'Hier heb je je verdomde boek.' Flood overhandigde het aan Keston. Toen stak hij opnieuw zijn hand in de tas en haalde er iets anders uit.

'Aha, wat hebben we hier?'

Madeline keek naar het flesje dat hij in zijn hand hield. 'Dat is van mijn tante. Ze heeft altijd een flesje cognac bij zich. Dat gebruikt ze als drankje voor noodgevallen. Ze heeft zeer zwakke zenuwen.'

'Cognac, hè?' Flood draaide de dop eraf en rook begerig aan het flesje. 'Nou, één van Hunts beste soorten, als je het mij vraagt.'

Hij slurpte de inhoud in één, grote slok naar binnen.

Keston keek hem vol walging aan. 'Geen wonder dat Hunts plan om jou te ruïneren zo goed werkte, Flood. Jij kunt je nooit beheersen, wel?'

Flood keek hem met gefronste wenkbrauwen aan terwijl hij zijn mond aan zijn mouw afveegde. 'Jij vindt jezelf ontzettend slim, nietwaar? Maar wat had je moeten beginnen zonder mijn hulp, nou?' Hij smeet het flesje uit het raam. 'Zonder mij had je niets klaargespeeld, vergeet dat niet, sir!'

Madeline negeerde Flood. Het rijtuig vloog vooruit, waardoor het voor de inzittenden uiterst oncomfortabel werd. Na een enorme kuil voelde ze dat Kleine John op zijn zij rolde, met zijn gezicht naar haar voeten. Ze porde met haar teen naar hem en probeerde hem te laten zoeken naar de kleine schede om haar enkel, vlak onder de zoom van haar japon.

'Zo, zo, dus hier gaat het allemaal om?' Keston mompelde in zichzelf terwijl hij het boekje omhooghield.

Madeline voelde zijn opwinding. 'Dat is de sleutel die jij wilt bemachtigen.' Ze duwde haar enkel in de handen van Kleine John. 'Hoewel ik niet begrijp wat je eraan hebt, zonder het Boek der Geheimen. Afzonderlijk zijn ze geen van beide iets waard.'

'Je hebt de geruchten over dat oude geschrift dus ook vernomen?' vroeg Keston. 'Dat verbaast me niets. Sinds de dood van Lorring duiken die praatjes overal op.'

'Alleen de meest excentrieke leden van het Vanzaanse Genootschap geloven dat het Boek der Geheimen echt bestaat,' zei Madeline.

'Excentriek of niet,' zei Keston rustig, 'een paar puissant rijke leden van het Genootschap hebben een fortuin over voor dit rode juweeltje. Velen zijn ervan overtuigd dat het Boek der Geheimen het vuur in Italië heeft overleefd. Die stommelingen verspillen hun leven met ernaar te zoeken. Maar intussen hebben ze er een lief ding voor over om de sleutel in handen te krijgen, want ze geloven vast dat die hen een stap dichter bij de ultieme geheimen van Vanza zal brengen.'

Ze bestudeerde zijn gezicht voor zover dat in het schemerige licht ging. 'Wil jij die geheimen dan niet zelf ontdekken?'

Keston liet een harde, onaangename lach horen. 'Ik ben niet zo gek als mijn halfbroer was, mevrouw Deveridge. En ik ben ook geen halve gare zoals zovelen van het Vanzaanse Genootschap.'

'Dus jij bent vanaf het begin alleen maar op geld uit? Jij bent helemaal niet naar Londen gekomen om Renwick te wreken?'

Kestons demonische bulderlach schalde door het voertuig. 'Mijn beste mevrouwtje Deveridge. Weet jij niet dat de Vanza-filosofie leert dat alle sterke emoties gevaarlijk zijn? Wraak vereist een mate van gedrevenheid die de geest kan vertroebelen en kan aanzetten tot onredelijke handelingen. In tegenstelling tot Renwick sta ik mijzelf niet toe me te laten leiden door mijn begeertes. Ik kijk wel zwaar uit om die idioot te gaan wreken.'

'Maar hij was toch je broer?'

'Mijn halfbroer. We hadden alleen dezelfde vader.' Keston hield abrupt op met lachen. Zijn ogen schitterden in het duister. 'De laatste keer dat ik Renwick zag werd mij duidelijk dat hij even geflipt was als die man.'

'Maar jullie hebben allebei op Vanzagara gestudeerd.'

'Dat kwam omdat onze vader een fervente aanhanger van die filosofie was.' Keston bestudeerde het gouden handvat van zijn wandelstok. 'Nu ik eraan terugdenk kom ik tot de conclusie dat papaatje eigenlijk altijd gestoord is geweest. Hij was ervan overtuigd dat de oudste oergeheimen uit de klassieke wereld waren opgetekend in de alchemistische notities die in de kern van de zwarte kant van Vanza waren opgeslagen. Naarmate we ouder werden werd Renwick steeds meer geobsedeerd door diezelfde gedachtengang. En ten slotte is zijn obsessie voor het occulte zijn ondergang geworden.'

De koets hobbelde en zwaaide heen en weer. Madeline voelde dat de vingers van Kleine John zich om haar enkel klemden. Hij had eindelijk het mes ontdekt. Geen van de mannen schonk enige aandacht aan hun kleine gevangene, maar Madeline schudde met een automatisch gebaar even haar rokken uit, om de bewegingen van Kleine John te verbergen.

Er kwam een gedachte in haar op. 'Jullie hebben die avond mijn dienstmeisje laten ontvoeren, nietwaar?'

Keston glimlachte bewonderend. 'Heel goed, liefje. Jij hebt een verbluffende logica voor een vrouw. Ja, ik wilde van het meisje te weten zien te komen of jouw vader de laatste tijd nog nieuwe boeken bij zijn verzameling heeft gevoegd. Toen dat mislukte besloot ik het op een andere manier te proberen. Het duurde een poosje voor ik erachter kwam dat de sleutel inderdaad in jouw bezit moest zijn.'

Flood boerde en stak een hand uit om zijn evenwicht te bewaren. Hij schudde geërgerd zijn hoofd, alsof hij het allemaal niet meer kon volgen.

Madeline deed haar uiterste best om het gesprek gaande te houden. Ze moest ten koste van alles de aandacht van Keston zien vast te houden. 'Ik heb gezien dat jij een wandelstok hebt die precies hetzelfde is als die van Renwick.'

'Ja.' Keston glimlachte en klemde zijn hand steviger om het gouden handvat. 'Dat is een geschenk van onze geschifte vader. Vertel eens, mevrouw Deveridge, wat is er nu precies gebeurd op de avond dat Renwick de dood vond? Ik moet bekennen dat ik daar een tikje nieuwsgierig naar ben. Ik kan maar moeilijk geloven dat een doodgewone inbreker mijn halfbroer fataal is geworden.'

'Renwicks krankzinnigheid is hem fataal geworden,' antwoordde ze rustig.

'Verdomd nog aan toe!' Er klonk verbazing in de stem van Keston. 'De geruchten zijn dus waar. Jij hebt hem gedood, hè?'

De koets helde over en kraakte aan alle kanten toen de paarden een hoek omgingen. Madeline voelde dat Kleine John het mes uit zijn houder trok. *Slim ventje.*

'Die vervloekte koetsier,' mompelde Flood. Hij greep een koord om niet te vallen. 'Als hij niet uitkijkt slaan we nog om.'

'Die man is vastbesloten om zijn bonus te verdienen.' Keston legde een hand tegen het portier. Het pistool in zijn andere hand bleef echter waar het was.

Floods vingers gleden van het koord en hij kiepte voorover op de tegenovergelegen plaats.

'Sstomme izioot op ze bok,' gromde hij terwijl hij zichzelf omhoogduwde en weer in zijn eigen hoekje zakte. Zijn woorden klonken slissend. 'Rijdt veelze hard. Wazze an de hand met die sjsjufferd? Zeggis dat die langzamer moet, Kezzon.'

Keston keek hem onderzoekend aan. 'Hoeveel heb jij vanavond gedronken?'

'Een paar glazen maar voor me zenuwen.'

'Ik heb niets aan een stomdronken assistent.'

Flood wreef over zijn voorhoofd. 'Geen zorgen. Ik maak zit zaakje af. Ik wil niez liever dan mijn geld zerug. Hunt zal moeten dokken. O ja, hij zal veel moeten dokken.'

'Je krijgt nu snel de kans om wraak te nemen, als je tenminste precies doet wat ik je heb gezegd.' Keston keek uit het raampje.'We zijn onze plaats van bestemming zeer dicht genaderd.'

'Wat zijn je plannen?' Madeline voelde de handen van Kleine John niet meer. Ze bad dat hij de touwen om zijn voeten ermee aan het bewerken was.

Kestons lachje was wreed. 'We stoppen eerst even bij de zuidelijke poort van de Droompaviljoens. Ik wil in het park een laatste boodschap achterlaten voor Hunt.'

'Ik begrijp het,' zei ze kil. 'Je schiet Flood dood en laat zijn lijk in het park achter waar Hunt het zal vinden, net zoals het met Oswynn is gegaan.'

Flood keerde zich met een ruk om, zijn mond viel open. 'Wazzis dat over mij vermoorden?'

'Rustig, Flood.' Het klonk of Keston zich kostelijk amuseerde. 'Ik ben niet van plan jouw lijk in het park achter te laten. Hunt zal straks het lijk van de jongen op een van de paden vinden.'

Madeline voelde het koude zweet langs haar rug glijden. 'Je kunt die jongen niet vermoorden. Alsjeblieft, je hebt helemaal geen reden om dat kind kwaad te doen, en dat weet je. Die jongen is niet gevaarlijk voor jou.'

'Het zal Hunt een lesje leren.'

Madeline wierp een onzekere blik op Flood, die heen en weer zat te zwaaien op zijn plaats. Ze moest zorgen voor afleiding. Het enige wat ze kon bedenken was te proberen Flood en Keston tegen elkaar op te zetten.

'Waarom vertel je meneer Flood de waarheid niet? Je bent wel degelijk van plan hem te vermoorden.'

'Hè?' Flood keek enorm scheel in een poging zijn omgeving goed in beeld te krijgen. 'Waarom zeur je zo over vermoorden, stom wicht? Ik ben zijn partner. We hebben een overeenkomst gesloten.'

Ze voelde dat het rijtuig vaart minderde. 'Snap je dat niet, sir? Hij heeft je niet meer nodig.'

'Hij kan me niet vermoorden.' Flood probeerde zijn evenwicht te bewaren toen het rijtuig met horten en stoten tot stilstand kwam. Maar dat lukte niet. Hij viel weer voorover. Deze keer landde hij met zijn gezicht omlaag op de tegenoverliggende bank, en gedeeltelijk op de benen van Kleine John. 'We zijn partners,' zuchtte hij tegen de kussens.

Flood deed geen enkele poging zich weer op te richten en bleef roerloos liggen. Toen hij een enorme boer liet gleed zijn grote lichaam nog verder op het tengere lijfje van Kleine John. Madeline zond een schietgebedje omhoog dat het ventje nog adem kon halen. Toen ze zijn arm een paar maal voelde bewegen was ze gerustgesteld.

'Gefeliciteerd, mevrouw Deveridge.' Keston bekeek Flood met opgetrokken wenkbrauwen. 'Wat zat er écht in dat kleine flesje dat hij uit de reticule van je tante heeft gehaald?'

'Mijn tante is heel bekwaam in het maken van kruidendrankjes.' Ze keek hem aan en probeerde zijn blik vast te houden omdat ze niet wilde dat hij naar Kleine John zou kijken. 'Ze bedacht dat degene die vanavond haar reticule zou afpakken misschien wel trek in een borreltje zou hebben.'

'Daarom heeft ze die rotzooi vergiftigd. Wel, wel, wel. Er schijnen ook moordzuchtige trekjes in jouw familie voor te komen, liefje. Eerst slaag jij erin om Renwick uit de weg te ruimen en nu heeft jouw tante mijn zogenaamde partner om zeep gebracht. Jullie tweeën vormen een bijzonder pienter vrouwenteam moet ik zeggen.'

'Flood slaapt alleen maar, hij is niet dood.'

'Jammer. Ik was al blij dat zij mij de moeite had bespaard om van hem af te komen. Nou ja, dan zal ik dat zaakje zelf maar afhandelen.' Hij maakte een beweging met de loop van het pistool. 'Doe de deur eens open, liefje. Snel een beetje, want ik wil nu geen tijd meer verspillen. Hunt zal zich gauw genoeg realiseren dat ik iets leuks voor hem zal achterlaten in zijn dierbare pretpark.'

Ze aarzelde, maar deed toen langzaam het portier van de koets open.

'Ik ga er eerst uit,' zei Keston. 'Dan kom jij en je sleept de jongen mee. Je hoeft niet naar de koetsier te roepen, want dat zal niet helpen. Hij weet heel goed dat ik degene ben die vanavond zijn loon en zijn bonus zal uitbetalen. Bovendien wil hij helemaal niet bij dit zaakje betrokken worden.'

Keston hield het pistool op Madeline gericht toen hij naar de open deur schoof. Soepel sprong hij naar buiten, draaide zich vliegensvlug weer naar haar toe en pakte de onaangestoken lantaarn.

'Stap nu heel langzaam uit, mevrouw Deveridge.' Terwijl hij sprak stak hij de lantaarn aan.

Ze stak haar hand uit om Kleine John aan te raken. Hij knikte snel. Ze ving een glimp op van zijn ongebonden enkels, maar hij was aan de grond genageld door het lichaam van Flood. Als ze hem daar onderuit kon krijgen kon hij weglopen.

'Meneer Keston, vertel eens,' zei ze terwijl ze zich gereedmaakte om uit te stappen. 'Hoe lang denk je dat je je voor Hunt kunt verbergen? Een dag of twee misschien?'

'Ik zal die rotzak toestaan mij te vinden waar en wanneer ik wil. En als we tegenover elkaar staan zal ik hem doden. Maar eerst wil ik hem laten weten dat ik hem in deze zaak te slim af ben geweest. Hij mag dan een Vanza-meester zijn, maar voor mij is hij totaal geen par...'

Zonder enige waarschuwing daalde er een zwarte wolk uit de lucht. De wijde mantel viel over Keston heen en de zware plooien bedekten hem van top tot teen.

'Wát?' Kestons woedende schreeuw werd gedempt door de dikke stof van de mantel. Hij worstelde wild om zich ervan te bevrijden.

'Liggen, Madeline!' schreeuwde Artemis, die zijn mantel volgde en boven op Keston terechtkwam.

De twee mannen ploften met een ziekmakende bons op de stenen neer. Er knalde een pistoolschot toen Keston in het wilde weg de trekker over haalde. Het schot raakte niemand, maar de paarden begonnen te hinnikten en steigerden in paniek.

'Kleine John!' Madeline kwam overeind en probeerde bij de jongen te komen.

Hij had blijkbaar begrepen wat er gebeurde en deed wanhopige pogingen zich te bevrijden van het lichaam van Flood. Maar dat lukte niet omdat zijn handen nog gebonden waren en het gewicht van Flood te zwaar voor hem was.

Madeline voelde dat het rijtuig werd opgetild toen de angstige dieren zich verhieven. Over een paar seconden zouden ze op hol slaan.

Het lukte haar een schouder van Kleine John te pakken te krijgen. Ze probeerde hem naar de deur te trekken, maar ze kon hem niet onder Flood uit krijgen.

Kleine John keek haar met doodsbange, hulpeloze ogen aan. Hij wist evenals zij wat er gebeurde met passagiers die in een rijtuig zaten waarvan de paarden op hol sloegen. Meestal eindigde dat voor hen met een gebroken nek.

Madeline negeerde de twee mannen op de grond en klom het rijtuig weer in. Het schudde wild heen en weer toen de paarden weer op hun vier benen terechtkwamen. Ze wist dat de dieren er nu vandoor zouden gaan.

Ze zette zich schrap tegen de bank en plantte de zool van haar laars tegen het lichaam van Flood. Toen duwde ze zo hard ze kon.

Het rijtuig kwam in beweging.

Ze duwde uit alle macht. Floods zware lichaam bewoog. Kleine John krabbelde eronderuit. Ze greep hem beet en sprong samen met hem uit de koets. Met een bons kwamen ze op straat terecht en rolden een eindje door.

De koets donderde de smalle straat in. Bij de hoek gingen de paarden naar links. De zware koets zwaaide heen en weer, helde naar één kant en viel op zijn zij. De paarden braken los. Ze renden in blinde paniek de duisternis in en lieten het rijtuig met wild rondraaiende wielen achter.

Madeline greep de arm van Kleine John en krabbelde overeind. Toen ze zich omdraaide zag ze dat Keston zich had losgewrongen van Artemis. Ze verwachtte dat hij op de vlucht zou slaan. Maar in plaats daarvan slaakte hij een rauwe kreet, en greep zijn wandelstok die vlak bij hem lag.

Madeline dacht dat hij Artemis met de stok te lijf wilde gaan. Maar Keston draaide met een wilde beweging van zijn hand het handvat van de stok. In het licht van de lantaarn zag ze een lang, vlijmscherp lemet glinsteren.

'Artemis!'

Maar hij was al in beweging. Hij lag nog half op de grond en zwaaide zijn gelaarsde voet met een korte boog naar Keston. Hij raakte hem keihard op zijn dij. Met een schreeuw van pijn viel Keston achterover op de harde stenen.

Voor Madeline met haar ogen kon knipperen was Artemis al bij hem.

'O, God, het mes,' fluisterde ze.

Kleine John sloeg zijn armen om haar middel en begroef zijn gezicht in haar mantel.

Het gevecht eindigde afgrijselijk abrupt. Beide mannen bleven roerloos liggen. Artemis lag boven op Keston.

'Artemis!' gilde Madeline. 'Artemis!'

'Allemachtig.' Kleine John hief zijn hoofd op en staarde vol afgrijzen naar de twee mannen. 'Allemachtig.'

Na een eeuwigheid kwam Artemis overeind en rolde van de roerloze Keston af. In het licht van de lantaarn glinsterde overal bloed.

Madeline sloeg de punt van haar mantel om Kleine John heen en probeerde hem te behoeden voor het afschuwelijke tafereel.

Artemis stond op en keek haar aan. Hij scheen er zich niet van bewust dat er bloed van het mes dat hij in zijn hand had drupte.

'Is alles goed met je?' vroeg hij bars.

'Ja.' Ze staarde naar het mes. 'Artemis, ben je...?'

Hij keek naar het mes. Toen wierp hij een blik op Keston. 'Ik ben niet gewond,' zei hij rustig.

Kleine John duwde Madelines mantel weg en vroeg: 'Is hij dood?'

'Ja.' Artemis smeet het mes weg. Het kwam met een metaalachtige klank op de stenen terecht.

Madeline rende naar hem toe.

22

'Wie had nu kunnen bedenken dat Flood erbij betrokken was?' Bernice huiverde. 'En ik dacht nog wel dat het erg slim van me was om die slaapdrank in mijn reticule te stoppen. Het was mijn bedoeling dat Keston die zou opdrinken, en niet Flood.'

'Maar Flood heeft dat wel gedaan.' Artemis keek naar het glas cognac dat hij zojuist voor zichzelf had ingeschonken 'En ik zal nooit meer op dezelfde manier naar cognac kijken als vroeger. Ik dank u nogmaals, madam. En jou ook, Madeline, omdat je Kleine John uit een rijtuig waarvan de paarden op hol sloegen, hebt gered. Eigenlijk bleef er voor mij maar bitter weinig over.'

Madeline wierp hem een dreigende blik toe. 'Doe alsjeblieft niet net of het een fluitje van een cent was, sir. Je had dood kunnen zijn.'

'Over dood gesproken,' zei Bernice bedachtzaam. 'Ik hoop dat je niet al te erg teleurgesteld bent dat Flood tijdens dat ongeval met het rijtuig is gedood. Ik begrijp best dat je had gewild dat hij nog een poosje was blijven leven om te boeten voor zijn wandaad.'

'Ik heb genoeg van het smeden van wraakplannen.' Artemis wierp een blik op Henry. 'Ik heb ontdekt dat die uiteindelijk veel te veel complicaties en onvoorziene problemen veroorzaken.'

'Dat is een wijs besluit, sir,' mompelde Henry. 'Er zijn veel leukere dingen om je mee bezig te houden.'

'Ja.' Artemis keek naar Madeline, die opgekruld in een hoekje van de sofa zat. 'Dat mag je wel zeggen.'

Madeline keek op van de sleutel die ze aan het bestuderen was. 'En hoe zit het met de slaapkruiden?'

'Toen ik vanmorgen Kestons kamers doorzocht heb ik het restant van de voorraad die hij van Lord Clay heeft gestolen gevonden,' zei Artemis. 'Ik heb ook nog andere kruiden gevonden die hij waarschijnlijk heeft gebruikt om zijn slachtoffers te verdoven.'

'Heb je nog meer interessante vondsten gedaan?' vroeg Madeline.

'Ja. Kestons dagboek. Een paar maanden geleden heeft hij voor het eerst geruchten over de sleutel gehoord. Hij is er toen meteen naar gaan zoeken. Het duurde een hele poos voor hij ontdekte dat het spoor naar Londen leidde. Toen hij hier aankwam besloot hij de huizen van de leden van het Genootschap die hij in staat achtte de sleutel te kunnen vertalen, een nachtelijk bezoek te brengen. Hij doorzocht systematisch hun bibliotheken.'

'Wat moet hij geschrokken zijn toen Linslade hem die avond op heterdaad betrapte,' zei Madeline.

'Inderdaad. Maar dat bracht hem ook op het idee om net te doen alsof zijn halfbroer uit de dood was opgestaan. Toen hij zich realiseerde dat jij dat boekje wel eens in je bezit kon hebben is hij met dat spelletje doorgegaan. Hij wilde jou zo bang maken dat je hem de sleutel zou overhandigen.'

Henry liet de cognac in zijn glas rondwalsen. 'Maar voor het zover was was Madeline al veilig in jouw huis geïnstalleerd.'

'Ja, hij heeft nog even geprobeerd snel van mij af te komen.'

Madeline fronste haar wenkbrauwen. 'Die avond toen hij jou op straat aanviel.'

Artemis nam een slok uit zijn glas en knikte. 'Toen dat mislukte realiseerde hij zich dat ik weleens een gigantisch probleem zou kunnen worden.'

'En dat,' zei Madeline met een brede grijns, 'was nog heel mild uitgedrukt.'

'Toen bedacht hij dat hij me zou kunnen afleiden door zich te gaan bemoeien met mijn plannen voor Oswynn, Flood en Glenthorpe. Hij besloot hun lijken op het grondgebied van de Droompaviljoens achter te laten.'

'En dat zou ertoe hebben geleid dat men had ontdekt dat jij de eigenaar van dat pretpark bent,' deed Bernice een duit in het zakje.

Artemis glimlachte. 'Hij was er absoluut zeker van dat ik alles zou doen om dat te vermijden, zie je. Hij ging ervan uit dat ik enorm veel prijs stelde op mijn plaats in de society.'

'Terwijl het vergeldingsplan het enige was wat belangrijk voor je was,' knikte Madeline.

Artemis keek haar aan. 'Maar hij kon natuurlijk niet weten dat ik ook daar heel snel mijn belangstelling voor begon te verliezen.'

Ze glimlachte. 'Je bent echt een bijzondere man, Artemis.'

'Hoewel ik een Vanzaan ben?' vroeg hij ernstig.

'Niet elk lid van het Vanzaanse Genootschap is een eigenaardige zonderling,' zei ze edelmoedig.

'Dank je, lieverd. Het is heel rustgevend te weten dat ik, volgens jouw mening, uiteindelijk boven het peil van een excentriekeling ben uitgestegen.'

Henry grinnikte. Bernice keek alsof ze binnenpretjes had.

Madeline werd rood. Ze zwaaide met het kleine rode boekje. 'En wat doen we met de sleutel, sir?'

'Ja, wat doen we ermee?'

'We moeten echt een besluit nemen wat we ermee gaan doen.'

'Ja.' Zijn stem klonk vastberaden. 'Zonder het Boek der Geheimen hebben we er niets aan. En het is best mogelijk dat we er later opnieuw problemen door krijgen.'

'Dat ben ik met je eens. Maar het is een bron van kennis, en moedwillig een bron van kennis vernietigen druist in tegen alles wat mijn vader mij heeft geleerd. Wie weet hoeveel nuttigs degenen die na ons komen er nog uit kunnen halen?'

'Wat stel jij voor?'

'Het Boek der Geheimen, als het ooit wordt gevonden, hoort thuis in de Tuin Tempels van Vanzagara,' zei Madeline bedachtzaam. 'En ik geloof dat de sleutel van de tekst daar ook thuishoort.'

Artemis dacht over haar woorden na. 'Daar kun je gelijk in hebben.'

'Er zit een zekere logica in,' was Henry het met hem eens.

'Wat mij betreft kan dat boekje niet ver genoeg van Engeland vandaan zijn,' zei Bernice met diepe overtuiging.

'De vraag is natuurlijk hoe het veilig naar Vanzagara gebracht kan worden,' mijmerde Madeline.

Artemis glimlachte. 'Ik kan me niet indenken dat er een veiliger manier is dan het mee te geven met een van de vrachtschepen van Edison Stokes. Zijn schepen doen Vanzagara regelmatig aan. Laat hij de verantwoording voor de verzending maar op zich nemen. En wat er onderweg ook gebeurt, wij zijn voorgoed bevrijd van dat vermaledijde bloedrode boekwerkje.'

23

Hij beloofde zichzelf dat htij het geen dag meer zou uitstellen. Hij moest het antwoord weten, anders werd hij net zo'n idioot als alle andere zonderlingen van het Vanzaanse Genootschap.

Maar hij kon de vraag niet binnenshuis stellen. Misschien kwam het door zijn Vanzaanse achtergrond, maar hij gaf de voorkeur aan de beschutting van de duisternis.

Madeline fronste haar wenkbrauwen toen hij vroeg of ze zin had in een wandelingetje door de tuin.

'Ben je gek?' vroeg ze. 'Het is ijskoud buiten. En je kunt geen hand voor ogen zien door de mist. We zouden ons een flinke kou op de hals kunnen halen.'

Hij knarste met zijn tanden. 'Ik beloof je dat we maar heel even buiten blijven.'

Ze deed haar mond open om iets te zeggen. Hij zag dat het woord nee al op haar lippen lag. Hij zette zich schrap om haar argumenten te ontzenuwen. Maar ineens keek ze hem met een eigenaardige blik aan. Zonder verder een woord te zeggen legde ze haar leesboek neer en stond op.

'Even mijn mantel halen, ' zei ze terwijl ze langs hem heen glipte.

Hij pakte ook een jas en ging naar de hal. Even later liepen ze samen naar de voordeur. Artemis trok hem open en ze stapten de nacht in.

Er hing een dichte mist in de tuin, maar het was niet zo koud als Artemis had gedacht. Misschien werd hij afgeleid door wat er ging gebeuren.

'Ik neem aan dat mijn tante en meneer Leggett zich nu enorm amuseren in het theater,' zei Madeline op luchthartige toon. 'Het is een leuk stel, vind je niet? Wie zou dat nu gedacht hebben?'

'Hmmm.' Het laatste waar Artemis het over wilde hebben was de snel opbloeiende romance tussen Bernice en Henry. Zijn eigen romance bezorgde hem al genoeg kopzorgen.

'Ik neem aan dat je met me wilt praten over het feit dat je nu onderhand je gasten wel weer kwijt wilt.' Madeline trok de kap van haar mantel over haar hoofd. 'Ik besef dat we lastig voor je beginnen te worden. Ik beloof je dat tante Bernice en ik morgenochtend onze koffers zullen pakken.'

'Daar is geen haast bij. Iedereen in huis is gewend aan jullie aanwezigheid.'

'Nee, laat maar, Artemis. Morgen, tegen het middaguur, ben je van ons verlost.'

'Ik heb je niet meegenomen naar buiten om over je vertrek te praten. Ik wilde...'

'We zijn je allebei heel dankbaar, sir. Echt waar, ik weet niet wat ik had moeten doen als jij me niet had geholpen. Ik hoop dat je tevreden bent met de uitbetaling.'

'Ik ben zeer tevreden met het dossier van je vader, dank je,' gromde hij. 'En ik zit echt niet te wachten op die verdraaide dankbaarheid van je.'

Ze klemde haar handen achter haar rug in elkaar. 'Voor ik wegga wil ik je nog mijn excuses aanbieden voor de keren dat ik heb laten doorschemeren dat ik je een tikje zonderling vond.'

'Ik bén ook zonderling. En waarschijnlijk heel wat meer dan een tikje.'

'Maar ik heb je nooit echt excentriek gevonden.' Haar ogen stonden heel ernstig. 'Dat wil ik wel duidelijk zeggen. En ik ben erachter gekomen dat er in mijn eigen familie ook een sterke excentrieke onderstroom aanwezig is, waarvan ik zelf niet ben uitgesloten.'

'Mmm. Nou, dat weten we dan. Bedankt dat je het me allemaal zo duidelijk hebt verteld.'

'Dat hoef je niet zo verheugd te zeggen, Artemis!'

'In het begin van onze samenwerking heb je gezegd dat je het eens bent met de stelling dat men vuur met vuur moet bestrijden, en dieven moet vangen met dieven, enzovoort. Wat vind je van de stelling dat er een excentriekeling nodig is om met een excentriekeling om te kunnen gaan?'

Ze keek hem onzeker aan. 'Wat bedoel je daarmee?'

'Als men jouw lijn van denken volgt, zou men tot de conclusie kunnen komen dat een huwelijk tussen twee opmerkelijke excentriekelingen voor beide partijen wel eens heel gunstig zou kunnen uitpakken.'

Ze schraapte haar keel. 'Een huwelijk?'

'Vooropgesteld natuurlijk dat de excentrieke tendensen van de twee personen bij elkaar passen en verenigbaar zijn.'

'Natuurlijk.' Haar woorden kwamen er aarzelend uit.

'Ik ben van mening dat jij en ik enkele gemeenschappelijke en zeer verenigbare excentriciteiten bezitten,' ging hij vastbesloten verder. 'En van tijd tot tijd heb jij mij reden gegeven te geloven dat jij het met die mening eens bent.'

Ze bleef roerloos in de schaduw van een hoge muur staan. De ogen onder de kap van haar mantel waren onpeilbaar. Hij merkte dat hij zijn adem inhield.

'Lieve hemel, Artemis, ben je bezig me ten huwelijk te vragen?'

'Je weet dat ik een paar ernstige minpuntjes bezit. Ik ben een Vanzaan, een excentriekeling, een zakenman...'

'Ja, ja, dat weet ik allemaal wel.' Ze schraapte haar keel. 'Ik heb het feit dat jij zakenman bent trouwens nooit als een ernstig minpuntje gezien, sir. En wat je Vanzaanse achtergrond en je excentriciteit betreft, nou ja, ik heb ook mijn fouten, waar of niet? Ik heb dus niet het recht om kieskeurig te zijn.'

'Maar dat was je niettemin wel.'

'Kom op, Artemis, als je van plan bent om elke impulsieve opmerking die ik misschien wel eens heb uitgekraamd, tegen me te gebruiken...'

'Nou goed, over je Vanza-vooroordelen zullen we zwijgen, maar er zijn nog een paar andere probleempjes. Ik heb veel te lang alleen gewoond en ik heb ook veel te lang op mijn wraakplannen, die ik jaren geleden al had moeten uitvoeren, zitten broeden. Ik ben bang dat dat mij min of meer heeft getekend.'

'Wij dragen allemaal de merktekens van ons verleden, Artemis.'

'Ik ben geen jonge man met een luchtighartige, lichtvaardige geest.' Hij zweeg even. 'Ik weet niet eens zeker wat ze daarmee bedoelen.'

'Nou, je bent ook nog geen oude man, hoor.' Ze kuchte even. 'Integendeel, ik vind jou een voortreffelijke combinatie van op leeftijd en toch nog fit.'

'Op leeftijd en toch nog fit?'

'Ja. En dan nog wat, ik geloof dat ík veel bezit van wat jij een luchtighartige, lichtvaardige geest noemt. Dus je ziet dat we elkaar in dat opzicht uitstekend aanvullen.'

'Wil je met me trouwen, Madeline?'

Ze zweeg in alle talen.

Hij voelde paniek in zich opstijgen. 'Madeline?'

Ze zei nog steeds niets.
'In godsnaam, Madeline, wil je met me trouwen?'
Ze kreunde. 'In een dergelijk geval wordt verondersteld dat de man de vrouw te kennen geeft dat hij van haar houdt.'
'Moet ik te kennen geven...?' Hij greep haar schouders beet en siste: 'Klein krengetje, probeer je me soms een hartaanval te bezorgen? Alleen maar omdat ik even vergat te zeggen dat ik van je hou?'
'Ach, het is inderdaad maar een kleinigheidje, maar toch, Artemis.'
Hij staarde haar sprakeloos aan. 'Hoe kun jij er nu aan twijfelen dat ik van je hou zoals ik nog nooit in mijn leven van een vrouw heb gehouden?'
Ze glimlachte stralend. 'Misschien omdat je vergat het te vertellen.'
'Best, dan ga ik dat nu doen.' Hij trok haar tegen zich aan en begon haar te kussen.
Toen ze ademloos en slap in zijn armen hing hief hij zijn hoofd op. 'Wil je met me trouwen?'
'Natuurlijk wil ik met je trouwen.' Ze sloeg haar armen om zijn nek en keek hem vol liefde aan. 'Mannen op leeftijd, die toch nog fit en bij de tijd zijn, zijn niet zo dik gezaaid dat een vrouw in mijn positie het zich kan veroorloven om kieskeurig te zijn.'
Hij keek in haar liefdevolle ogen en voelde een golf van geluk door zich heen gaan. 'Bof ik even!'
Ze nam zijn gezicht tussen haar handen en kuste hem op een manier waardoor zijn hart begon te zingen en zijn bloed sneller begon te stromen. 'Ik hou van je, Artemis.'
Hij trok haar nog dichter tegen zich aan en genoot van de duizelingwekkende opwinding en vreugde die hen als een wolk omsloot.
'Er is nog één, klein dingetje,' zei ze vastberaden.
'Ik doe alles voor je, mijn liefste.'
'Er mogen nooit meer duels uitgevochten worden. Is dat duidelijk?'
'Ik heb toch al gezegd dat het hoogst onwaarschijnlijk is dat iemand het zal wagen...'
Ze schudde driftig haar hoofd. 'Nee, je moet het me belóven, Artemis. Géén duels meer.'
Nou ja, er zijn nog genoeg andere manieren om problemen op te lossen als die zich voordoen, dacht Artemis. Hij kon heel subtiel handelen, als dat nodig was. 'Goed dan, geen duels meer.'
Ze begon te lachen. Het parelende geluid zweefde hoger en hoger, zo licht als het geluk en zo echt als de ware liefde.